mayorcisimas

Biografía

Más de un millón de ejemplares vendidos de *No digas que fue un sueño* (Premio Planeta 1986) convierten a Terenci Moix en uno de los escritores más leídos de la literatura española. Después de aquel récord de ventas, *El sueño de Alejandría* reafirma su maestría en la novela histórica. Sin embargo, sus principios fueron muy distintos.

Nació en Barcelona —gusta decir que en Alejandría— un 5 de enero antes de Cristo. Durante los años sesenta residió en Londres, París, Suiza, Egipto, Roma y Madrid. Su irrupción en el mundo literario se produjo en 1968-1969 con *La torre de los vicios capitales*, que Rafael Conte definió como el libro más importante de autor joven aparecido en aquellos años. *Olas sobre una roca desierta* le valió el Premio Josep Pla en su primera convocatoria y fue saludado como una gran revelación. *Mundo macho*, *La increada conciencia de la raza*, *Amami, Alfredo!* y *Nuestro virgen de los mártires* cimentaron su reputación y le dieron una fama de iconoclasta e independiente que ha mantenido en sus colaboraciones periodísticas. Terenci ha obtenido los galardones más importantes de la literatura catalana —en un total de cinco— y, en varias ocasiones, el de la crítica. Su novela más popular de ese período es *El día que murió Marilyn*. *Terenci del Nilo* y *Viaje sentimental a Egipto* indican su apasionamiento por la cultura e historia de aquel país, pero se ha ocupado también de otros países y culturas: Grecia, el Magreb, México (recogidos en *Tres viajes románticos*) y muy especialmente Italia (*Crónicas italianas*). En 1990 volvió a batir récords de venta con *El peso de la paja*, primer volumen de sus Memorias, calificado por Pere Gimferrer como una «auténtica obra de arte», y en 1991 la novela *Garras de astracán* fue el mayor éxito de la narrativa de este año; ese mismo año publicó *Mis inmortales del cine* y *La herida de la Esfinge*. En 1992 ganó el Premio Ramon Llull con *El sexe dels àngels*, en 1994 publicó *Venus Bonaparte*, que es un homenaje a una mujer incomparable: Paulina, la hermana de Napoleón, en 1995 *Sufrir de amores*, recopilación de artículos publicados en el *Dominical* de *El País* y en 1996 ganó el Premio de Novela Fernando Lara con *El amargo don de la belleza*.

Su obra se completa con traducciones de Shakespeare (*Hamlet* y *La tempestad*), Oscar Wilde (*Salomé*), Edward Albee (*Zoo Story*), etc. Terenci Moix ha sido traducido en Francia, Japón, Dinamarca y Brasil.

Mujercísimas

Terenci Moix

Planeta

Primera edición en esta colección: febrero 1997

© Terenci Moix, 1995
© Editorial Planeta, S.A., 1997
Córcega, 273-279 - 08008 Barcelona (España)
Edición especial para Ediciones de Bolsillo, S.A.

Diseño de la colección: Summa Comunicació, S.A.
Ilustración cubierta: © A.F. Ilustración
Fotografía: © Sílvia Aguado, © García Cortés

ISBN: 84-08-02013-7
Depósito legal: M. 45 - 1997
Fotomecánica cubierta: Nova Era
Impresor: Rotapapel, S.L.
Impreso en España - Printed in Spain

A la querida memoria de Fernando Lara,
que se fue demasiado pronto.
En el mismo recuerdo, a Mercedes,
añorando dulces cenas.

Fuimos los gatopardos, los leones: los que nos sustituyan serán chacales, alimañas, y todos juntos, alimañas, chacales, leones y gatopardos continuaremos creyéndonos la sal de la tierra.

LAMPEDUSA-VISCONTI, *Il gattopardo*

«IN MANIERA GIOCOSA»

Los titulares de la prensa nos lo confirman a diario: en las Españas de 1995 la realidad todavía es una imagen deformada, no en los espejos cóncavos del callejón del Gato, sino en las variopintas pantallas de la televisión. Deformación que se viste de colores y adquiere las máscaras de una dudosa modernidad, pero que no consigue esconder ingratos atavismos.

Esta novela, escrita *in maniera giocosa*, aspira a los dones de la alta comedia del cinematógrafo americano, pero se traiciona ante la incómoda constatación de que, en las Españas de 1995, la comedia todavía deriva hacia el esperpento. «Esperpento sofisticado», podríamos decir, al ser tan finos los personajes que lo pueblan. En cualquier caso, la realidad tiende a traicionarnos y, así, la elegante ironía, la dinámica *nonchalance*, de *Mujeres*, de George Cukor, o *Al servicio de las damas*, de Gregory La Cava, se troca inevitablemente por un sarcasmo que nunca puede ser dulce.

En el año del glorioso centenario del cine, estas referencias son obligadas como lo es una antigua afirmación de Fellini, útil tanto a los cineastas como a los escritores y aun al lector.

«Mi oficio es contar historias», dijo Federico.

Que cada cual lo entienda a su gusto.

T. M.

9

NOTA

Los fragmentos referidos a la carrera de Minifac
Steiman y la noche cretense de Elena en el bar de
los muchachos tuvieron una redacción previa a la
espera de su destino natural, que es la presente novela. Con esta intención han sido recuperados y am-
pliados en forma ya definitiva.

PERSONAJES

VICTORIA BARGET: discreta dama, desencadenante del escándalo del año, con banquero incluido.

ELENA ARQUER: abogada de éxito en el gabinete jurídico que presta servicios al banquero encarcelado.

MIRANDA BORONAT: dama de la buena sociedad. Es indiscreta y experta en el absurdo.

MARQUESA DEL POZO DEL TÍO RAIMUNDO: de nombre Zenaida. Nonagenaria distinguida y prudente. Pese a todo tiene un terrible secreto en su vida.

PERLA DE POUGY: ninfómana de niños. Una de las ochenta mejores amigas de Miranda Boronat.

MARÍA JOSÉ OSVÁLDEZ, alias FIFICUCHA: hija del banquero y la dama del escándalo.

PRINCESA VON PETARDEN: dama de moda y de modos; casada con el príncipe Ludovico, octogenario italiano cuya estirpe arranca de la nobleza medieval romana. Conocida en otro tiempo como Fifí la Tomate.

BEVERLY GLADYS GUTIÉRREZ: venezolana, secretaria personal de la princesa. Se parece a la muñeca Barbie.

AMPARO RISOTTO: ministra de Cultura del go-

13

bierno socialista. Es valenciana y experta en paellas.

FERMINA MAYOR: secretaria personal de la ministra.

RUPERTA PORCINA BOYS: novelista experimental, autora teatral y perejil de todas las salsas. Fue fallera.

TINA VÉLEZ: una de las más prestigiosas entre las doscientas cuarenta y tres agentes literarias que trabajan en España.

VISNÚ DE MELLER: relaciones públicas de la editorial Ilión de libros clásicos. Confidente de Tina Vélez y discípula de Silvina Manrique.

DORITA PERTÚS: secretaria personal de Visnú De Meller.

SILVINA MANRIQUE: relaciones públicas de la editorial Espada y Arte. Amiga íntima de Visnú De Meller. Básicamente argentina.

PRISCILLA ORTIZ: relaciones públicas de otra editorial. Enemiga de Ruperta Porcina Boys.

EDIPA KATASTRÓS: escritora griega y vidente. Autora de un apasionante tratado de mariología.

MARÍA ASUNCIÓN SOLIVIANTO: distinguida dama de la sociedad madrileña con especial predisposición a entablar relaciones espirituales con la Virgen.

ROSA MARCONI: intrépida presentadora de TV. Popular por su programa *El pueblo quiere saber*.

SATANASA BERZAL: una de las pitonisas de Miranda Boronat.

MINIFAC STEIMAN: escritora anglosajona que reside una parte del año en Mallorca y la otra en Creta.

MARGOT SEPÚLVEDA: soltera cuarentona. Acaba de enterrar a su madre después de estar veintidós años postrada en cama por una parálisis.

EMILIA REDES DE RUIZ-RUIZ: señora de chalet adosado. Vecina y amiga íntima de Margot Sepúlveda. Casada y con tres niños.

*Periodistas que cubren el crucero por las islas grie-
gas*

MIRTA LIMONES, SARA TONEL, MILENA SÁNCHEZ-
QUIRK, EBLOUISANTE DOMÍNGUEZ. Todas se dedican a la crónica social.

Fotógrafas personales de las periodistas

SEVERIA LUCES, MARILUZ PETRILLO, BRÍA TUPI-
NAMBA, CHONI BELTRÁN.

Otras damas de la aristocracia madrileña

BARONESA DE MONTEBARRILLO: de rancia cuna.
Tiene tres hijas: LOLÓN, SISÍN y MENENE.
PILAR PRIMA DE LA HIGUERA: beata e íntima amiga
de María Asunción Solivianto.
EUGENIA DE BOMBÓN PALMAS: amiga íntima de la
anterior.
CONDESA DE VALLECASBURGO: recién llegada al
tronío.
MARQUESA DE LAS TABLILLAS, CONDESA DE SAGUN-
TILLO Y OTRAS.

Esposas de consellers de la Generalitat, catalanas practicantes

MARIONA FINESTRELL I PALAUTORDERA, NÚRIA SANT CELONI I VERTUN, las hermanas VILA-NOVA (la mayor) y GELTRÚ (la menor).

Varias señoras de la jet barcelonesa: castellanizadas todas

Algunas de las ochenta mejores amigas de Miranda Boronat: OLIVIA SOTOMAYOR, ALMUDENA DEL PEDRAL, NENITA LAFUENTE, SENSITA DE OLOT, PETRITA SOLÁ, SONSOLES DEL PARRAL, MAURICIA RESCLÓS...

El servicio

YMELDAS: criadas filipinas de Miranda Boronat. Son tres: la First, la Second y la Twentyfifth.
LÍA: criada de Victoria Barget en la isla de Leikós.
STAVROS: chófer de Victoria y esposo de Lía. De maneras chulescas.
IRINA: otra criada de Victoria.

Religiosos

La madre superiora del convento de las Arremangadas. Sor Reverenciada del Urgente Auxilio, hermana tornera. Un obispo aficionado a los niños en edad de merecer. El archimandrita Adamantios Diazomato: rige un orfanato griego.

Capítulo cero

LA ISLA DE LA GORGONA

Nuestro autor preferido escribió que, a los treinta años, cierta dama de una provincia francesa se consideraba una mujer acabada. No era éste el caso de Victoria Barget, que al llegar a los cuarenta y varios resultó más joven que diez años atrás. Nos hallamos sin duda ante un enigma de proporciones singulares. Porque tanta juventud no la da la cirugía —ese Lourdes de las damas acabadas— ni ayudan a conservarla las mejores esteticistas, esforzadas obrerillas de la decrepitud ajena. No. En esos estados repentinos, que convierten a una mujer madura en una bendecida por los dioses, hay siempre una razón que escapa a la razón misma. Es un punto de locura que hace exclamar ante el espejo:

—A partir de ahora todo en la vida será especial. A partir de hoy, será vivida.

Ésta era la máxima de Victoria Barget desde hacía exactamente dos meses. Desde que volvió a tener veinte años por obra y gracia del guapo que los tenía a su lado y en su lecho.

Sin embargo, su milagrosa juventud no se producía sin algún remordimiento y un poco de miedo al qué dirán. Estaba viviendo una pasión muy parecida al amor y la paseaba por un puñado de islas griegas que se parecían mucho al paraíso, pero había enviado a Madrid la noticia de su fuga y no ignoraba que iba a caer como una bomba en un mundo donde los efectos del escándalo tienen más importancia que los dictados de la ética.

La historia de una distinguida dama que abandonaba esposo e hija hubiera bastado para convertirse en noticia impactante cualquier otra jornada que no fuese aquella en que los abogados de la oposición habían conseguido llevar a la cárcel a uno de los financieros más poderosos de la nueva España. El hombre de moda. El de más prestigio. El ejemplo de la última promoción de ejecutivos. El amigo y protector de reyes y gobernantes.

Fue el primero en una larga serie de encarcelamientos que hicieron coincidir el *glamour* a la española —reciente adquisición— con el choriceo adquirido por herencia de la raza.

Así, esta historia de amor protagonizada por una dama rejuvenecida tropieza con un comienzo que pudiera incurrir en el disgusto de las almas sensibles, por culpa de una intromisión que ni el propio autor podía sospechar. Y es que la política, indiscreta y burda, se cuela inopinadamente y pretende instaurar una tiranía que el buen gusto nos aconseja desobedecer.

En este punto, recordamos de nuevo a nuestro autor favorito. Según él, la política sería como un pistoletazo en medio de un concierto. Lo más inoportuno para la buena marcha de la literatura. Todo lo que el lector podría leer a la aparición de esta novela lo habrá leído cinco meses antes en la prensa diaria.

Para alivio de los lectores sensibles urge decir que no nos detenemos en la provincia francesa, tampoco en el siglo XIX, sino en el convulso ombligo del Madrid actual. En uno de sus chaletitos más elegantes cierta dama de la buena sociedad, llamada Miranda Boronat, acababa de despertarse rozando el mediodía, en plena resaca del chinchón que solía emplear cada noche para alivio de soledades.

Se estaba preparando para el baño de distintas espumas cuando pasó a verla una de sus ochentas mejores amigas, Perla de Pougy, conocida por su afición a mezclar el cotilleo y los placeres de la carne, con el triunfo definitivo de estos últimos.

Venía a lo que vienen las amigas de Miranda todas las mañanas: a informar sobre la cena de anoche, la conversación de la tarde, la partida de *pádel* que ganó una odiada. Y, después, la queja de siempre: lo difícil que resulta encontrar hombres potables en un Madrid tan lleno de lobas al acecho.

—La última vez que probé un efebo la tele todavía era en blanco y negro.

—¡Anda ya! —exclamó Miranda, desperezándose—. Si siempre andas rodeada de niñatos.

—No son para mí. Son para su eminencia. Y ya sabes cómo se pone si están estrenados.

—¡Qué juergas las de ese obispo! Pero a mí plim. Yo me retiré de la carne *per secula in seculorum*.

—Pero ¿tú no querías ser lesbiana?

—Lesbianísima. Pero descubrí que lo que no se puede ser es lesbianilla; es decir, Safo a medias, porque es como faltarles el respeto a las que lo son del todo. Después, que si acostarte con un

19

hombre da mucha fatiga, acostarte con una mujer también. Vamos, que te acuestes con quien te acuestes acabas reventada. De manera que me dije: pues que lo hagan los otros, y yo miro. Y, ¿qué quieres que te diga?, resulta mucho más práctico porque para ser como tú, siempre caliente como una perra detrás de los hombres...

—Oye, guapa, sin insultar.

—Si no insulto. Si hay perras monísimas. La Rin-Tin-Tina, sin ir más lejos. Pero una cosa es ser perra del Hollywood Boulevard y otra muy distinta arrastrarse detrás de un macho que, después, te da la mar de asco. Así que yo voy de casta y pura, como las del Opus, y me ahorro que me llamen ninfómana, como a ti.

Dejándola por imposible, Perla de Pougy se atusó el *renard* para sacarle brillo.

—¿Me permites utilizar el teléfono? —preguntó, con desinterés fingido. Cuando descolgaron al otro lado preguntó—: ¿Está la madre superiora? —Y volviéndose a Miranda—: Perdona, pero es una conversación privada. ¿Te importa aprovechar para bañarte?

—¡Huy, qué confidentes estamos con las reverendas! ¡A saber! ¡A saber!

Una vez en el baño, a Miranda se le borró la sonrisa. El espejo no la propiciaba en absoluto; y es que esa superficie reveladora no suele ser piadosa con las campeonas de chinchón. Pero, además, Miranda sentíase ligeramente molesta por un mal detalle de su amiga: siendo la primera millonaria de Madrid que tuvo teléfono móvil, no lo usaba nunca para no gastar.

—¡Será avara! —exclamó Miranda para sí—. Con el dinero que le dejan los caprichos del obispo menorero podría comprarse la Telefónica.

Como a todas las víctimas de la resaca, la sola visión de la espumeante bañera le dio grima. Optó por ducharse a toda prisa. Después, al mirarse de nuevo en el espejo, se notó más horrenda, de manera que decidió retirarse a la cama y esperar hasta primeras horas de la tarde, cuando los espejos son más piadosos... porque ya están hartos de preguntas comprometedoras.

Perla de Pougy estaba recogiendo sus pertenencias: un bolso Prada, unos guantes Loewe y las revistas de cotilleo del día.

—Me voy corriendo a la esteticista. Hoy tengo hidratación intensa y mascarillas varias.

Se besaron cortésmente y se desearon cosas.

Una vez a solas, Miranda regresó a la cama. Fue entonces cuando llamó su amiga Nenita Lafuente para contarle el asunto del financiero encarcelado.

Miranda exhaló un grito de horror. La noticia era un pistoletazo que ya no afectaba únicamente a la política —terreno que ella nunca frecuentó—, antes bien hurgaba indiscretamente en su bolsillo y en el de sus ochenta mejores amigas.

—¡Es el acabose, el desiderátum y el demasiádum! —gimió, en su desconsuelo—. Una supera la natural repugnancia al rojerío, consiente en hacerse amiga de los socialistas para que respeten nuestros rublos, y ellos nos ponen en la cárcel a la gallina de los huevos de oro.

—¡Mujer! Dicen que Osváldez los tiene grandes, pero tanto como de oro...

—Eres obtusísima —exclamó Miranda—. Prescinde de los huevos y piensa en la gallina. ¿Es que no sabes cuántas operaciones hemos puesto en sus manos?

—Si es por esto, puedes descansar tranquila. Nuestras operaciones están a salvo.

—¡Se lo van a requisar todo! ¡Se lo van a requisar todo!

—No pueden requisarle nada, puesto que nada tiene.

—No gastes bromas desagradables. ¿Y ese banco? ¿Y esas veinte empresas? ¿Y las ocho casas, y el cortijo, y el yate?

—Todo está a nombre de su mujer.

—¿Qué me estás contando?

—Todo, todo, todo. Nuestro dinero está protegidísimo porque los Osváldez tienen separación de bienes. Y estando todo a nombre de ella, y colocado además en no sé cuántos países, a él no pueden hacerle nada porque es insolvente.

—¡Insolvente! —exclamó Miranda—. ¡Claro! Como nosotras mismas. Yo también me declaro insolventísima cada vez que tengo que pagar al fontanero. ¡Qué bien! Siempre hay un ángel de la economía que vela por las pobres mujeres ricas.

Tranquilizada que la hubo su amiga, se intercambiaron cariños y colgaron para alivio del teléfono. Miranda lo dejó reposar un rato, antes de iniciar la tanda de llamadas que efectuaba a cada despertar, favoreciendo la oportunidad de quedarse retozando en la cama hasta bien entrada la hora de la comida.

Dio algunas órdenes a Ymelda Second, la más adicta de sus esclavas filipinas, como ella las llamaba con un cariño que las ingratas nunca supieron apreciar. Eran tres las mozas: Ymelda First, Ymelda Second e Ymelda Twentyfifth (las que faltaban en medio se quedaron en Manila, en un fábrica de zapatos). De todas ellas, la First era la más cercana a la intimidad de su amita, como a Miranda le gustaba ser tratada. Sustituía con ella al fiel mayordomo, Martín, que había dejado el empleo cuando su novio, el carnicero, le puso un piso en una urbanización de horteras a condición de que estuviese siempre en casa, esperándole con las zapatillas a punto.

Y aunque Miranda se había aficionado durante años a ese encantador mayordomo, decidió que la compañía de delicadas doncellas orientales era también adecuada para las damas que han decidido optar por la delicadeza como norma de vida. Damas que, como ella, bebían chinchón en copas de bacarrá.

Mientras Ymelda First recogía las botellas de la noche anterior, volvió a sonar el teléfono. Descolgó Miranda con la avidez de las cotillas históricas. Al otro lado del hilo de plata se oyeron acentos de desesperación en una voz aflautada, propia de adolescente que no ha sobrepasado la infancia.

Era el tonillo inconfundible de María José, alias Fificucha, la linda hija del banquero encarcelado.

Esta zagala de inmejorable cuna contaba con dos virtudes para circular por la vida: mantenía relaciones con un joven que estaba haciendo un *master* de algo, y había sido nombrada «reina del bakalao» de la discoteca Pachucho. Fuera de esto y de un Mercedes deportivo, no tenía nada que la distinguiera de otras yeguas de establo elegante.

La voz de desesperación era una novedad absoluta y más que nada sorprendente en una joven que había nacido sin preocupaciones y en esta actividad se mantenía.

—Acabo de saber lo de tu padre —dijo Miranda, con voz tan misericorde como la que ha-

bía oído en los seriales favoritos de sus tres filipinas.

Extendióse en palabras dulces destinadas a
amortiguar la pena. La otra no paraba de llorar.
Señal que seguía necesitando consuelo. Y en pro-
digarlo se divertía Miranda como nadie.

—Todas estaremos al lado de tu padre. Y también de tu pobre *maman*, que debe de estar sufriendo lo indecible.

—¡La muy puerca! —exclamó la otra—. La
más puerca de todas. ¡Canalla! ¡Canalla!

—Pero ¿qué dices? Si es al revés. Si es de lo
más estrecha.

—Es una fulana, Miranda. Una vil fulana. ¡Se
ha escapado con mi novio!

—¿Con el del *master* de algo? No me lo puedo
creer. Vamos, que es imposible. Lo más parecido
a un adulterio que ha podido cometer tu madre
fue un día que comentó «Harrison Ford no está
mal». Y se le subieron los colores. Con decirte.

—Ni colores le quedan, de tanta desvergüenza.
¿Te acuerdas que se fue a Grecia? Pues resulta
que mi Borja Luis iba con ella. Yo me detuve a
pensar...

—¡Te detuviste a pensar! —exclamó Miranda,
francamente admirada—. Cuenta, cuenta: ¿te
costó la tira?

—No bromees, guapa, que a ti te va mucho en
el asunto. Para que te enteres: mamá ha enviado
un fax anunciando que no piensa volver nunca.
¡Ya ves tú: un fax de lo más frío! Ni siquiera me-
recemos un golpecito de teléfono para explicar-
nos cómo puede hacer esto con mi pobre papá en
la cárcel...

—Claro..., tu papá en la cárcel y ella... —de repente, se detuvo. Acababa de tener una ilumina-

ción que a poco la tumba—. ¡Fificucha! ¡El dinero de tu papá está a nombre de Victoria...!

—Pues claro. Todo está a nombre de ella y, además, debidamente protegido en varios paraísos fiscales. Papacito siempre fue tope previsor.

—¡La madre que parió a los previsores! —exclamó Miranda, mordiéndose el puño. Y mientras iba repitiendo aquella expresión, indigna de su rango pero no de su humor, Fificucha continuaba lloriqueando:

—No sé cómo puedes pensar en el dinero cuando mi Borja Luis me deja plantada, con todos los compromisos que teníamos en Marbella este verano.

—Mira, niña, como no pienses tú también en lo del dinero a nombre de tu madre, te aseguro que sólo volverás a Marbella para fregar platos en un chiringuito.

Pero la dulce llorona seguía con su cruz:

—¡Qué golpes da la vida, Miranda! ¡Qué batacazos! Yo creí que Borja Luis estaba encerrado en un parador nacional, preparando su *master*, y está huido con esa prófuga.

Y con el llanto conmovedor de una dieciochoañera, la noticia se convierte en serpiente que se muerde la cola. Porque la distinguida dama que paseaba su adulterio por el Egeo era, efectivamente, la siempre ejemplar esposa del banquero encarcelado.

Era Victoria Barget de Osváldez, convertida en apasionada amante de un niño tostado que presumía de *master* por una de esas islas mágicas donde el tiempo perdió el recuerdo de sí mismo.

CUANDO VICTORIA BARGET CONOCIÓ LEIKÓS supo que era su isla. No fue necesario buscar más: aparcó el famoso yate de su marido —ese que tanto relucía en las doradas noches del estío mallorquín— y decidió que no había en el mundo otro lugar para recobrar la juventud. Compró entonces una villa maravillosa, en un acantilado sobre el mar, y desde aquella acrópolis sintióse castellana del amor. Su isla estaba ya marcada por un significado que la voz de la conciencia no conseguiría aturdir. Era la isla donde todos los sentidos se mostraban prestos a reverdecer. Y la conciencia estaba aprendiendo a callarse, para no incomodar.

Leikós no es una isla popular entre el turismo de masas, aunque goza de gran prestigio entre los viajeros cultivados y los miembros más selectos de la aristocracia mundial. Pocos, sin embargo, porque hace tiempo que la aristocracia del espíritu empezó a quemar sus últimas bengalas en todos los países.

Llaman a Leikós «la blanca» por la particular conformación de sus acantilados, semejantes a icebergs que hubiesen viajado desde el otro extremo del mundo para encastrarse amorosamente en rocas más antiguas que todo cuanto nos es dado recordar. Tiene el tamaño justo para que los sentidos se realicen sin sentirse apabullados. Aunque no tan pequeña como Symi o Kastellorizo, que son enanitas, Leikós dispone sólo de dos pueblos montañeses y otros dos en la costa; entre los cuales la capital, Alexandrópolis así llamada porque la leyenda quiere que la isla blanca sea en realidad una vivaz gorgona, hermana de Alejandro Magno.

Tan ilustre parentesco no ha hecho que la isla se crezca en orgullo. Todo lo contrario: su silueta no aparece en los mapas vulgares ni en las geografías comunes. Diríase una pintoresca anomalía emplazada en medio del Egeo para complacer a los adictos a la imaginación. No pertenece a ningún grupo conocido; es un punto extraviado entre las últimas islas del Dodecaneso y las costas de Creta. Pero sus acantilados blancos sirvieron de amarre a muchos héroes decididos a imbuirse del espíritu de Alejandro y ansiosos de parecerse a él.

Éste era el puerto en el que debía recalar forzosamente Victoria Barget. Buscando el olvido y al mismo tiempo la plenitud del amor, inauguró su fuga a mitad de la primavera, con gaviotas graznando ruidosamente en un cielo turbio, a punto de tormenta. No podía pedir escenario más adecuado para su rememoración de los caminos que jalonan la historia y la anécdota del más eterno de los mares. Senderos acuáticos, cuevas submarinas, perlas en el tridente de Poseidón. Cuando estaba en calma, aquel mar era lo más parecido a la paz eterna. Cuando rugía la tempestad era como si convocase un interminable cortejo de mitos y leyendas.

Como una página arrancada del libro de Próspero, la isla recuerda entonces su historia original. Esa hermana de Alejandro se alegra cuando el héroe vence en las batallas, pero si sabe que ha perdido emite tenebrosos rugidos y gritos de dolor que encrespan las olas, engendran maremotos, motivando esos desaires que desconciertan a los viajeros, demasiado confiados en la placidez del Egeo. Los navegantes de la antigüedad sabían del melteme que azota las islas en agosto y siempre sin avisar. Sabían de las catástrofes que puede desencadenar la Gorgona de Alejandro, «cerca de Creta», como nos recuerda la voz divina de María del Mar. Y a fe que no puede ser de otro modo, cuando una es hermana del más hermoso entre los héroes que sacudieron los designios del destino.

Así Victoria. En su isla, el ensueño arduamente conquistado consiguió aplacar a los dioses retrasando la tormenta a su antojo. El ensueño surgía en estado de gracia para efectuar su periplo celestial: noches encendidas para un desahogo de amor, playas doradas donde los amantes juegan a intercambiarse nombres; los dorados jardines de su villa maravillosa, los robustos olivos de sus paseos vespertinos y, siempre, el interminable rizo de la hospitalidad helénica, convertida en un despliegue de crepúsculos inolvidables y plenilunios de locura.

Al conjuro de los escenarios amados, Victoria Barget continuaba desgranando maravillas. La serenidad dio paso a la pasión, el hielo al fuego, el equilibrio de su carácter a un ardor casi africano. Su fuga la devolvía a unos orígenes que no son únicos ni incompatibles con todos los demás. Empezaba a encarnar el prestigio de una diosa madre que, de vez en cuando, aceptaba sonreír para recordarnos que, en el principio de todo, existió Dionisos, el dios a quien place la embriaguez de los sentidos.

Y ese joven tostado, ese niño del *master*, los convocaba a todos, aplastando su cuerpo contra ella mientras la hermana de Alejandro rugía sin cesar.

CAPÍTULO PRIMERO

DAMAS AL TELÉFONO

LA COINCIDENCIA ENTRE LA FUGA DE VICTORIA y el encarcelamiento de su marido, y no la feliz noticia de una juventud milagrosamente recobrada, fue lo que impulsó a Miranda Boronat a regresar al teléfono mientras Ymelda First mezclaba varias pócimas idóneas para el soponcio.

Marcó el número de la princesa Von Petarden, dama de moda y de modos. Aunque española de nombre y temperamento, aquella deslumbrante cuarentona disfrutaba de título italiano y fortuna internacional gracias a su oportuno matrimonio con el octogenario príncipe Ludovico, último de una estirpe que arrancaba de varias familias de la nobleza medieval romana, se cruzaba con los alemanes de la Corona de Hierro, combinaba dos ramas austríacas y volvía a Italia, debidamente deformada, para entroncar con los descendientes de un dogo de Venecia cruzado con una verdulera friuliana.

Esta última alianza inauguró la costumbre de que los Constantini Scapulari von Petarden rompiesen de vez en cuando una ancestral promesa de casarse con individuos e individuas de su propia sangre. La lejana introducción en la familia de una verdulera favorecía que Ludovico, último descendiente de tantos linajes augustos, pudiera decantarse por una boda plebeya sin escandalizar a nadie... o sólo a quienes encontraban increíble que un hombre tan feo pudiese acceder al lecho de una mujer muy bella. Y es que el príncipe Ludovico era de una fealdad tan impresionante como sus cuentas bancarias, detalles ambos que no causaron efecto alguno en su encantadora esposa, que solía contar siempre a la prensa lo provocada que se sentía de cintura para abajo cada vez que aquel noble caballero la traspasaba con una mirada de deseo. Y como sea que la dama se soltaba además con interminables declaraciones sobre el amor desinteresado y la etérea bondad de su consorte, muchos decidieron que al viejales le había tocado la lotería, porque lo que pregonaba la princesa no se compra con todo el oro del mundo. Y es que no sólo fue virgen al matrimonio, detalle a tener en cuenta en una mujer de cuarenta años, sino que el príncipe la conoció cuando ella recogía margaritas en el internado de monjas donde estudiaba labores para el hogar. Y esto desmentía a quienes afirmaban que, en su anterior carrera, la princesa frecuentaba los bares del Barrio Chino barcelonés luciendo el nombre de Fifí la Tomate. Rumor por otro lado fácil de desmentir, pues en la actualidad se llamaba Celeste Angélica. Que no era poco.

En su fastuosa villa de estilo ecléctico —neoclásico, gótico, chino y un poco hindú—, situada en una de las zonas más distinguidas de las afueras de Madrid, la princesa descansaba de su intensa vida social llevando una existencia tan privada como su teléfono. Sólo lo tenían quince amigas y dos empresas de chicos de alquiler.

—¿Está la princesa? —preguntó Miranda, sin disimular su agitación—. No me diga que no está porque sé que está. Y si no está, miente como una descarada y usted es una cerda por secundar su vil mentira.

Una voz violenta, de andaluza sabia y harta de damas, le contestó:

—Yo no he dicho ni que está ni que no está. Y usted se pasa, doña, porque presupone cosas que nos dejan mal a la princesa y a mí. Así que, en nombre de las dos, le digo que eso de cerda lo será la madre que la parió a usted debajo de un puente del Duero.

—Perdone, mujeruca, no sabía que fuese usted tan quisquillosa. Si la llamé cerda era de cariño ¿o no se acuerda de lo linda que era la cerdita *Petunia*, novia del simpático *Porky*?

—Eso es otra cosa. Pero tendrá que esperarse porque la señora está hablando por el otro teléfono...

El tono de Miranda cambió de golpe para entrar directamente en la indiscreción:

—¿Ah, sí? ¿Con quién, con quién?

—¿Y a usted qué le importa?

—Mil pesetitas si me lo dice.

—Con su administrador.

—Dos mil si me dice la verdad.

—Es la verdad. Tiene turno de impuestos.

La fámula no mentía. Instalada en su enorme lecho en forma de cisne laminado en oro, la princesa Von Petarden departía con uno de sus múltiples abogados a través de uno de sus numerosos teléfonos. Usaba el dorado, para hacer juego con la cama, pero encima de las pieles de leopardo que la cubrían había también uno plateado, para hablar con Londres y París, otro de laca rosada, para Suiza, uno blanco para las amigas y otro negro negrísimo para las malignas. Por lo demás, la alcoba respondía a ese exquisito gusto de papel couché que hemos aprendido a asociar con los nuevos ricos: cortinajes de terciopelo rojo burdeos, cuatro o cinco budas rojo bermellón, un armario en forma de pagoda y el tocador dorado, como el lecho.

En aquel ambiente tan austero, la princesa discutía sus problemas más o menos inmediatos.

—Tengo a una íntima en el otro teléfono, así que hágame el favor de abreviar. Dígame cuánto me desgrava lo de recoger niños damnificados porque vienen a hacerme un reportaje y tengo que decir si los recojo o no —escuchó un instante a la voz que hablaba al otro lado—. Ya entiendo. Pero esto no aclara mi problema. ¿Me desgrava más un niño bosnio o uno de Ruanda? Es que una amiga muy informada me dijo que los de Ruanda desgravan poco porque, al ser negros, tienen menos porvenir el día de mañana. Yo, por recoger, recogería un inglesito bien rubio, porque las fotos son en color. ¿Ésos no desgravan? Bueno, pues que me manden tres bosnios y no se hable más. Cuelgo, que me espera mi amiga del alma... —Cambió rápidamente de tono. Ahora estaba zalamera, próxima, inmediata—. Mirandilla, mona, perdona la espera, es que tenía al abogado, después vienen los fotógrafos, más tarde las damas que me ayudan a organizar el crucero a Grecia... Tú vienes, por supuesto, no digas que no. ¿Cómo vas a faltar?, piensa que es una obra de beneficencia. Yo ya he dicho a las damas que vienes y ahora, cuando lleguen, lo confirmo. Por cierto, que me tendrán tres horas. Y todavía me queda esa modista, que me ha hecho la pamela cinco veces y no la acierta ni a tiros. En fin, que no sabes cómo tengo la mañana...

—Pues no veas cómo la vas a tener cuando sepas lo último.

—¿Lo último en moda, lo último en fiestas, lo último en chismes de cama?

—Melchor Osváldez está en la cárcel.

—¿Está dando conferencias de economía a los presos a estas horas de la mañana?

—Está para quedarse, guapa.

—No seas ridícula. ¿Para qué querría él quedarse en una cárcel? Es original en sus diversiones, pero no tanto.

—Se queda, pototita, se queda. Y yo, *que sé lo que tiene mío*, tiemblo pensando en lo que tendrá tuyo. ¿Comprendes?

—Hija, es que hablas en clave.

—Dinero que se le dio para que hiciese lo que hay que hacer con el dinero.

—¿El blanqueíllo? Pero ¿cuál? Ya sabes que en esta casa se blanquea por varios sitios.

—Habla con más prudencia, mujer, que el gobierno controla los teléfonos de medio Madrid y podemos estar intervenidas. Atiende, mona: sé que tu marido puso mucha «confianza» en manos de Osváldez. ¿Entiendes?

—Como todo el mundo. Todos han puesto a su cuidado eso que llamas «confianza», pero mi marido pondría más por una razón.

—Porque es más rico que todos nosotros juntos.

—No quería decirlo por delicadeza; pero, ya que tú lo sacas a colación, es cierto. Sólo que el príncipe, tú lo sabes bien, no acostumbra a hablar de esas cosas conmigo. Yo lo hablo todo con los administradores porque Ludovico, pobrecito mío, siempre está en las nubes.

Era una forma poética de decir que el príncipe siempre estaba entre vapores etílicos.

—Claro —dijo Miranda—. Con un hombre que a las diez de la mañana ya lleva veinte whiskies es difícil hablar ni de negocios ni del tiempo. Por cierto, a este ritmo, ¿cuánto crees tú que le queda de vida?

—Muy poco. Diez cosechas más y tenemos entierro.

—Y se supone que todo irá a parar a tus manos.

—¡Ay, qué más quisiera! Pero esas cosas... ¡Qué sabe una del testamento! ¡Qué sabe...!

«Hipócrita —pensó Miranda—. Seguro que lo ha redactado ella.» Pero en voz alta dijo:

—Por si las moscas, te pregunto: ¿tú cómo tienes lo del museo?

—¡Ay, lo del museo es un donativo del príncipe a esa España que tanto ama y que le dio esa felicidad que antes le habían negado Inglaterra, Francia, Italia, Alemania!...

—Contrólate, pochola, que no estás hablando para la prensa.

La princesa se puso seria. De pronto, su voz parecía tener atisbos de sinceridad:

—Ya que tú lo dices, es cierto que el alquiler del fabuloso legado de los Von Petarden al Estado español ha pasado por manos de ese Osváldez. Creo que tenía que colocar dinero en alguno de esos países extraños que una nunca sabe por dónde caen.

Se produjo un silencio significativo. Miranda pasaba de lo íntimo a la estricta actualidad sin acaso proponérselo. Los periódicos habían aireado en demasía el caso de la fundación Von Petarden, esa espléndida colección de botijos, ollas y cántaros de la Europa del Este aunado a la menos rutilante selección de trajes populares de Cisjordania. La adquisición del legado había constituido uno de los grandes éxitos de la administración socialista, en dura pugna con los influyentes gobiernos de Guinea y Puerto Rico, pero muchos se preguntaban si no era un éxito mayor el del príncipe, que había cobrado los botijos a precio de oro y los trajes populares a trueque de cuadro de Rembrandt.

—De todos modos no hay motivos para alarmarse. Osváldez tiene amigos muy influyentes. Están tan alto que hasta da vértigo citarlos. Además, todo el mundo sabe que el dinero está a nombre de Victoria. En cuanto vuelva de ese viajecito que le dio por hacer...

—¿Desde cuándo no hablas con ella?

—Qué sé yo. Hará casi un mes.

—Pues en este tiempo ha decidido dos cosas: que se lía con el novio de su hija...

—¿El del *master* de algo?

—Ese mismo. Y con el pollo pera, el yate de su marido y el fortunón no vuelve a poner los pies en España.

—Miranda, me estás sacando de quicio. ¿Tantas vueltas y revueltas para decirme que el dinero de pobres mujeres como nosotras ha quedado en manos de una insensata?

—Más claro el vodka.

Miranda sabía que la princesa no era mujer de las de malgastar un minuto cuando estaba en juego su futuro. Lo había demostrado sobradamente con su matrimonio de ventaja y todos y cada uno de los pasos hacia lo más alto de la escala social, donde jamás habría sido aceptada Fifí la Tomate. Siendo así de lista, comprendió en un segundo que no le convenía seguir cotilleando. Debía dirigir sus tiros hacia posiciones mucho más avanzadas. Tanto que era capaz de convocar un consejo de ministros, si era necesario. Al fin y al cabo más de uno tenía alguna comisión que le había agenciado ella en persona.

Se despidió de Miranda con cuatro cariños de emergencia y, sin abandonar el teléfono, buscó un número en su agenda más privada. Se disponía a ayudarla su secretaria, con diligencia habitual, pero ella la disuadió con un gesto brusco, ordinario acaso; un ademán parecido a un corte de mangas y poco acorde con la elegancia que demostraba al entrar del brazo de su príncipe Ludovico, en el Palacio de Oriente, cuando las recepciones de sus majestades.

La secretaria Beverly Gladys Gutiérrez —venezolana, en efecto— no necesitaba más para entender que la princesa quería hablar a solas. Comprendió también que era preciso deshacerse de alguien que había dejado unos eslips, unos pantalones y una camisa junto a una banqueta forrada con piel de cebra.

Beverly Gladys Gutiérrez corrió hacia el baño y regresó al instante arrastrando a un jovenzuelo con aspecto de culturista que había hecho un prudente aparte durante la conversación telefónica de la princesa.

—Páguele usted misma, Beverly... —dijo la dama, al tiempo que buscaba sus cigarrillos ecológicos de yerbabuena y ajonjolí.

—¿Tarjeta de crédito o *cash*? —preguntó Beverly Gladys Gutiérrez.

—Purito *cash* —dijo la princesa—. Las tarjetas de crédito comprometen.

Disponíase el atleta a vestirse cuando la princesa consultó su reloj de oro con incrustaciones de perlas bravas:

—¡Alto! A este pollo le queda media hora para cumplir su horario. Aprovéchelo usted, Beverly.

—¿Puedo, señora?

—Puede. Lo que no sé es si conseguirá algo. Éste es todavía más inepto que los anteriores...

—Herido en su amor propio, el machito iba a contestar con un desplante chulesco, pero la princesa le detuvo gritando más alto—: ¡No se le ocurra replicarme! Cuando un hombre no sabe hacer un *cunilinguis* satisfactorio no se mete a puto. En mis tiempos esto no ocurría. Había más profesionalidad, más celo. Se servía o no se servía. Y no digo más que lo que digo. Lléveselo, Beverly, y ojalá la suerte la acompañe.

Ya libre de interferencias, marcó un número. Repuso una voz cansina, aburrida, tristona: era la confirmación de que contestaba el Ministerio de Cultura. Celeste pidió por la cabeza visible del hospicio. Después de pasar por cinco voces tan fatigadas, exhaustas y aburridas como la primera, acabó dando con la secretaria particular de la ministra.

—Está reunida —dijo la secretaria, Fermina Mayor, sin reprimir un bostezo.

La princesa insistió siete veces. A la séptima, la adormecida voz de Fermina contestó:

—Yo le pongo, si quiere. Pero le advierto que no es su mejor día.

En efecto, su excelencia Amparo Risotto tenía la mañana negra. Cosa rara pues, en días normales era una mujer muy simpática y extraordinariamente acogedora.

Algunas catástrofes habían ocurrido desde que tomó posesión del cargo. En el Museo de Arte Contemporáneo, las ratas se habían comido varios cuadros de la antológica de arte español reciente, y aunque las ratas fueron muy felicitadas, también provocaron críticas de los descontentos crónicos, que acusaron al ministerio de desidia. Críticas que se repitieron cuando en el Museo del Prado se desplomaron las *Meninas* sobre un grupo de japoneses mientras una holandesita iba a estrellarse con su mochila contra una talla gótica, por culpa de una baldosa levantada desde el reinado de Alfonso XII. Pero no acababan aquí los problemas. En el Ballet Indígena, feudo de la conocida locaza Chipirón Sesostris, los bailarines se habían rebelado porque llevaba tres años bailando él solo mientras toda la compañía hacía calceta en el camerino. Los músicos de la Orquesta Nativa habían iniciado una huelga con la pretensión de cobrar el mismo sueldo que las señoras de limpieza del ministerio. Y, ya en el colmo del desvarío, en las sempiternas obras de construcción del Teatro Real se había desprendido un andamiaje que había matado a catorce obreros, dejando además gravemente herida a una mezzosoprano húngara, de cierto renombre, que visitaba las obras seguida de un grupo de fotógrafos. (Esta operación formaba parte de un amplio plan consistente en llevar personajes de relevancia a las obras del Real y fotografiarlos junto a todo tipo de ministros, para apaciguar a la opinión pública, no demasiado satisfecha con los años de retraso de aquellas obras y los alucinantes millones que nadie sabía justificar.)

En realidad, todo eran críticas contra el formidable gatuperio que acababa de heredar aquella dinámica morenaza. Y por si fuese poco, le había salido una enemiga en el seno de los protegidos oficiales. Una escritora que utilizaba la sección de opinión de los periódicos para poner en tela de juicio cada una de sus acciones.

Por ser compañeras de universidad, por ser mujeres cincuentonas, por ser ambas oriundas de las fermosas tierras valencianas, la actitud de Ruperta Porcina Boys le dolía más. Era como si dos falleras se tirasen de los moños ante un retrato de Pablo Iglesias.

Por esto, al descubrir el periódico de la mañana, Amparo Risotto se puso a gritar:

—¡Otro artículo de esa gorda medio calva cargándose mi política de subvenciones! ¿Cómo se puede tener tan poca vergüenza? ¿No ha estado cinco años beneficiándose del dinero público? Hasta la semana pasada era directora del Teatro de Lenguajes Experimentales. Ha estrenado todas sus obras con dinero del gobierno. Se le han pagado conferencias en todos los rincones de España y Latinoamérica; se le ha enchufado en todos los programas de la televisión estatal para hablar de todo lo divino y lo humano. Si se discutía sobre literatura francesa, allí estaba Ruperta Porcina Boys; si se hablaba de cine birmano, no podía faltar Ruperta Porcina Boys; se debatía sobre el papel de la mujer en la sociedad finlandesa, allí estaba ella también. Viajes, cursos de verano, coloquios, mesas redondas... Siempre ella, en todas partes, pagada y bien pagada. Y ahora que decidimos la conveniencia de relevarla en lo del teatro, se pone a despotricar contra nosotros. Y, encima, se complace recordándome mis orígenes falleros. ¡Infame!

Si yo fui Reina dels Focs de la Plaça del Cagalló, ella fue Fallera Major y nadie se lo echa en cara. ¡Vil, más que vil!

En este talante la sorprendía la llamada de la princesa, dotada en aquel momento de sus más etéreos acentos sociales.

—Ministra linda, es necesario que almorcemos ya mismo.

Amparo Risotto reprimió su ira para mostrarse, si no simpática, por lo menos educada

—Hoy es imposible, princesa. Tengo que asistir a un almuerzo donde me dan la Chistera de Oro al miembro más popular del gobierno.

En efecto: la discoteca Up, Up, Up concedía a Amparo Risotto el preciado galardón que venía a añadirse a los que ya llevaba recogidos aquella semana: el Mantón Verbenero de la Sala Cibeles, la Popular del año de la discoteca Tarumba, el micrófono de oro del programa Lerelele y hasta el puesto 786 en la lista de mujeres mejor vestidas de la revista *Chismes Dorados*.

Pero ese exuberante palmarés, honra y loa de cualquier luchadora de la cultura, no parecía impresionar a la princesa, que demostraba la excitación de quien ha visto paralizarse todos los resortes de su sistema de seguridad.

—¿A mí me sale usted con ésas? —exclamó—. ¡Vaya ministra! ¿Es que es más importante una chistera que mi museo?

—Su museo está en marcha, mujercísima. Obreros de muy alta especialización están trabajando día y noche en los dorados de las puertas y ventanas. Ya se han recibido los apliques de lapislázuli para los retretes. Piense que, para pagarlos, se han quedado sin biblioteca pública quince pueblos castellanos.

—No se trata de los dorados, ni de los lapislázules, ni siquiera de la cuestión, para mí primordial, del papel higiénico reciclado. No. Es que necesito conocer hoy mismo el estado de todas las cuentas.

—¡Ah, yo de eso no sé nada! Eso es vil metal.

—Pero ¿qué leche dice? ¿No es usted la ministrísima?

—Sí, bonita, pero yo me cuido de las formas. Yo, que todo sea bien grato, sin problemas estéticos. Las cuentas, para el comité. Ellos forman la materia. Yo soy la poesía del cargo, para entendernos. La melodía de la administración.

—¿Usted melodía? ¡Usted es salsa barata! Para lo que sean bailongos, estrenos de cine, canción moderna, *kermeses* y saraos, usted siempre la primera, pero a la hora de enfrentarse a los problemas siempre hay reuniones y comités. ¡Usted es una ministra de bodas y bautizos!

—Le ruego que no me tire de la lengua, princesa, porque tendré que recordarle que, antes de casarse con ese príncipe borrachín, usted era más puta que las gallinas.

—Y a mucha honra. Yo fui puta pero me pagaban los particulares. Y mi marido será borracho, pero el whisky se lo paga de su bolsillo. En cambio, lo que come usted sale del bolsillo de todos los españoles, putas incluidas. ¿Estamos o no estamos?

Como sea que el tono de la princesa acababa de abandonar lo arrabalero para introducirse en la denuncia social, Amparo Risotto optó por retirarse a tiempo. No es que tuviese nada que callar, pero siempre conviene hacerlo por si los demás encuentran algo.

—¡Ay, querida! —exclamó, en tono melosillo—. ¡Qué de cosas podemos llegar a decir las mujeres cuando estamos nerviosas!

—Eso usted. Yo estoy tranquila, serena y bien servida. Lo que pasa es que soy muy clara. Que me sale lo popular, vamos.

—Sí, le sale la calle.

—He dicho lo popular.

—Bueno, pues lo popular. Con razón es usted tan buena coleccionista de botijos. Y ahora, ya más relajadas, dígame en qué puedo servirla...

—Le voy a contar yo cómo está la situación. Y verá cómo, después de escucharme, manda a paseo la Chistera de Oro y se viene a comer conmigo...

La princesa contó todos los detalles sobre la fuga de Victoria Barget y las relaciones de los Von Petarden con el financiero encarcelado. Sonaron nombres poderosos, salió a relucir algún presidente de comunidad autónoma, hubo referencias a gastos extraños en la Expo de Sevilla y las Olimpiadas de Barcelona. Y al final sonó un nombre tan alto, tan alto, que la princesa ni siquiera se atrevió a pronunciarlo. Bastó con una alusión, por cierto elegante, dado el caso.

A medida que la princesa se explayaba, Amparo Risotto iba empalideciendo. De pronto, se volvió a su secretaria:

—Fermina, rápido: llame a la discoteca Up, Up, Up y diga que no puedo ir a recibir la chistera... —Y volviendo al auricular—: Cuente, princesa, cuente, que me tiene sobre ascuas.

Amparo Risotto fue conociendo muchos más detalles de contabilidad oculta de los que en su vida hubiera sospechado. Y cuando al lado de las cifras fueron apareciendo los nombres de algunos de sus inmediatos superiores, así como varios compañeros de partido, comprendió que en la comida con la princesa le iba media vida.

Decidió, pues, mostrarse amiga y más que amiga. Fue más dulce que un merengue al decir, en un susurro:

—Almorcemos, querida, almorcemos. Quién sabe si, abandonando por unas horas mis deberes culturales, podré volver a ser mujer (simplemente mujer, sí), capaz de ejercer como ese paño de lágrimas que su calvario precisa y a no dudar merece.

—Mucho paño necesitaré, porque estoy sufriendo agobio sobre agobio. Piense que todo esto me ocurre precisamente ahora, cuando estoy organizando *ese* maravilloso viaje...

—¿A qué viaje se refiere, querida?

—¿No se ha enterado usted? Pues será la única. Para que lo sepa: las damas de la alta aristocracia madrileña hemos decidido organizar un crucero por las islas griegas con el propósito de celebrar allí el Día de la Mujer Trabajadora.

—¿Ustedes?

—¿Quién si no? Como la mujer trabajadora no puede celebrarlo, porque está trabajando, nos reunimos las aristócratas y lo celebramos en su nombre. Habrá una serie de actos conmovedores. Concursos de sevillanas, campeonatos de cocina, de bridge y canasta e incluso un mercadillo de antigüedades. Lo que recojamos se destinará al Museo de la Obrera Subdesarrollada, donde pienso reunir un compendio de los objetos que a lo largo de la historia han acompañado la esclavitud de la mujer. Habrá desde los más variados utensilios de cocina a aquellos encantadores huevos de madera que usaban nuestras antepasadas para remendar los calcetines de sus opresores machos.

—Pues es bien casual su crucero. Yo tengo que desplazarme a Grecia en visita oficial uno de esos días; aunque, si quiere que le diga la verdad, no recuerdo el motivo. Sin mi agenda, soy un desastre.

—De todos modos, lo importante es que almorcemos juntas. Igual consigo convencerla de que se una a nosotras, para aportar a nuestra labor social esos gramos de cultura que usted administra con tanta sabiduría. ¿Quiere que le mande el coche?

—Prefiero usar el mío, que es blindado.

—El mío también. ¿Llevará usted guardaespaldas?

—Cuatro.

—Yo seis.

—Es usted una mujer precavida.

—Eso siempre. Sólo así se pasa de las esquinas a los palacios. Por cierto: ¿cómo va usted vestida? Para no coincidir lo digo.

—Un Versace rojo fogata.

—Yo llevaré un Valentino blanco.

—Tenga cuidado. El blanco engorda.

—Yo no tengo ese problema.

--Feliz usted. Yo, a la tercera paella, ya empiezo a poner kilos.

—¿La tercera paella en una semana? —preguntó la princesa.

—No, en la misma comida —contestó, tranquilamente, la ministra.

—No debe preocuparse. Una liposucción a tiempo ha salvado a más de una gordísima que conocemos.

—¡Huy, si yo le contara!

—Me lo contará durante la comida. Llega mi marido dando trompicones y no me gustaría que se cayese en la piscina.

Y colgaron ambas a la vez.

No necesitó mucho tiempo la ministra para encontrar en los eventos de aquella mañana una serie de casualidades por las que su mente empezó a sentir cierta curiosidad. Varias acciones coincidían en un país en el que ni siquiera había pensado cinco días antes. Una dama de reputación irreprochable la perdía en una isla griega, la princesa Von Petarden organizaba un crucero por las islas griegas, ella misma tenía que desplazarse a Grecia para una acción cultural de lo más espectacular...

¿O no lo era? Tenía que serlo, sin duda. De lo contrario, ¿para qué necesitaba el gobierno a una mujer tan de campanillas como Amparo Risotto?

Fiando poco en su memoria, recurrió a Fermina Mayor quien, pese a ser tan desmemoriada como ella, disponía por lo menos de una agenda.

—¿No tengo que desplazarme a Grecia esta misma semana? ¿O es el año que viene? Consulta la agenda, reineta.

—Tiene usted que estar en Atenas dentro de ocho días.

—¿Y qué voy a hacer? ¿Inauguro alguna feria de ganado?

—Eso no es competencia suya: es de agricultura.

—Siempre confundo los términos. Déjame ver. Ya me acuerdo: se trata de preparar con el debido tiempo los actos del medio siglo de gobierno socialista. Es un trabajo muy arduo porque debo conseguir que, en su momento, nos

45

presten el Partenón para instalarlo en Sevilla. Lucirá divino en la isla de la Cartuja, que de paso servirá para algo una vez pasados los fastos de la Expo aquella.

Fermina le dirigió una mirada incrédula pero segura.

—Yo no veo claro que nos presten el Partenón. No lo veo nada claro.

—Usted es una pesimista, Fermina. ¿Cómo no van a prestarnos el Partenón, si nosotros les dejamos tres sillas de Mariscal para la exposición «El infantilismo a través de los siglos»? Nos lo prestarán, sí, porque saben que España está de moda y esto dará mucha publicidad al templo ese. ¡Qué magnífico símbolo para el socialismo constantemente rejuvenecido! Cuando llegue el momento de las celebraciones... bueno, es posible que yo ya no esté en mi cargo, porque no espero durar más de veinticinco años...

—A esa edad estará usted en un geriátrico...

—Tampoco es esto, Fermina, tampoco es esto. Estaré cómodamente jubilada en una finca de la costa valenciana, rodeada de porcelana de Manises y objetos de diseño a partes iguales. Y, desde allí, contemplaré en la televisión en relieve el feliz resultado de mis gestiones. ¡Sí, Fermina, sí! Veo a Felipe, con los noventa años mejor llevados del mundo, inaugurando la magna exposición. Y si hay suerte, a lo mejor el príncipe de Asturias tiene ya un niño en edad de hacer la primera comunión en el altar del magno edificio de Fidias... Un momento... ¿el Partenón es de Fidias o no es de Fidias? Corra, busque usted en la enciclopedia, no vaya a meter la pata cuando me halle en suelo griego.

—Para mí que no nos dejarán el Partenón

—seguía diciendo Fermina, mientras consultaba unos fascículos de historia del arte que solían ser de gran utilidad en el ministerio.

De pronto, la apacible búsqueda de vitaminas culturales se vio interrumpida por una llamada de Ruperta Porcina Boys.

En realidad, la había mandado llamar la ministra para reconvenirle por la dureza antigubernamental de sus últimos artículos, pero la Porcina, con ese sentido de la oportunidad que caracteriza a las malignas, le anunció que al día siguiente publicaba un artículo de opinión criticando una vez más su forma de vestir.

Éste era uno de los puntos débiles de Amparo Risotto. Desde que estrenó su cargo había exhibido las más variadas colecciones de algunos modistos internacionales, sin duda los más *à la page* pero no siempre los más adecuados para matronas un poco entradas en años, de manera que ella, con tal de ir moderna, no iba siempre propia. En realidad, esta tendencia al relumbrón, que le hacía ocupar un lugar destacado en las revistas de cotilleo, también le había merecido fuertes críticas por parte de los sectores más serios de la sociedad cultural, que la hubieran preferido con menos perifollos. Sin contar las quejas de los modistos internacionales, que amenazaron con bloquear el envío de sus creaciones a España si continuaba exhibiéndolas en público la ministra de Cultura.

Y ahora Ruperta Porcina Boys anunciaba un artículo que no se limitaba a ponerla en duda como cargo público, sino que la hería en sus más íntimas esencias de mujer. Así, con su autoestima profundamente dinamitada, la ministra olvidó la finura que los cánones madrileños le habían enseñado a adoptar y recurrió a la exuberancia de la huerta:

—*Mira que t'arranque el monyo, mala sort!* —gritó—. *Roïna, més que roïna!* Has estado chupando del socialismo diez años seguidos y ahora te nos pones en contra. ¿Se ha visto cosa igual en toda la historia universal de la infamia?

La secretaria Fermina aplaudió que su jefa se acordase de citar a Borges en el momento oportuno, pero este exquisito detalle no parecía impresionar a Ruperta Porcina Boys, que en el tono más sibilino de su amplio repertorio deslizó la siguiente noticia:

—Voy a decirte algo que te asombrará, *xiqueta*. Mientras vosotros me desposeéis de mi teatro, un partido de derechas se ha aproximado a mí con ciertas ofertas...

Amparito Risotto no pudo ahogar un grito de horror:

—Pero ¿qué estás diciendo? ¿Serías capaz de pactar con la derecha? ¡Tú, que en las últimas elecciones hiciste campaña a nuestro lado! ¡Tú, que te proclamaste socialista a la hora del reparto! ¡Tú, una gloriosa superviviente del mayo francés...!

En efecto, el mayo revolucionario de 1968 era una fecha que Ruperta Porcina Boys llevaba como bandera y esgrimía a guisa de carné de identidad. Aquella fecha, tan mágica para toda una generación de rebeldes, continuaba siendo la mejor garantía de su prestigio político. Si a esto añadimos que también había empuñado un clavel rojo en la primavera portuguesa y no se perdía un solo recital de Ana Belén y Víctor Manuel, se comprenderá hasta dónde llegaba su comedia.

Pero la revolución que Ruperta solía esgrimir

para trepar no iba a volverse ahora en su contra, de manera que exclamó con risa de desaire:

—Pues ¿sabes qué te digo, ministra? Que después de mayo viene junio. Y una servidora está ya en los agostos, para que te enteres. Soy libre de ir donde me quieren. Sobre todo con gente que sabe reconocer el talento cuando lo ven.

Vivía Amparo Risotto ese particular momento de la vida nacional en que la mitad de sus intelectuales protegidos estaban a punto de renunciar a seguir siéndolo, no tanto por escrúpulos cuanto por la inminencia de un cambio político. Y como de humanos es mudar, y de más humanos aún garantizarse el diario condumio, el socialismo español estaba empezando a sentir las implacables críticas de aquellos que hasta entonces lo habían glorificado. En tales condiciones, cualquier deserción equivalía a ofrecer al país una nueva ratificación de impotencia. Y, en última instancia, aunque a Ruperta Porcina Boys la conocían pocos, ella era tan metomentodo que sabía cómo llegar a los oídos más importantes.

Llevada por tales temores, Amparo Risotto decidió engrosar con unas migajas el ya nutrido pesebre de la Ruperta:

—Escucha, hermana valenciana: las dos estamos demasiado nerviosas para discutir a bote pronto una cuestión tan importante como es un teatro público. Te sugiero que tomemos una horchata cualquier tarde y tratemos el tema. Piensa que las mujeres, horchateadas, se entienden mejor.

Ruperta Porcina Boys colgó el teléfono, visiblemente complacida.

—Tiene miedo —se dijo para sí—. Mucho miedo. Se siente acorralada por la honradez.

Esta idea no deja de ser admirable si se piensa

que la honradez era algo que nadie atribuyó nunca a Ruperta Porcina Boys.

Y, sin embargo, la ministra tenía razón: si alguien no podía tener queja del socialismo era aquella escritora cuya máxima especialidad era ir acaparando puestos en todos los campos de la cultura, relacionada siempre con el poder. Y aquí sentimos desilusionar a los quince lectores que creen en la integridad de Ruperta Porcina Boys, porque tras sus apariencias de civilizadísima *donna di cultura* —como dicen las italianas cursis— se escondía una trepadora ávida de influencia y ansiosa de administrarla a su vez.

Había ejercido sus dotes de mando durante cinco años dirigiendo el Teatro Experimental de Lenguajes, entidad que sus quince lectores consideraban irreprochable por la sencilla razón de que casi siempre se representaban obras o adaptaciones de ella. Y era ésta una arma de doble filo, porque los millones de espectadores que jamás habían oído hablar de la eximia encontraban escandaloso que el dinero público sirviese para dar de comer a una sola persona, por mucho que hubiese estado dos horas en el mayo francés. Pero Ruperta Porcina Boys, haciendo caso omiso de los envidiosos, continuó colocando sus obras en el centro que dirigía para educación de las masas hispánicas y al mismo tiempo se hacía estrenar alguna ópera —también subvencionada— para pasmo de melómanos.

¿También escribía óperas Ruperta Porcina Boys?, preguntarán los lectores no avezados al estiércol del gallinero cultural. Pues sí. Ruperta Porcina Boys, además de novelas enrevesadas y obras de teatro incomprensibles, escribía óperas abstractas y ballets oligofrénicos; y, para mejor completar su currículum, hacía crítica de cine —donde solía poner bien a los directores españoles, por si le adaptaban algún libro—, de literatura —para halagar a las editoriales importantes—, de ballet, de pintura, de arquitectura y hasta tímidas aproximaciones sociológicas a los fenómenos de masas (algo a lo que en su calidad de escritora comprometida no podía renunciar). Ruperta Porcina Boys se había convertido, pues, en un fenómeno omnipresente en la vida cultural madrileña, tocando todas las materias sin destacar en ninguna. Y a su casi obsesiva grafomanía, unía aún su presencia en todo tipo de actos culturales, en los que actuaba de presentadora de cinco libros por semana —lo cual le permitía estar a buenas con cinco autores a la vez— o como moderadora de veinte mesas redondas al mes, lo cual la autorizaba a demostrar que no había materia de la cultura, la filosofía o la política en la cual no fuese imprescindible.

Como estaba en todas partes, acababa de recibir una invitación para estar también en el crucero que preparaba la princesa Von Petarden para conmemorar el Día de la mujer Trabajadora. Era ésta una condición que nadie podía negar a Ruperta Porcina Boys, pero aun así no habría aceptado la invitación sin considerar antes su utilidad inmediata (lo cual hacía cada vez que era invitada a cualquier acto). Dejando de lado el estorbo de los sentimientos (¿los tenía?), empezó a pensar en el dinero que podría sacar comentando en el periódico el crucero de la princesa, y, al mismo tiempo, el crédito que podía obtener como pregonera de los derechos de la mujer trabajadora. En realidad, la invitación era un cheque en blanco. Por una parte, sus lectoras más progresistas —ocho de las quince— se sentirían satisfechas al comprobar que no defraudaban las expectativas que pusieron en ella casi veinte años atrás. Por otro lado, sus otras lectoras, las reaccionarias, se sentirían aliviadas al ver que las opiniones de su emancipada ídola coincidían con las suyas en algunos puntos secundarios, sin atentar contra los principios fundamentales. Podrían comulgar cada viernes, pero con los artículos de Ruperta Porcina Boys bajo el brazo se sentirían menos carcas.

Este tipo de maniobras son las que impulsan a los partidos de derechas a contratar los servicios de intelectuales que ostentan la etiqueta de la izquierda sin garantías de que tengan que llevarla siempre. Una intelectual de este estilo da prestigio a la derecha sin que la izquierda le eche de menos.

Estaba Ruperta Porcina Boys en estas meditaciones, cuando sonó el teléfono con una llamada de Tina Vélez, la más prestigiosa de las doscientas cuarenta y tres agentes literarias que operan en las Españas.

Tina Vélez podía ser simpática en Sudamérica, pero no se empeñaba particularmente en serlo en su patria. Adoptaba como máximo un tono de dulzura que no era sino el envoltorio para suavizar malas y aun pésimas noticias.

—Ruperta, hermosa: no he podido vender nada tuyo, ¡y mira que he puesto empeño! He mandado tus novelas a todas las editoriales especializadas en literatura experimental, pero sus lectores más sagaces no entienden lo que escribes.

Estuvo a punto de añadir «y los que lo entienden se quedan dormidos a la mitad», pero en su

lugar intentó ser amable ante la sarta de improperios que le arrojó la otra. Improperios por otro
lado razonables: una escritora valenciana, cuando
es de ley, no puede tolerar que su agente venda
más a los sudacas que a ella.

Tina Vélez estuvo a punto de contestarle con
uno de sus conocidos desplantes, pero prefirió recurrir a la gentileza en provecho propio. Incluso
las derrotadas pueden servir en las horas de urgencia. O ellas más que nadie, porque sólo les
queda la posibilidad del servilismo para conseguir sus fines. Y Ruperta Porcina Boys era servil
o no era.

—Sé que tú tienes tratos con todo el mundo...
—apuntó la Vélez.

—Mujer, con todo, con todo...

—No te hagas la modesta. Durante los años
que has dirigido el Teatro Experimental has podido entrar en contacto con los personajes más
influyentes del extranjero. Y hasta hay quien dice
que no has conocido a nadie que no pudiera servirte de algo.

—Eso son las lenguas picoteras. Las que me
envidian.

—Lo sé, mi amor, lo sé. Tú me conoces y sabes el afecto que te guardo. Yo nunca dejo de elogiar tu buen corazón y tu franco desinterés. Por
eso, *aprovechando que estoy intentando colocar alguna novela tuya*, te pido un gran favor... Tú, que
conoces a todo el mundo, debes ayudarme a con-
tactar con una autora que me interesa sobremanera. Se llama Edipa.

—¿Edipa qué más?

—Edipa Katastrós. Tiene nombre de tango,
pero es griega. Tienes que conocerla. Es la autora
de un tratado de mariología que lleva de cabeza

a todas las beatas de Madrid. En él se anuncia que la Virgen se va a aparecer en Grecia dentro de quince días.

—Esto me suena. ¿No será esa Edipa la razón del viaje que ha programado María Asunción Solivianto? Me refiero a una especie de peregrinación a la que se han apuntado no sé cuántas señoras...

—Ésta es y no otra. ¡Edipa, la nueva evangelista! Tengo que localizarla inmediatamente. Necesito la exclusiva antes de que la fiche el Vaticano.

Ruperta Porcina Boys salía de un asombro para entrar en otro. Sabía que la distinguida Solivianto había entrado en contacto con una escritora griega que vaticinaba la llegada de la Virgen cargada de profecías. Sabía también que, paralelamente al crucero de la princesa Von Petarden, la Solivianto organizaba su propia romería a las islas del Egeo para coincidir con el momento en que la famosa Edipa recibiese las confidencias de la Señora. Sabía todas esas cosas, sí. Lo que ignoraba era que una mujer de la experiencia de Tina Vélez pudiese tomarlas en serio.

A mayor velocidad que todos los viajes corrió la listeza de Ruperta Porcina Boys. Si nadie había desengañado a Tina Vélez era que a nadie le interesaba desengañarla. Todo el mundo conocía su férreo carácter, su indómita determinación y su mala baba, llegado el caso. Desengañarla equivalía a ganarse su hostilidad.

Las mujeres como Tina Vélez, acostumbradas a hacerse obedecer, necesitan algunas veces un poco de vara. Y Ruperta Porcina Boys estaba dispuesta a administrársela haciéndole creer que la llenaba de mieles.

—No te negaré que tengo conexiones... y, desde luego, sabría utilizarlas, con alguien que se portase bien conmigo. Ya sabes que dentro de un mes saco mi ambiciosa novela *Arritmias y sinalefas de rancios hijosdalgos en la ínsula de los hirsutos gnomos*.

—¡Bravo! Es un título que puede vender mucho.

—Pues me gustaría verlo traducido a otros idiomas. De ti depende, guapa.

—Prometer no puedo prometerte nada, pero intentaré colocarla en una editorial experimental de Bulgaria.

Sin menospreciar a los búlgaros, que tantos adeptos tienen en los mercados de la carne de la noche madrileña, lo cierto es que no era éste el público lector al que aspiraba Ruperta Porcina Boys.

«¡Víbora! —pensó—. ¡Ella que podría colocarme en Nueva York!»

Estuvo a punto de expresar sus pensamientos en alta voz, pero optó por ser lameculos y contar lo que sabía del viaje de María Asunción Solivianto. Y para mejor demostrar sus poderes, añadió:

—María Asunción me tiene voluntad, porque en algún artículo he hablado bien de ella. Me contó que tu autora vive en una remota isla griega. Huelga decir que, gracias a mis contactos, puedo encontrarte su dirección —y, en tono irónico, añadió—: Y si quieres incluso te encontraré el teléfono de Jenofonte y el fax de Calímaco.

—¿Jenofonte, dices? ¿Calímaco? Ni hablar. No funcionaron nada bien en la última feria de Frankfurt.

Todo el mundo sabe que algunos agentes literarios no han leído un libro desde que salieron de la escuela, pero la ignorancia de Tina iba más allá de todo cuanto pudiera aventurarse. ¡Ni siquiera entendía el leve impacto de una bromita cultural, por otro lado obvia!

Ante este tipo de evidencias, Ruperta Porcina Boys sentíase desarmada. Ella, una mujer consagrada a la literatura en su estado puro, estaba en manos de una analfabeta. Y para colmo no era el único caso. Como dramaturga consagrada al teatro en su culmen de exigencia estaba a merced de los críticos analfabetos. Como crítico defensora del cine más excelso se veía obligada a comentar las obras de creadores analfabetos. La situación no tenía remedio. Como novelista, dramaturga y crítico, Ruperta Porcina Boys trabajaba para un país que no la merecía.

Colgó para no decir a Tina Vélez lo que pensaba, aunque es dudoso que lo hubiese dicho sin colgar. De todos modos, no era su falta de sinceridad o su exceso de ella lo que más podía preocupar a la agente literaria, cuyos pensamientos seguían ocupados por la virginal autora llamada Edipa. Con el fin de rematar sus planes, llamó directamente a la editorial Ilión, donde prestaba sus servicios como relaciones públicas la fantástica Visnú De Meller.

Era el suyo un despacho coquetón, pletórico de esos detalles que caracterizan a una mujer que, siendo moderna y sofisticada, guarda en su corazón ese punto de romanticismo que permite mezclar a Frank Sinatra con Sissi emperatriz. Había en el despacho algunas fotografías de viajes inolvidables: lunas llenas sobre Acapulco, atardeceres en Montecarlo, Navidades en Viena y soleadas mañanas en Ibiza. También aparecían por doquier talismanes destinados a aportar bienestar a las almas que han acertado a beber en las fontanas de la magia blanca, al tiempo que temen como a la peste los siniestros designios de la negra. Otra relaciones públicas que goza de nuestro afecto, la impar Silvina Manrique, de la editorial Espada y Arte, le había aconsejado todo tipo de amuletos ideales para conjurar cualquier asomo de amenazas: un par de limones, ideales contra la envidia, un vaso de agüita clara, fantástica para el fluido corporal, una ristra de ajos por si le quería mal algún enviado del inframundo, un anillo de coral para la buena suerte y una piececita de jade, que puede contra todo.

En resumen: Visnú De Meller era una mujer *New Age*, como *New Age* era su sino. Y lo demostraba escuchando, entre llamada y llamada, aquella melodía de Sinatra que pregona las ventajas de los jóvenes de corazón:

> *For as rich as you are*
> *is much better by far*
> *to be young at heart...*

Suspiraba con vehemencia ante el profundo mensaje de aquellas estrofas, cuando la sacó de su ensoñación la llamada de Tina Vélez, que ya no era joven del corazón ni de nada.

Visnú De Meller estaba a punto de sacar sus mejores halagos para tan importante mercachifle de la cultura, pero Tina Vélez ya se halagaba lo bastante a sí misma como para perder el tiempo escuchando zalamerías ajenas; así pues, fue directa al grano, contando a su amiga lo que el lector ya no desconoce.

Visnú realizó un vertiginoso salto sobre el

tiempo, aunque sin ir demasiado lejos porque, a ciertas edades, esos viajes suelen acabar mal.

—Eso que me cuentas me suena. ¡Claro! Como que esa Edipa salió en televisión a finales de mil novecientos setenta y uno. Además de hablar de la Virgen, doblaba cucharas con la mirada. Yo era *muy niña* entonces, pero me acuerdo perfectamente.

—¿Tú eras niña en mil novecientos setenta y uno?

—Exactamente. Una criaturita con trenzas doradas.

Tina Vélez sabía que Visnú De Meller fue retratada como Reina de la Primavera en un número de *Siluetas* del año 1955, pero prefirió no hacer el menor comentario. Al fin y al cabo, todo el mundo sabe que la edad de una relaciones públicas nunca debe ser preguntada. Sobre todo en el caso de Visnú De Meller, que acababa de sobrepasar los sesenta por más que aparentase cincuenta y nueve.

Aunque Tina Vélez se abstuvo de rozar siquiera esos pequeños detalles, no obvió cierta característica de las sagaces relaciones públicas.

—Los de tu oficio sois la monda. Siempre habéis conocido las cosas antes que los demás. ¡Parecéis espías! —De sopetón, preguntó—: ¿Tú cuántos idiomas hablas?

—El castellano, el andaluz, el mexicano, el chileno y un *petit rien* de francés. Y un *something little* de inglés «Follow me». ¿Por qué me lo preguntas?

—Porque necesito una acompañante para el viaje. Podría llevarme a mi ayudante, pero es demasiado intelectual para tratar de libros. A los autores los aburren esas mujeres tan leídas.

—Es cierto. Hoy en día prefieren a una experta en contabilidad.

—De eso me cuido yo. Para deslumbrar, llevo el talonario. Para entretenerme, necesito una mujer de mundo.

—¡Una mujer de mundo! Esto fui yo antes, soy ahora y seré toda la vida. Y aunque Silvina Manrique asegura que Grecia ya no es lo que era en tiempos de Helena de Troya, siempre queda *chic* para una mujer de mundo tomarse un daikiri en el American Bar del hotel Grande Bretagne.

—Luego aceptas. Hablaré con tus jefes. Me deben favores y te soltarán por unos días. Todos los gastos a mi cargo. Menos los cosméticos, naturalmente. No quiero arruinarme.

Semejante apostilla molestó ligeramente a Visnú De Meller. Era cierto que mantenía con sus compras a dos reputadas perfumerías de su distinguido barrio madrileño, pero no lo era menos que nunca necesitó que otros se cuidasen de sus facturas. Entre su sueldo y la venta de unas fincas que sus padres le dejaron en Santander disponía de un capitalito para potinguillos y chucherías, como ella llamaba a sus talismanes, y todavía le quedaba para comprar pipas de marca a su divino loro *Valmont*. En realidad, eran las únicas necesidades agobiantes de una solterona con pretensiones de sofisticación.

No bien hubo colgado, se dirigió a su secretaria con sonrisa solar:

—Dorita, niña, hoy es mi día propicio. Me lo decían los astros, me lo dijo la echadora de tarot, la leedora de café, la grafóloga, la quiromántica...

Antes de que Visnú De Meller acabase recitando su interminable lista de proveedores de magias, Dorita Pertús la cortó en tono agrio:

—No te habrán anunciado que te vuelve la regla. Porque eso ni en Lourdes, nena.

—Qué desagradable puedes ser cuando eres horrenda. Pero te perdono. Sólo quiero buenas vibraciones a mi alrededor. Y las tengo, las tengo desde que Tina Vélez me ha propuesto el viaje de mi vida...

—¿No será a la clínica de la doctora Asland?

—¡Insolente! Para vivir la eterna juventud no hacen falta clínicas: se lleva dentro, en lo más profundo del ser de una. Las que estamos llenas de buenas vibraciones las comunicamos a nuestro alrededor, las vamos desparramando en cada rincón, como la abeja su polen. Pero si bien es cierto que una relaciones públicas equilibrada y en paz consigo misma comunica sus dones por doquier, no lo es menos que debe reponerlos de vez en cuando en lugares apropiados, allí donde la naturaleza, desde tiempos ancestrales, depositó fuerzas de poder ignotas para los incrédulos. Y Tina Vélez (¡encanto de mujer!) acaba de invitarme a uno de esos lugares iniciáticos. Grecia, niña. Grecia, nada menos.

A continuación Visnú De Meller se lanzó a un exaltado relato sobre las virtudes de Edipa, la nueva maga de la mística, pero el personaje no interesó en absoluto a Dorita Pertús, que sólo encontraba centros místicos los sábados por la noche, en los bares de copas lindantes a Castellana. Sin embargo, manifestó un punto de curiosidad intelectual que sorprendió gratamente a su jefa.

—¿Edipa no te suena a algo?

—A la mujer de Edipo —dijo Visnú De Meller—. Tienes que acordarte, porque está publicado en nuestra colección de clásicos. Es de Sófocles, para que te enteres.

—¿Y ése no es un señor muy antiguo?

—¡Antiguo! Las jovencitas, en cuanto un autor pasa de los cincuenta, ya lo tratáis de antiguo.

Miró con cierta conmiseración a aquella mujer joven que no aprovechaba su juventud para elevarse por encima de una condición inculta. Como todas las mujeres que se han hecho a sí mismas, Visnú De Meller esperaba de sus compañeras una voluntad de superación constante y se la exigía a sus subalternas. No podía soportar a las que se conformaban con un cargo inocuo y la esperanza puesta en un posible novio que las salvase para siempre de él. Y Dorita Pertús era el ejemplo más flagrante de esa actitud a todas luces abominable.

—¿Y tú qué ganas ayudando a Tina Vélez? Esto corresponde más bien a la sección literaria.

—Una buena relaciones públicas tiene que estar en todo. Piensa que hay mucha jovencita que viene empujando, y una ya no tiene veinte años. Tampoco son muchos más, desde luego, pero veinte de ninguna manera. A lo que íbamos: las jovencitas empujan impúdicamente, y aunque ninguna de ellas tiene las conexiones que una ha venido reuniendo a lo largo de los años, los jefes de hoy en día aprecian más un buen culín que la experiencia largo tiempo acumulada. Una mujer lista tiene que conocer los puntos débiles de los de arriba, cualidad que tampoco adquiere de buenas a primeras una advenediza. Asunto: yo ayudo a Tina Vélez a buscar a la tal Edipa, utilizo todos mis recursos para hacerme amiga suya antes que nadie y la Vélez acabará admirándome mucho más de lo que ella imagina. Ergo: si a nuestros jefes se les ocurre jubilarme antes de tiempo para colocar a alguna tetuda, siempre tendré el reconocimiento de la poderosa Tina. Sé que está hasta las narices de adiestrar jovencitas que luego se le marchan a cualquier editorial. Necesitará una mujer que no se vaya nunca.

—Desde luego, tú eres capaz de quedarte hasta después de tu funeral. Con lo que te gusta el farde, no te imagino jubilada en tu casa haciendo punto y dando palique a tu loro.

Estaba a punto de volar un pisapapeles cuando sonó el teléfono para anunciar la segunda llamada sorpresa de la mañana. Visnú De Meller se lanzó a todo tipo de aspavientos al saber que era Rosa Marconi, la creadora y presentadora del programa televisivo «El pueblo quiere saber».

Visnú De Meller se puso rápidamente el uniforme de relaciones públicas. La complaciente. La que siempre aplaude. La que está al tanto de todo lo que conviene elogiar. La que sabe de memoria el *Quién es Quién* y también el *Qué Puede Quién* de los medios de comunicación. Y si alguien era fuerte en ellos tenía que ser la Marconi, o Visnú De Meller no conocía el mundo.

—¡Cuánto tiempo sin saber de ti, mujercísima! Vi tu último programa. ¡Sublime! ¡Qué sagaz eres! Con qué audacia le sacaste al ministro que la sequía sólo puede paliarse si llueve. Siempre serás la más audaz. Más valiente que tú no hay nadie. Sólo que también eres una ingrata. No te perdono que no llames. ¡Mala, más que mala!

Hubo excusas: la televisión acapara tanto, reclama tantas horas de una, destroza tanto los nervios, roba todo el tiempo que dedicaríamos, gustosas, a hablar con las amigas. En resumen, la Marconi daba todos los giros imaginables para no decir claramente que llevaba tanto tiempo sin llamar porque no le salía de las narices.

Pero Visnú De Meller la disculpó gentilmente, no sin decirse para sus adentros: «Cuando llama ahora será para pedir algún favor. ¡Si no la conoceré!»

Como respondiendo a sus pensamientos, la otra suplicó con voz de carraspera:

—Necesito tu consejo; más aún: tu colaboración. Quiero hablar de mujer a mujer, aunque temo pecar de indiscreta. Verás: me han dicho, y no sé si es cierto, que tú tomas Prozac.

—Pues claro. Soy una chica Prozac desde que las ejecutivas yanquies dejaron de arrojarse en masa desde lo alto del Empire State gracias a él. O por lo menos esto me contó Silvina Manrique, que es adicta. No existe mejor antidepresivo para una mujer de éxito.

—¿Y para una mujer abandonada por el éxito?

—¡Qué horror! Esto es peor que si te abandona el desodorante, porque en este caso te pones unas gotitas de Chanel en el sobaco y quedas regia. En cambio, si te abandona el éxito, ¿adónde fue tu autoestima?

—La mía está por los suelos. No quiero confesarlo de cara a la prensa, pero me veo obligada a dejar el programa. A la octava semana ya se vio que la cosa no funcionaba. Lo he intentado todo. He traído ministros acusados de fraude, miembros de la oposición en plan guerrero, dos etarras encapuchados, cinco estafadores, un violador, siete violadas, en fin, todo tipo de personajes que son la sal de la vida en este país y en esta hora, pero no he conseguido situar el programa entre los veinte primeros.

—No hay que preocuparse, linda. Puedes estar en un lugar digno sin necesidad de figurar entre los primeros.

—Es que estoy en el ciento noventa y ocho.

—¡Coño!

—¿Sabes lo que significa eso? Tengo la sensación de que la cadena me aguanta por lástima. Piensa que, siendo una privada, pierden mucho en publicidad, y esto va en menoscabo de su economía. Sin contar mi prestigio, que sale herido de muerte.

—¡Qué esclavitud, hija mía! Yo estaría mortificada.

—No lo sabes tú bien. Imagina por un momento lo que es vivir pendiente de un minutaje. Esa angustia de comprobar que, en un segundo, mil personas se te pueden ir a otro canal. Ese horror de verte pregonada en los periódicos al día siguiente, cuando un hijo de mala madre revela que has tenido menos audiencia que la semana anterior; esa vergüenza de saberte desplazada del amor del público por un mariquita cuentachistes o una niña pechugona que no sabe hablar...

—Ni falta. ¡Con esas tetitas que lucen!

—Silicona pura. Como las de esa Ana Bodegón que sale haciendo la gilipollas en los programas de variedades.

—Cierto: bellezas de plástico. Calcaditas todas. Pero a nosotras no debe afectarnos. Tenemos la inteligencia. Usémosla. Después de todo ya no somos tan jóvenes. Somos mujeres que están a punto de cumplir los treinta.

—¿Cuántos dijiste, guapa?

—Dije treinta. ¿Pasa algo?

—No, no: todo lo contrario. Que Dios te bendiga.

—Yo nunca dejo nada en manos de Dios. Todo lo confío al Prozac, a Elizabeth Arden y a Christian Dior. Uno para el bienestar espiritual, otra para las arruguitas y otro para *robes et manteaux*. Y por si algo faltase, me voy a Grecia y pienso volver renovada por el interior de dentro.

—¡Qué envidia me das! Estoy por cargarme de Prozac e irme contigo.

—No creas que perderías el tiempo. En Grecia van a ocurrir algunas cosas que una periodista sagaz como tú no debería desatender. Tina Vélez está a punto de descubrir a una autora que puede ganar el Nobel un día de estos. A María Asunción Solivianto se le va a aparecer la Virgen en no sé qué localidad idílica. Y, por si fuese poco, está la mujer de Melchor Osváldez, que nos la podemos encontrar a la vuelta de un archipiélago con toda su fortuna puesta...

Desde el fondo de la depresión, Rosa Marconi sintió renacer su verdadero espíritu. El de la abanderada de la noticia, la guerrillera de los rayos catódicos, la coronela de la información...

—Esto último es lo que más puede interesarme. Siempre tuve una buena relación con Osváldez. Podría aprovechar para sonsacarle cosas a su mujer.

—Pues la que mejor conoce la historia es Miranda Boronat. Ella está en estrecho contacto con la hija.

—No podías darme mejor noticia. A Miranda no es necesario sonsacarle nada. Ella misma se muere por soltar hasta las vísceras.

A continuación quedaron para cenar en el plazo de ocho meses, se mandaron besos y monerías, y cuando Visnú De Meller hubo colgado Rosa Marconi dejó perder su sonrisa de complicidad y adoptó la inescrutable máscara de la intriga. Estaba empezando a calcular, y no sin gracia. Traer a su programa a Victoria Barget de Osváldez resultaría un golpe sensacional que, sin embargo, no podría ser acusado de sensacionalismo. Ese marido omnipotente, que se había revelado como el máximo estafador del país, seguía siendo lo bastante poderoso y sobre todo ubicuo como para que su caso trascendiese el periodismo amarillo para convertirse en escándalo de interés político. Sus numerosas implicaciones le hacían idóneo para un programa como «El pueblo quiere saber», que se pretendía portavoz de la verdad y paladín de la osadía. Cierto que no habían funcionado siempre estos elementos de cara a un pueblo amuermado, que daba la espalda a la política si ésta no venía aupada por el escándalo, pero el caso del banquero Osváldez estaba respaldado por una campaña de autopromoción que lo había convertido en foco del interés popular durante varios años. Y es que Melchor, rodeado por un amplio círculo de asesores de imagen, había comprendido antes que nadie el poder de la prensa y, tras notables inversiones en varios semanarios importantes, conseguía aparecer periódicamete en sus páginas, forjándose así una imagen que parecía invencible.

Otra cosa era su mujer. Durante los años en que Osváldez había permanecido en la cresta de la ola, ella había vivido obsesionada con la idea de no rozarla siquiera. Muchas de sus amigas habían sido pasto de las revistas, quejándose a menudo de un asedio que, en un principio, ellas mismas habían buscado. Cuando el asedio dejó de ser halago para convertirse en inconveniente, todas intentaron dar marcha atrás reclamando su perdida intimidad, pero la bestia que habían alimentado se volvió bicéfala y las estaba devorando sin piedad, convirtiendo cada uno de sus actos en indiscreción pública.

El caso de Victoria Barget demostraba que la intimidad es posible cuando no se ha jugado con ella. Determinada a vivir inadvertida, consiguió pasar sin pena ni gloria, mientras su marido iba escalando los más altos puestos del poder y la fama. Pocos, muy pocos conocían su rostro, luego no eran muchos quienes sabían que era una mujer de extraordinaria belleza y elevada cultura. Su natural reserva, unida a cierta pereza social, le permitían administrar estos dones donde quería y con quien se le antojaba. Ocasiones no le faltaban, pero siempre eran ocasiones fundamentadas en la discreción: recibir a las amistades de su esposo, acompañarle a cenas privilegiadas y tomar té y pastas una vez a la semana con algunas amigas muy bien elegidas. En realidad, no podían serlo más, ya que a su excelente situación social se unía la exigencia de una reserva absoluta. Eran señoras que en su vida habían aparecido en las revistas y cuyas fortunas no estaban en el bloc de los periodistas, sino en los archivos más secretos de algún banco suizo.

Era la diferencia básica entre las verdaderas señoras de toda la vida y la cabalgata de advenedizas que poblaba el Madrid de los noventa.

La razón de que en este grupo hubiese sido admitida Miranda Boronat era algo que nadie entendía, pues era la indiscreción misma. Cierto que se había introducido a golpes de insistencia, pero no dejaba de ser milagroso que no la hubiesen echado a patadas. Misterios de la intimidad femenina, incluida la más estricta. Y es que aquella cautelosa Victoria, siempre preocupada por no dar que hablar, se deleitaba escuchando las correrías de quienes lo hacían. No era chismosa, pero sí amante de los chismes, y en la exposición y recuento de los mismos nadie se daba tanta maña como Miranda Boronat. Luego eran muy amigas sin que nadie imaginase que pudiesen serlo.

En esta amistad pensaba ampararse Rosa Marconi para aprovecharse de una mujer a quien consideraba en el extremo opuesto de sus intereses. Y es que Miranda, con su frivolidad y su constante tendencia al absurdo, no podía sino enervarla. Ella era una mujer cuyas actuaciones estaban basadas en la lógica. La otra, en el puro disparate. Era difícil que conciliasen y, por tanto, nunca conciliaron. O sea que llamarla ahora resultaba un pie forzado, que Rosa intentaba superar buscando afinidades.

Había una coincidencia inicial: ambas eran catalanas afincadas en Madrid, pero niguna de las dos había basado su identidad en este hecho ni en ninguno que se le pareciese. Al igual que la asesora de imagen Imperia Raventós, habían convertido Madrid en el centro de sus vidas, y sus recuerdos catalanes se limitaban al reconocido europeísmo que las distinguía de sus compañeras de la capital. Por lo demás, cualquier muestra de exotismo se remontaba a la adolescencia y a los primeros escarceos en la vida en sociedad.

El rostro de Rosa Marconi se iluminó al recordar una lejana asociación con Miranda Boronat. Tan lejana, que sólo la recordaba en momentos de apuro. Pero bastó para que marcase el número diecisiete veces —la otra no paraba de comunicar— y, cuando por fin oyó su voz, le arrojara de buenas a primeras su recuerdo fundamental:

—Miranda, he amanecido nostálgica y me he puesto a recordar que fuimos juntas a las monjas. ¿Te acuerdas tú?

La Boronat sabía que si una mujer recurre a la vieja memoria es que está a punto de pedir algo. No es, con todo, un recurso completamente original. También los hombres lo hacen, sólo que recurriendo al servicio militar.

—Claro que me acuerdo —dijo Miranda—. Tú me tenías rabia y yo te odiaba a muerte; así que pídeme lo que quieras en recuerdo de los buenos tiempos.

—Tienes que contarme todo lo que sepas de la fuga de Victoria Barget.

—Yo sólo sé lo que sé, que es exactamente lo que debe saber una pobre estafada como yo y mis ochenta mejores amigas. Más claro el vodka.

Le expuso la situación de sus finanzas en tres cuartos de hora, para acabar diciendo:

—La que más sabe es la marquesa del Pozo del tío Raimundo. Precisamente tengo que verla esta tarde porque vamos juntas al velatorio de la pobrecita Menene Montebarrillo.

—¿La pequeña de la baronesa Montebarrillo? ¿Es que le ha pasado algo?

—Mujer, si te digo que vamos a su velatorio es que ha tenido que pasarle algo. Morirse, por ejemplo.

—¡Muerta! Pero si el otro día la vi en el gimnasio y estaba tan sana.

—Es una historia muy larga, pero te la resumiré en dos horas y media. Tú sabes que la baronesa tiene tres hijas, las tres muy gandulas... Claro que esto de la gandulería es muy relativo, porque yo juego con ellas al pádel y esquiamos juntas y hacemos tenis los jueves y bien activas que son. Lo que pasa es que para la baronesa todo esto no son actividades, ¿comprendes? Quiero decir que, para ella, todo lo que no sea trabajar para ganarse un jornal es gandulería. En realidad es la misma manía que les ha entrado a muchas familias de la aristocracia, que han puesto a todos los críos a trabajar; unos dicen que para que sean gente de provecho y otros para levantar la autoestima; pero a mí no me engañan porque lo cierto es que todos están sin un duro y así ingresan unas pesetillas que por lo menos les sirve para comprar Netol y sacar brillo a los blasones. Tú, como eres mujer de éxito, no te puedes imaginar cómo las están pasando la mitad de la aristocracia, pero mira, sin ir más lejos...

Casi transcurrieron las dos horas y media anunciadas hasta que Miranda reanudó el hilo de la conversación.

—A todas ésas, la baronesa decidió que a sus tres hijas se les había acabado la ganga y que tenían que trabajar en algo, pero sin olvidar su noble cuna. Es decir, no podían hacer de manicuras, ni de verduleras, ni de taquimecas. No, tenían que ser relaciones públicas, que es la profesión que más se lleva entre los nobles arruinados y las princesas exiliadas. Siendo así, la baronesa puso a Sisín de relaciones públicas en los cosméticos Max and López, a Lolón de relaciones públicas en las lencerías «Braguitas de Ensueño» y a la pobre Menene...; en fin, ésa no tenía mucha salida. Ya sabes cómo era, bizca y muy dentona, y con una nariz en forma de gancho. Así que, siendo tan feúcha, no la querían exhibir en ningún lugar y la baronesa tuvo que enchufarla en una *sex-shop*...

—¡Una *sex-shop*!

—¡Ah, pero muy fina, no vayas a pensar! Muy de diseño toda ella. Y con una clientela de lo más *chic*. Muy de ministros, banqueros y curas ricos. No entra allí quien no disponga de tarjeta de crédito color platino. Pero, bueno, ¿para qué voy a contarte chismes en un momento así, llenas de dolor, deshechas, contraídas como estamos ambasdós por la pobre difuntita? Y cuando digo pobre no hablo sin conocimiento de causa, pues fue entrar a trabajar en aquella *sex-shop* y empezar a adelgazar la pobrecita, y a perder y a perder; vamos, que se fue apagando como una pavesa...

—No me dirás que murió del sida.

—No, qué va. No tuvo ocasión, porque no le hubiera puesto la mano encima ni el mismísimo vampiro Nosferatu. En realidad me da horror contarte la causa de tan incauta muerte. Tú imagínate a la niña, sola en aquella tienda, horas y horas rodeada por veinte televisores, viendo en las pantallas continuos actos sexuales, ahora entre varón y hembra, después entre varones, después entre ellas, a veces treinta personas a la vez, luego lo de la holandesa con el cerdito, y así continuamente, continuamente, la pobre mártir...

Reprimió una lágrima.

—En resumen, ¿me vas a decir de una vez la causa de su muerte?

—Se mató a pajas.

—¡Miranda! Nadie se muere por una masturbación.

—Por una no, pero parece ser que por cincuenta al día empiezan a presentarse síntomas de decaimiento. Y así, un día tras otro, pues una acaba consumidita. A la infeliz Menene la encontraron aferrada a un televisor y con la lengua fuera.

Ante aquella imagen, a Rosa Marconi se le iluminó una idea para el programa de la semana siguiente. No tardó en desecharla. Las distintas y acaso sobrantes televisiones de las Españas habían ofrecido demasiados espacios de sexo como para que nadie prestase la menor atención al simple caso de una onanista exagerada. El público cambiaría de canal para ver a un matón de la mafia liquidando a treinta y tres víctimas por minuto. En los últimos tiempos se preferían los descuartizamientos a las tetas. Y Rosa, que en lugar de cerebro tenía ya un índice de audiencia, decidió olvidarse de la difunta y conducir a Miranda al tema que más le importaba aquel día.

—¿Tú crees que Victoria aceptaría hablar para mi programa? Será el último, y quiero que sea espectacular. Me iré, sí, pero en olor de triunfo.

—¿Victorita en televisión? Imposible. Si nunca quiso cuando era santa y respetada, imagínate ahora que se ha hecho pendón y anda llena de vilipendio.

—¿Y tú no crees que si la cadena le pagase diez millones...?

—Pero ¿qué dices? Con eso puedes llevar a uno de esos aristócratas italianos que van por ahí chuleando famosillas, pero Victorita, con diez millones, no tiene ni para comprarse un cuadro de la marca Picasso.

Sólo Miranda Boronat y sus ochenta mejores amigas eran capaces de distinguir a Picasso con una marca, pero también ellas eran las únicas que podían convencer a Victoria Barget de que volviese al recto hogar. No por razones éticas —¿cuántas de ellas no hacían cosas peores sin moverse de Madrid?—, sino por el hecho puro y simple de que sólo ella podía saber dónde estaban los caudales que todas habían puesto al cuidado de Melchor Osváldez.

Al ritmo de este pensamiento, Rosa Marconi cambió de táctica:

—¿Tú te has apuntado a ese viaje de la princesa Von Petarden?

—Claro. Y al de María Asunción Solivianto. Que en realidad son uno y solo, porque vamos todas en el mismo barco, vulgo bajel.

Rosa puso gran prudencia al preguntar:

—¿Intentarás ver a Victoria Barget cuando estés en Grecia?

—Eso lo primero. Y no sólo yo. Mis ochenta mejores amigas tienen algunas cosas que preguntarle. Y hasta diría que alguna quiere romperle la cara.

—Pues me apunto al viaje. Vamos, que no lo pienso dos veces.

—No seas tonta. Te juro y perjuro que no vas a sacar nada de Victoria.

—Ya he abandonado esta loca idea. Lo que me apetece es participar en las fiestas pro Mujer Trabajadora. Y, además, me tienta ver a la Virgen. Nunca he visto una en persona.

—Pues te apunto... Espera, que busco un lápiz de rouge porque no tengo un bolígrafo a mano... Ya está apuntado. Será fantástico, porque así podremos recordar las quisicosas de la infancia. Siempre me ha intrigado saber qué fue de aquella monja que murió.

—¿Sor Leticia? Pues eso: murió.

—Sí, mujer, pero se dijo que la asesinaron tres profesoras liadas entre ellas.

—Nunca supe eso, pero podemos averiguarlo durante el viaje.

—Me hace la mar de «ilu». Y así, de repente, te quiero mucho.

—Yo más. Besos.

—*Kisses*.

Rosa Marconi emitió una de esas sonrisas de alivio que las cámaras no suelen recoger. Por lo menos la conversación con Miranda Boronat había conseguido entretenerla. Para conservar tan venturoso estado de ánimo se fue a la farmacia en busca de aquel Prozac cuyas maravillas cantaba con entusiasmo Visnú De Meller.

Capítulo segundo

ISLA VICTORIA

Mientras en Madrid se organizaba el aquelarre, Victoria Barget componía su aspecto en el tocador de su alcoba abierta al mar. Le habían anunciado una visita a la que no pudo negarse por un elemental sentido de la prudencia. Por más a rajatabla que cumpliese su empeño de alejarse del mundo, no podía dar completamente la espalda a lo que dejaba atrás. Al fin y al cabo, un marido en la cárcel impone alguna obligación. Cuando menos la de dignarse recibir a sus enviados.

La isla estaba radiante a aquellas horas de la tarde. La villa, rodeada de jardines, aparecía espectacular. La alcoba, cuyas cortinas de encaje cimbreaba la ligera brisa marina, dormía plácidamente bajo la penumbra creada por las persianas, bamboleantes también. Era una estancia amplia, de techo muy alto, que recordaba épocas de gran pomposidad, no desentonando en esto del resto de la mansión. A primera vista ésta parecía un viejo palacio, que generaciones posteriores se hubieran encargado de modernizar respetando su estilo inicial. Por doquier había muestras del estilo neoclásico que Grecia adoptó al liberarse del yugo turco, en un intento de afirmar su personalidad nacional. No sólo la fachada era una imitación más o menos acertada de un templo dórico, también en el interior aparecía algún friso coronando la puerta de los salones principales o columnas acanaladas sosteniendo las repisas de las chimeneas. Los anteriores propietarios habían respetado estos detalles, que deslumbraron a Victoria cuando visitó la villa por primera vez.

Así era también su alcoba: una vasta sala donde dominaba el blanco, ya en los muros y el suelo, ya en la gigantesca mosquitera que se desplomaba sobre el lecho, con caracteres de cortinaje real. Apenas había otros objetos. Dos bustos romanos sobre sendos pedestales y una mesa de caoba inglesa con algunos libros y los mapas que Borja utilizaba para desplazarse por la isla.

Si puede llamársele objeto, la foto del joven presidía una de las mesitas de noche, la del lado donde dormía Victoria. Diríase, por su sonrisa, la foto de un amante plácido, de los que están destinados a aportar serenidad, aunque a juzgar por la conmoción que había dejado en las sábanas era particularmente diestro en batallas. Alguna muy poderosa se habría librado pocas horas antes porque Victoria todavía se sentía fatigada (eso sí, divinamente fatigada). Recordaba ahora que él se embarcó con unos amigos para visitar un islote vecino, y que ella no pudo acompañarle a causa de la visita que estaba esperando. No podía decirse que lo lamentara. A fin de cuentas llevaban dos meses juntos, día y noche, pegados literalmente, y la batalla del amanecer había resultado lo bastante satisfactoria como para permitir que el joven se tomase unos días de asueto.

De este estado de ánimo no estaba excluido un poco de cálculo. Incluso la pasión más encendida necesita graduar su temperatura de vez en cuando. Es ese punto en que los amantes deben mostrarse indulgentes consigo mismos y colocar su vehemencia en plazos prudenciales. En este aspecto, una corta visita a cualquier islote provisto de excelentes instalaciones deportivas puede ser, más que una excusa forzada, una medicina eficaz.

Cuando se hubo recogido la rubia cabellera en un moño de inconfundibles reminiscencias Grace Kelly, Victoria acarició la foto de su niño tostado y se dirigió al salón de la planta baja, donde la esperaba la visita anunciada.

Una tal Elena Arquer, de Madrid.

Antes de hacer evidente su presencia, Victoria la observó desde el pie de la escalera. Se hallaba ensimismada observando algunos detalles de la estancia. A Victoria le gustó aquella curiosidad, pues el salón era la primera pieza de cuya decoración sentíase completamente responsable. La única que había tenido tiempo de amueblar personalmente.

Elena Arquer había comprendido a primera vista el exquisito gusto que reinaba en la casa. Respondía a lo esencial y al mismo tiempo a lo refinado, es decir, lo contrario de las mansiones de nuevos ricos de Madrid. En cuanto a Victoria, reconoció que su visitante iba muy bien vestida —traje de chaqueta beige con *foulard* arena— y, sobre todo, muy en su punto después de un viaje tan largo. Pensó, con ironía: «Será de esa clase de mujeres que son capaces de ponerse presentables en el excusado del avión, cinco minutos antes de aterrizar.»

Decidió abordarla cuando estaba a punto de coger unas estatuillas de mayólica que reproducían a los primeros reyes de Grecia ataviados con vestimentas populares.

—¿Lo aprueba usted?

Elena Arquer se volvió rápidamente, como sintiéndose sorprendida en pecado de indiscreción. Victoria pudo observar su rostro: en principio, la impresión era satisfactoria. Elena tenía esa buena entrada que hoy se exige a las profesionales con porvenir. Bella, pero no tanto que llegase a molestar. Joven todavía, pero no para herir. Unos cuarenta y varios años bien llevados. Pelo negro, que caía en ligeras ondas sobre los hombros, sin atreverse a seguir más abajo. Sólo dos joyas —un broche y el reloj— que denotaban el signo de la justeza.

Todo en Elena Arquer parecía programado en el término medio que siempre resulta ideal para caer bien.

—Es una casa maravillosa —comentó, en respuesta a la pregunta de Victoria. Y abarcó la estancia con un amplio ademán.

—Todavía no tiene tiempo para ser medianamente maravillosa. Tuve que desplazarme unos días a Atenas para elegir muebles y antigüedades. Por esto no he podido recibirla antes. Tendrá usted que disculparme.

—También usted tendrá que disculpar mi insistencia. Como podrá comprender, no depende de mí.

—No he leído los periódicos españoles en los últimos días, luego no sé si su insistencia es justificada, pero imagino que sí.

—Mucho. Es más: creí que era obvio.

Elena observó que la otra no recibía con agrado una observación tan directa. No lo demostró acusando el golpe, sino simplemente apartándose del tema con un ademán destinado a enseñar algunos elementos de la estancia. Pura estrategia.

—He querido conservar el carácter de la villa sin caer en el falso tipismo.

—Lo cierto es que se diría más bien una villa italiana. Sólo los colores son griegos.

—Y aun así he querido atenuarlos. He ido conociendo a algunos extranjeros que residen en estos pueblos. Sus casas obedecen a una idea de tipismo preconcebida, como si todo Grecia tuviese que ser igual que las Cícladas. Ya sabe usted: formas geométricas, muros y techos encalados de blanco, puertas de rojo y azul, con esmaltes muy llamativos. Resulta espectacular, de acuerdo, pero yo prefiero una Grecia múltiple, que no se ofrece como presa de calendario. ¡Hay tanto para descubrir en ella! Lo italiano mezclado con lo turco, lo franco combinado con lo bizantino... ¿Por qué me mira así?

—Porque en esta casa no hay nada precipitado. Francamente me cuesta creer que sólo lleve un mes en ella. Está demasiado vivida.

A la otra le pareció percibir una sutil celada verbal.

—No la compré antes del escándalo, si es esto lo que insinúa. No está *todo* calculado desde hace tiempo. Pero existía en mi imaginación.

—Esto son todas las casas a fin de cuentas. Siempre existen en la imaginación de una hasta que se hacen realidad.

—Y, en última instancia, no quería que fuese

representativa del poder de un marido. Porque así han sido todas las cosas que he tenido desde que me casé.

—¿Las cosas o las casas?

—Todo. Mi propia vida era una representación del poder de Melchor. Y me disgustaría mucho que ahora representase su fracaso. Ya sabe usted: mi partida puede dar a entender que está acabado. No quisiera que fuese así.

Pasaron a una amplia terraza que servía de patio común a tres habitaciones. Al pasar delante de una de ellas, Elena atisbó algunos artículos de submarinismo, así como un montón de jerseys y bañadores tirados por el suelo. Todo ello formaba parte de una artillería inconfundiblemente juvenil y decididamente masculina.

Elena no pudo evitar un pensamiento irónico: «No quiere nada que represente el poder de su marido, pero no rechaza todo cuanto representa el poder de un amante joven.»

Como si le hubiera adivinado, Victoria se apresuró a dirigirla hacia otra terraza, más amplia que las anteriores y abierta sobre una pequeña cala de aguas transparentes. Descendieron por un sendero empedrado que serpenteaba entre pinos y cipreses agrupados al gusto de la naturaleza convertida en jardinero titulado.

Sobre las rocas que se introducían en el mar se levantaba una plataforma donde cabían dos mesas de hierro, un parasol y varios sillones de teca. En una de las mesas había unas gafas oscuras y una novela de Kazantzakis. Señal de que se hallaban en un rincón predilecto para la lectura en intimidad absoluta.

Tomaron asiento mientras Victoria daba órdenes a una doncella. Ella hablaba en italiano; la otra parecía entenderla, sin contestar. Era muy joven, apenas salida de la adolescencia, y carecía del menor atractivo. El grosor de las cejas, la ausencia absoluta de maquillaje y el óvalo irregular que el cabello recogido formaba sobre su frente le prestaba un aspecto monjil, acentuado por la abundante pelusilla que le cubría piernas y brazos.

Cuando la criadita se hubo retirado, Elena percibió que Victoria la estaba mirando fijamente.

—Ahora parece como si tuviese que aprobarme usted a mí.

—Lleva un vestido precioso —comentó Victoria, poniéndose las gafas de sol. Y, en tono jovial, añadió—: Le seré sincera: no esperaba que la ley tuviese enviadas tan elegantes.

—En realidad no represento a la ley. Por lo menos no en un sentido estricto.

—Entiendo. Trabaja usted en la empresa de mi esposo.

—Tampoco. Es en el gabinete jurídico que le presta sus servicios.

Victoria se encogió de hombros. Su desinterés no era en absoluto ficticio.

—Ya ve usted que estoy poco enterada. Ni siquiera sé quién trabaja para Melchor. Francamente: dudo que pueda servirle de algo, como no sea para enseñarle las bellezas de mi isla.

—Perdone, señora, pero creo que esa salida está fuera de lugar, cuando hay un hombre en la cárcel.

—Sé perfectamente que hay un hombre en la cárcel. Pero yo no puedo hacer nada por él. He tomado una decisión y pienso mantenerla.

—Ese hombre es su marido...

—Precisamente.

—Perdone, puede parecer que me entremeto en su vida privada. Como podrá comprender, no es ésta mi intención ni, desde luego, mi estilo. Hablo siempre desde evidencias legales.

—Lo sé. Pero le advierto que mis abogados están a punto para cualquier emergencia... —Comprendiendo que había adoptado un tono demasiado duro, se interrumpió de golpe—. Creo que hemos empezado a discutir antes de tiempo. La tarde invita a cosas mucho más placenteras.

—Perdone que se lo diga, pero usted parece empeñada en evadir la realidad...

—Me empeño rotundamente. Por lo menos ahora. Prefiero que vea su habitación. Le gustará. Después quiero llevarla a cenar a uno de mis rincones favoritos, en un pueblo de la montaña. Tiempo habrá de discutir todo lo demás.

—¡Dice usted «lo demás», como si tal cosa!

—En efecto. Lo que tiene mucha menos importancia que esta isla ideal. En confianza, me alegra que esté usted aquí. Empezaba a necesitar alguien con quien hablar.

—¿No tiene usted amigas?

—Tengo algunas muy discretas, pero demasiado sabidas. Y creo tener las ochenta mejores amigas de Miranda Boronat. Un exceso para ser auténticas. Por esto no me sirven.

Victoria dio por terminado un té que la otra consideró demasiado corto. ¿Para tan poco tiempo habían bajado hasta aquel rincón paradisiaco? ¿O acaso la anfitriona era una de esas neuróticas negadas para agotar los lugares? Suelen deambular de un lado a otro de las casas, sentándose un instante en un rincón para levantarse al instante, dar un pequeño paseo —generalmente con los brazos cruzados— y probar otro asiento que no tardarán en abandonar. Personas de abrir un libro que no acaban de leer, de buscar otro con los mismos resultados, de poner un disco tras otro, sin escucharlo siquiera.

¿Sería Victoria Barget una de esas personas? En este caso estaría muy lejos de sentir la tranquilidad que aparentaba.

Se concedieron el tiempo justo para cambiarse. Victoria quería llegar a determinado paraje antes de la puesta de sol, y aunque Elena sentíase fatigada después del trayecto Madrid-Leikós, con escala en el espantoso aeropuerto de vuelos domésticos de Atenas, comprendió que debía sentirse halagada por el interés de su anfitriona y corresponderle con unas inyecciones de vitalidad.

No tardaron en reunirse en el vestíbulo, donde las esperaba un hombre vestido de chófer, aunque Elena consideró que más bien parecía disfrazado, de tal modo contrastaba la solemnidad del uniforme con la rudeza de sus rasgos, inequívocamente campesinos. Habría entrado en la madurez precipitadamente, como suele suceder con los isleños, y todos sus gestos delataban una autoridad que le envejecía más. Tenía el aspecto de jefe de clan, favorecido por una estatura gigantesca y en absoluto desequilibrada. Por el contrario, la armoniosa delgadez se adivinaba musculosa y nervuda. En cuanto al rostro, nadie lo hubiera encontrado en un museo de la Grecia clásica, pues reunía todas las mezclas que habían asolado aquellas tierras en el curso de los siglos. Tanto era así que su mandíbula prominente, sus labios carnosos bajo un mostacho rotundo, sus ojos negros como el cabello que le caía en encrespadas guedejas sobre la frente, todo recordaba a uno de aquellos jeques árabes que hacían soñar a nuestras abuelas, cuando el cinematógrafo era mudo.

Mientras Victoria le daba instrucciones, pronunciando de vez en cuando el nombre de Stavros, Elena le encontró demasiado guapo para ser verdad.

—Le aplaudo el chófer —comentó en voz baja.

—Es el marido de Lía, la doncella que nos ha servido hace un rato.

Elena no podía apartar la mirada de la poderosa mandíbula del hombre.

—Diría que le dobla la edad.

—Se la dobla, en efecto. Ella tiene diecinueve. Él tendrá... la nuestra. —Se sonrieron, con cierta dificultad—. Algún día le contaré su historia, pero no espere gran cosa: es muy vulgar, muy típica de estas tierras. De momento, conténtese con saber que Stavros está disponible.

—¿Disponible para qué?

—Para las visitas de cualquier sexo y condición. Se incluye en el hospedaje. Necesidades extremas.

—No es mi caso. Y tampoco el suyo, imagino.

—Desde luego. No puede usted imaginar lo celosos que llegan a ser los jovencitos. Me refiero a Borja. Es una pena que no nos acompañe. Se ha ido con unos amigos a otra isla. Esquí acuático, surfing y esas cosas. ¿Por qué se ríe?

—¿Puedo ser sincera?

—Siempre hace usted esa pregunta. ¿Por qué?

—Bueno, he aprendido que la sinceridad no siempre es bienvenida.

—Debe de serlo si le invitan a ella.

—Ni siquiera en estos casos. Desconfío siempre de los que me piden sinceridad; porque acto seguido se enfadan. Pero seré sincera: cuando ha citado usted al joven Borja me ha sorprendido su naturalidad.

—¡Por favor! A estas horas, todo Madrid sabe que es mi amante.

—Y el novio de su hija.

—Algo parecido. Salían, se besaban y esas cosas.

Antes de proseguir, Victoria le indicó gentilmente que contemplase el paisaje. Equivalía a decir: «Tiene más interés que mi hija.» Y, sin duda, tenía razón porque el paisaje empezaba a ser admirable. Habían dejado atrás la costa y ascendían por una tortuosa carretera que rodeaba la montaña más alta. A medida que la ascensión progresaba, el interior de la isla iba revelando aspectos que resultaban insospechados en el litoral. El mar desaparecía tras la cordillera y, en su lugar, veíanse pequeños valles, dotados de frondosa vegetación. Cuando ésta terminaba, como un tapiz bruscamente interrumpido, aparecía el terruño agreste, surcado por vastas plantaciones de olivos, a los que el sol, ya mortecino, arrancaba fulgurantes destellos plateados. Después, volvían las frondosas huertas, signo inequívoco de la proximidad de un pueblo o una aldea que parecían balancearse en lo alto de las peñas, como nidos de águila alegrados por un colorido sacado de las fuentes mismas de la primavera. Por contra, otros pueblos ofrecían un color adusto, dotándolos de una severidad que los hacía impenetrables a todo el que no comulgase con su esencia, salvaje y viril.

Pero tanta belleza no entraba en los planes de

trabajo de Elena Arquer, de manera que optó por insistir:

—Hablé con su hija antes de salir de Madrid...

—Lo suponía —contestó Victoria, sin alteraciones visibles—. ¿Ha conseguido sacarle algo más que los cuatro sonidos guturales que emite entre piezas de rock? No ponga esa cara de sorpresa. No me diga que no ha notado que María José no se distingue precisamente por su clarividencia.

—La verdad, me extraña que lo diga usted.

—Yo la puse en este mundo, ¿quién podría opinar mejor? Veinte años son suficientes para conocer a una cabeza de chorlito y decidir si es cosa de la edad o una mala jugada de la naturaleza. En este caso concreto puedo asegurar que la naturaleza fue perversa conmigo. Mi hija es un desastre.

Elena la miró de hito en hito. Sus confesiones constituían un acto de confianza difícil de justificar dado el poco tiempo que se conocían.

—Cuando María José trajo a este joven a casa me chocó su elección. Hasta ese momento, todos sus amigos eran el típico espécimen que una encuentra en los centros más exclusivos de la Costa del Sol: pijos insoportables, sin otro mérito que el dinero de sus papás (que, por cierto, nunca es tanto como parece). Por no sé qué extraño milagro, Borja era un ser pensante. Por serlo, me deslumbró.

—Su hija piensa venir a verla.

—Esto demuestra que, además de carecer de inteligencia, no tiene dignidad. Pero no quiero seguir hablando de esas cosas. No hoy. Si huyo de Madrid es porque no tengo el menor deseo de verme convertida en espectáculo..., entre otras razones.

—¿Sabe que me está poniendo las cosas muy difíciles?

—La culpa es suya. No debía haber elegido una jornada tan agradable para venir a mi isla.

—¿No dice la leyenda que es la isla de la hermana de Alejandro el Magno?

—Ahora es la mía. No toda, naturalmente. Sólo algunos rincones privilegiados, a los que no ha conseguido llegar la avalancha turística. Sabrá que es la gran plaga de los pueblos costeros.

—Lo sé. Recuerdo cómo eran antes estas islas.

—¿Las conocía?

—No las de esta zona. Y desde luego nunca las más tópicas. Recuerdo ciertos archipiélagos perdidos, casi innominados. Y sobre todo recuerdo Creta. Conocí allí una vida libre y salvaje. Me gustaría volver para recobrarla...

—¿De cuándo está usted hablando?

—Del verano de mil novecientos setenta y tres, en la playa de Matala. ¿La ha visitado usted?

—Hace un mes, Borja y yo estuvimos pasando unos días en una playa privada de Elounda, pero hicimos excursiones al otro lado de la isla. Si recuerdo Matala es porque tiene unas tumbas romanas en forma de cavernas. En la época a que usted se refiere solían habitarla los hippies. Por lo menos así me lo contó nuestro guía con cierto horror.

—El mismo que sentían los lugareños por aquel entonces. Detestaban a aquellos muchachos libres y salvajes. Acabaron por echarlos.

—No queda nada salvaje en las costas de Creta. Todo lo más alguna ola, si pesca una tempestad divertida... Bien, hemos llegado.

Dejando atrás un dédalo de estrechas callejas

que ascendían por la montaña, habían ido a parar a una plazoleta de exiguas dimensiones y que a primera vista no ofrecía el menor interés, ni siquiera turístico. Casas modernas —medio siglo a lo máximo— y, en el centro de la plaza, una pequeña rotonda de no más edad. Tampoco parecía ofrecer placeres mayores una diminuta iglesia exactamente igual que todas las pequeñas iglesias, antiguas o recientes, que crecen como hongos en el territorio griego.

Victoria había dicho que no quedaba nada salvaje en las costas de Creta, y era dudoso que existiese en aquel pueblo. Pero ella no parecía desanimarse ante la expresión decepcionada de su huésped. Se encaminaba decididamente hacia un callejón que se abría entre la iglesia y un solemne edificio que correspondería a la telefónica, el ayuntamiento o la escuela pública. Era el tipo de edificios a los que el estilo neoclásico dotaba de la prestancia y el empaque necesarios para recordar el imperio de la autoridad o los derechos de la administración.

Elena se percató de que en aquella plaza mediocre la luz acababa de dar un giro vertiginoso. Piedras en absoluto nobles adquirían de pronto un tono aterciopelado, semejante al lujo. Las hojas vertebradas de las acacias pasaban del verde intenso al cobrizo oscuro por el rápido desliz de una sombra que empezaba a desplomarse mientras la luz quedaba detrás de la iglesia. Pero allí se convertía en una hoguera que incendiaba el cielo.

En el interior de la iglesia se celebraba misa vespertina. El choque entre la hecatombe solar y las avanzadillas de las sombras veíase presidido por una insistente salmodia que salía por la puerta del callejón. Al pasar ante ella, Elena recibió una nube de incienso, al tiempo que las notas cada vez más precisas de la liturgia bizantina. Al fondo se veía el mar como una enorme plancha ígnea, a la que el sol, ya furtivo, arrancaba multitud de iridiscencias. Y era tal la variedad de las olas que cada una parecía un pedazo de oro navegando a la deriva.

El atardecer se había convertido en la encarnación de un prodigio.

Acababan de llegar a un mirador que se abría detrás de la iglesia. A un lado quedaba el ábside; ante ellas, la inmensa superficie de aquel mar, herido y acariciado a la vez por la huida del sol. Y quien dijera que éste era un joven llamado Helios que avanzaba con su carro por los cielos tendría que haber rectificado para adjudicarle el aspecto de un experto submarinista. Porque el sol, establecido ya sobre un punto fijo del horizonte, se iba hundiendo paulatinamente aprovechando para encenderse todavía más. Al otro lado de la iglesia aparecía el difuso espectro de una media luna. Y el mirador seguía invadido por las salmodias de una misa interminable.

Escenas de este tipo son las que predisponen a los lectores a dudar de la objetividad del autor. Sólo quienes desconocen las infinitas variaciones del cielo griego caen en el atrevimiento de desconfiar de este modo.

—Parece como si hubiese preparado esta escenografía para impresionarme —dijo Elena, apoyándose en la baranda que separaba al mirador del abismo.

—Le aseguro que no —dijo Victoria—. Siempre es así. Me extraña que usted, conociendo Grecia, no lo sepa.

—Si lo supe lo habré olvidado. Han pasado muchos años y demasiadas cosas.

—¿Malas?

—Normales. Por lo menos en la vida de una mujer. El matrimonio, los hijos y la lucha por abrirse camino en el campo profesional. Insisto: nada que no sepan muchas otras mujeres.

—La verdad, no la hacía con hijos. No es usted el tipo... Acabo de decir una tontería, ¿verdad?

—Una frivolidad. Tendría usted que decirme todos los tipos de madre que conoce y seguro que encajaría en alguno. ¿Qué le parece la madre liberada y con dos hijos educados por un padre sin prejuicios?

—Me parece muy moderno. ¿Lo será usted tanto como para no llevar encima las fotos de los niños, igual que todas las madres del mundo?

—No son niños. Tienen ya veintidós años. Y aunque en efecto somos más que modernos, llevo conmigo sus fotos en divino kodakcolor.

Permanecieron en silencio, observando los últimos movimientos del astro solar. Ya era apenas una coronilla roja que acababa de hundirse en el horizonte. Y al fin, el cielo quedó gris ante sus ojos mientras la música bizantina seguía sonando a sus espaldas.

Con el mismo silencio respetuoso con que habían asistido al holocausto del día, regresaron al coche para comunicar a Stavros que irían paseando hasta el restaurante elegido por Victoria.

Por fortuna, dejaron atrás la mediocre placita de las acacias y se hallaron en un barrio de aspecto más popular, cuyas últimas casas se abrían sobre un acantilado. Seguía omnipresente el mar, ahora incoloro, en la patética indecisión entre el día muerto y la noche apenas apuntada.

Entre las casas y el abismo se abría un paseo que, aun siendo estrecho, permitía cobijar las mesas de algunos restaurantes de aspecto típico, desmentido por llamativas fotografías de platos combinados. Victoria eligió un local que todavía no se había acogido a tan repugnante especialidad. Por el contrario, pregonaba con orgullo que era el único que recurría a la comida griega... sin combinar con nada.

Dentro de lo privilegiado, la mesa elegida se hallaba en un rincón dotado de mayores privilegios. Por las escarpadas rocas subían varios pinos cuyas copas servían de parasol a los clientes. El genio popular había colgado de las ramas lucecitas de todos los colores, que se correspondían con las ristras del mismo estilo que colgaban por las fachadas de los restaurantes. Y aunque en cualquier otra ocasión Elena lo habría asociado con una verbena de mal gusto, decidió que allí era encantadoramente natural. Algo parecido a un sueño no necesariamente turístico.

Se les acercó un camarero con la avidez propia de los cazadores de clientes. Es el tipo que no se presta a contemplaciones: la carta al momento, la insistencia, el pedido a punto para evitar que su oportunidad se escape.

En realidad, no había mucho donde elegir. Ambas habían optado de antemano por la comida típica de la islas en sus aspectos menos sofisticados. Aun así, algunas cosas eran obligadas: queso de cabra en la ensalada, un poco de pulpo —«para probarlo, no para adoptarlo», comentó Victoria—, aceitunas negras y el clásico popurrí de pescaditos fritos. Después Elena insistió en una delicia que probó en otro lugar y cuyo nombre no podía recordar. Carne picada envuelta en hojas de parra o algo por el estilo. Y por no apartarse de aquella estricta geografía de la comida, pidieron Retzina para desilusión del camarero, que esperaba venderles un vino de importación a precio de oro.

Victoria insistió en conocer a los niños del kodakcolor y, aunque Elena entendía que podía ser un truco para apartarse una vez más del tema principal, no supo resistirse.

Sacó del bolso de mimbre un billetero de marca. Victoria la reconoció al instante y volvió a considerarla elegante. También una mujer poderosa en su profesión. Ignoraba por qué asociaba ambas cosas, pero así vino la idea y así la acogió.

—No me había dicho que eran gemelos —comentó, con grato asombro—. ¡Y qué iguales! Diríase una ilusión óptica.

—Más que gemelos, siameses. En veintidós años no he aprendido a distinguirlos. Para colmo, visten igual, hablan igual y comen lo mismo. Ya ve usted: un calco.

Pero olvidaba añadir algo que el más banal orgullo de madre habría disculpado. Los dos gemelos —Lucio y Javier— eran de una belleza espectacular. Con la estatura que bendice a las nuevas generaciones, el pelo rubio discretamente rizado y unos ojos a los que el kodakcolor arrancaba el verde de las esmeraldas, parecían a punto para posar en un concurso de potros de raza.

Tales atributos no parecían colmar las aspiraciones de la madre.

—Los tengo estudiando en París, en la escuela del Louvre. Son un caso —dijo, con expresión hastiada—. De momento quieren ser restauradores, pero eso no quiere decir nada. Hace dos años querían estudiar cine. A saber qué querrán ser los dos el año próximo.

—¿Los dos?

—Los dos. Todo lo hacen juntos.

—Guapos chicos. Más que esto: guapísimos —Y, devolviendo las fotos, añadió—: Puede creerme. Ya sabe que soy experta en jovencitos.

Elena se sintió violenta ante aquel amago de confesión.

—Si usted lo dice...

—No hace falta. Lo dirán en Madrid. Puedo oír el chismorreo de todas mis amigas..., esas de las que acabo de hablarle. Y si cierro los ojos puedo leer lo que dicen las revistas.

—No debe preocuparse tanto. Todas las portadas las ocupa su marido y las graves consecuencias que sus operaciones comerciales pueden aportar a la economía del país. En casos así, la reputación de una esposa queda en un lugar secundario.

—El suficiente para que resulte una pésima reputación. Si no ridícula.

—¿Por qué?

—Sencillamente porque le llevo bastantes años a Borja. ¿O le parecen pocos?

—Ni pocos ni muchos. Simplemente pienso que esas cosas ya no escandalizan a nadie. No hace tanto que falta usted de España para no conocer la larga lista de ligues entre caballeros de mediana edad y señoritas que podrían ser sus hijas.

—Cierto. Los conozco a todos. Ninguno de ellos se ha escondido a la opinión pública. Pero también conozco el caso inverso: señoras con li-

93

gues que podrían ser sus hijos. Y esas se esconden como ratas.

—Usted no se ha escondido. En mi opinión ha obrado santamente. Luego no debería zaherirse de este modo.

—A veces es inevitable. Usted misma acaba de hacerlo.

—Yo no tengo nada de qué zaherirme. Soy una mujer feliz.

—No lo diga dos veces. Y, si lo dice, toque madera. Además, cuando habló de su anterior viaje a Grecia tenía un tono triste.

—Es que no es un viaje anterior: es un viaje remoto. Han pasado veintidós años. Ninguna mujer contempla esas distancias sin sentir un estremecimiento.

—¿Ni siquiera cuando una mujer es tan feliz como usted?

—Ni aun así. En el recuerdo siempre hay algún momento que fue más feliz...

Llegaron dos camareros cargados de platos susceptibles de ser mezclados. No había ortodoxia alguna en aquella cena, luego ellas no la siguieron. Se dedicaron a intercambiar manjares y a dar libre curso al fluir de las confidencias.

Fue Victoria quien rompió el fuego:

—Es curioso, pero todos mis momentos de felicidad los he vivido con mi marido y, ahora, él está en la cárcel y yo estoy aquí, tan feliz. —Hizo una pausa—. Debe de creerme usted una mujer sin entrañas, un monstruo de egoísmo... y, para colmo, una mala madre.

—No deberíamos hablar de esto. Le recuerdo que es una ley impuesta por usted misma.

—Yo misma puedo romperla. ¿Qué pasa si ahora me apetece abordar el tema directamente?

—Que estamos fuera de mi horario laboral. Hasta mañana a las nueve no debo acordarme de otra cosa que no sea mi reencuentro con Grecia.

Era importante complacerla, y Victoria lo hizo. Cenaron tranquilamente sin tolerar que los asuntos serios —laborales o no— se interpusieran en su placidez. Ya era noche cerrada cuando bajaron a uno de los pueblos de la playa, concretamente a Alexandrópolis, así bautizada en honor del heroico hermano de la Gorgona de la isla.

Aunque todavía no estaba contaminada por las masas, la capital no había podido rehuir completamente su destino turístico. Como tantas localidades costeras, era uno de los lugares preferidos por los ricos de Atenas, que en los últimos años habían multiplicado sus villas de recreo. El pueblo delataba todavía sus orígenes de pueblo pesquero, pero en el paseo de la playa habían empezado a surgir bares de moda y hasta varias discotecas, de manera que podía distinguirse claramente entre lo que fue la zona popular —el puerto y sus alrededores— y una especie de ensanche con pretensiones de sofisticación.

Después de mostrar a Elena la parte más típica, con sus casitas de pescadores construidas literalmente sobre las olas, Victoria sugirió un bareto frecuentado por ingleses. A aquellas horas de la noche, el local estaría vacío, con lo cual podrían gozar de la brisa marina sin verse obligadas a soportar el asalto de algún conocido.

Así supo Elena que su anfitriona no había perdido el tiempo en la isla: ¡tenía, pues, amistades! Señal de que su estancia no sería tan corta como ella pensaba proponerle.

Pero en estos lugares la paz no es un regalo

95

eterno. Siempre hay un pinchadiscos que se cree en la necesidad de obsequiar a los clientes con alguna pieza estentórea, puesta al límite del volumen. En ese punto, los pinchadiscos de las terrazas vecinas se sienten desafiados y efectúan la misma maniobra, sólo que intentando derrotar a los otros con unos decibelios de más. Empieza así la atroz barahúnda que caracteriza las noches del verano y todavía consigue sorprender a los viejos del lugar.

Iba ya Elena por su segundo whisky cuando Victoria se llevó las manos a la cabeza, manifestando cierta ansiedad.

—Estos ruidos me aturden. Creí que no tendría que soportarlos cuando Borja está ausente, pero veo que no es así. Basta con acercarse a la civilización para que te asedien.

—¿Y con Borja tiene que soportarlos?

—A la fuerza. Un joven de su edad necesita divertirse. Y nada sería peor para nuestra vida en común que darle la sensación de que tiene a una anciana a su lado.

—Usted no deja de sorprenderme. Hace un rato me presentaba a ese Borja como el primero de la clase y ahora me sale con que es un discotequero como esos amigos de su hija a los que repudia...

—El primero de una clase no tiene por qué dejar de ser un chico de su edad.

—Tengo la impresión de que usted está deseando abordar ese tema. Por lo que sea, no le apetece o no se atreve a hablarlo con sus amigas. Seguramente las conoce demasiado. Necesita savia nueva.

—¿Usted se daría en confesión a alguien que no estuviera en su intimidad?

96

—¿Y por qué no? A menudo he confesado a compañeros de profesión cosas que no me apetecía comentar con mi marido.

Victoria notó cierta amargura en aquella declaración. Elena se apresuró a atajarla:

—En mi mundo, este tipo de relaciones son más que naturales. Se establece una mayor comunicación entre los hombres que te rodean a diario. En el trabajo se comparten demasiadas cosas para que no sea así. Incluso las comidas las hacemos juntos, entre dos pleitos. Es inevitable que surjan las confidencias y que una acabe buscando sus mejores confidentes. En cambio, a mi marido sólo le veo por las noches. Y no siempre estamos del mejor humor para disfrutar el uno del otro.

—Su marido ¿qué es?

—Guapo. Mis hijos han salido a él. ¿Quiere verlo en kodakcolor?

—Me refiero al trabajo.

—Arquitecto, como es natural. Verá: cuando le conocí, todos los buenos partidos iban para arquitecto. Unos triunfaron y otros se quedaron en la cuneta. Mi marido pertenece a este último grupo.

—¿Y usted?

—Yo en mi profesión soy una mujer de éxito. No me importa decirlo, aunque sea una falta de modestia. Y, además, me gusta. Sé que en las revistas han aparecido artículos referidos a la soledad de los triunfadores. No creo que esto sea válido para una mujer. Para nosotras, lo que no es triunfo es el fracaso; así, sin término medio. Como usted comprenderá, prefiero cederle el papel a mi marido.

—Pero usted, siendo tan feliz, le querrá...

—Esta cuestión dejó de plantearse hace veinticinco años. Guillermo ocupa un lugar en mi vida y es bueno que sea así. Es guapo y tierno. Sirve para poco, pero hace compañía en las frías noches de invierno. Otras mujeres tienen cosas peores a su lado.

Mientras regresaban a la villa, Victoria contó a su huésped algunas peculiaridades de la habitación que le había destinado. Era el último residuo de un primitivo palacete turco, y todos sus elementos —celosías, alfombras, braseros— pertenecían a la decoración inicial.

—Lo he notado perfectamente —comentó Elena—. Y, la verdad, no me he sentido cómoda. Me ha recordado a un serrallo, y no me gusta. Por suntuosos que sean no dejan de ser una cárcel.

—Le recordaré esas palabras cuando hablemos de mi situación.

Cuando llegaron a la villa, Elena tendió la mano a su anfitriona y ésta se acordó que ella no había hecho lo propio al recibirla por la mañana.

—Gracias por este día tan lleno de sorpresas.

Victoria creyó percibir un poco de sarcasmo, de manera que quiso estar a la altura:

—Quiero sorprenderla todavía más. Borja no es sólo un amante. Cuando le conocí era el hijo que me hubiese gustado tener en lugar de María José.

—No me sorprende en absoluto. Mejor dicho: lo suponía. Pero ahora me toca a mí sorprenderla: desde hace veinticinco años vengo haciendo de madre de mi fracasado esposo. Empiezo a creer que mis verdaderos maridos son los dos gemelos, con todas las tensiones que esto conlleva. Porque los niños son de alivio. Vamos, que si no los hubiera parido yo, maldeciría a su mamaíta.

Y cerró la puerta sin dar siquiera las buenas noches. Bastó con una sonrisa de pretendida complicidad.

Capítulo tercero

VIRGOS POTENS

En Madrid, Miranda Boronat se estaba vistiendo para asistir al velatorio de Menene Montebarrillo, aquella niña que por un quítame allá esas pajas ya nunca sería baronesa. Entonaba Miranda unos compases del *Dies Irae* convertido en rumba mientras Ymelda First e Ymelda Second buscaban y rebuscaban en el inmenso armario de las prendas de luto. Y es que ella seguía practicando el esport de las honras fúnebres como el máximo entretenimiento que podía depararle la vida, además del cotilleo. Guiada por aquella especial predisposición, llamaba *party* a los velatorios, y a los entierros *kermeses*.

Mientras se vestía, nuestra Miranda no podía dejar de pensar en Victoria Barget. Tanto le intrigaba su situación que, antes de salir, llamó a una de sus pitonisas con carácter de urgencia. Se trataba de Satanasa Berzal, una última adquisición de Miranda y sus ochenta mejores amigas, y tenía mucho éxito porque además de pitonisa era cotilla y nadie salía de su consulta sin saber los infortunios que esperaban a todos los miembros de la mejor sociedad.

Colgó en el preciso instante en que Ymelda Twentyfifth le anunciaba que le estaba esperando en la puerta el Cadillac de la marquesa del Pozo del tío Raimundo

Era Zenaida una dama de notoria dignidad y aplaudida distinción. Todas veían en ella a la última representante de una casta que se iba perdiendo, hasta el punto de que a ninguno de sus dos hijos le había interesado recuperarla. Del uno se afirmaba que era adicto al alcohol y del otro se juraba que era *fan* de la droga —una forma muy fina de decirlo—, pero como el uno se llamaba don Roderico y el otro don Diego, ambos defectos quedaban más compensados que si se hubiesen llamado Braulio y Juan y en lugar de blasones tuviesen deudas. Por lo que a la marquesa se refiere, acababa de sufrir un rudo golpe cuando un viejales de su familia había ingresado en la cárcel por sus relaciones con niñitas de cinco años; por tanto, la dama consideraba un mal menor que don Roderico nadase en alcohol y don Diego se tragase la cocaína como quien esnifa eucaliptos. «Al fin y al cabo —decía en su descargo la marquesa—, sólo se dañan a sí mismos. No llenan de oprobio la virginidad ajena. Me consta que ni a don Roderico ni a don Diego les gustan las chicas que no hayan cumplido los catorce.»

Pese a los devaneos de sus díscolos vástagos y al recuerdo lejano de un marido que se fugó con una domadora de focas, la vida de la marquesa había sido un remanso de paz, donde aprendió las leyes de la serenidad para llegar a la vejez con el alma tranquila y ese físico perfecto que se consigue durmiendo dieciséis horas al día desde 1939 a esta parte. A esta receta, que le dio Dolores del

Río durante una fiesta en Cuernavaca, unía Zenaida un sinfín de cuidados que le prodigaba un ejército de esteticistas, peluqueros y modistas. Había alcanzado aquella elegancia suprema que el dinero no puede dar, como demuestran numerosas damas de la sociedad actual en sus múltiples e inoportunas apariciones. Nada más lejos del porte de la marquesa. Su pelo, blanco como la nieve con algún toque de gris visón, las ganaba a todas en prosapia y demostraba por sí solo que en el imperio del dinero todavía hay clases.

Para el velatorio de la desdichada Menene Montebarrillo había elegido un traje negro, de raso, sin el menor adorno. Se tocaba con un lindo sombrerito del cual colgaba un velo ni ligero ni espeso, sino simplemente velo.

Llevada por su natural modestia, quiso elogiar a Miranda para evitar así los elogios que ella le haría al subir al coche.

—Siempre eres la dama mejor enlutada de Madrid —dijo, en tono que sonaba sincero—. ¡Qué propia estás! Por cierto, que tu atuendo nos va de perlas, porque antes del velatorio me gustaría pasar por el convento de las Arremangadas. ¿O has olvidado que hoy es el día en que vamos a entregarles el óbolo que mi familia les tiene destinado desde tiempo inmemorial?

—¡Qué contrariedad! Yo quería pedirle que pasásemos por la consulta de Satanasa Berzal.

—Hoy no se te ocurra. Estarán todas nuestras amigas. Con ese hombre en la cárcel no hay una que no esté temiendo por su dinero.

—Tiene usted razón. Pediré hora para ir sola. Así me enteraré de todo lo de las demás sin que nadie se entere de lo mío.

—¡Ay, niña, todas sabemos lo tuyo porque todas estamos en lo mismo! ¡Si yo te contara!...

—¿Usted también puso dinero en manos de Melchor?

La marquesa enarcó las cejas exageradamente, indicándole así que guardase silencio. Cerró con un golpe seco la ventanilla que las separaba del chófer, y acto seguido se arrojó sobre ella, hablándole casi al oído.

—Yo no le he dado ni una peseta, porque conozco sitios más seguros; vamos, gente que lleva blanqueando desde que vivía Franco. Con lo bien que se hacían esas cosas en aquella época dorada cualquiera va y se fía de los neófitos. Lo que me preocupa es lo de mi hermana Jimena. En absoluta confianza: se halla en el mismo caso que Victoria. Su marido está implicado en el caso Hidrotecnia y ha puesto todo a nombre de ella.

—¡Qué ocasión para plantar a ese pesado!

—¿Qué dices? Mi hermana nunca haría esto. Es santa.

—Más santa era Victorita y ya ve usted: gastándose los millones de Osváldez con un pollo pera, Partenón arriba y Partenón abajo.

—Son los peligros de la carne, que a todas os acechan. Feliz yo, que ya no soy proclive.

—Pero ¿qué dice usted? Si está de muy buen ver. Todavía podría hacer feliz a un buen mozo.

—¡Ay, hija! ¡A mis noventa y dos!

—Quise decir pagando a toca teja.

—¡Ah, no! Nunca caería yo en las redes del amor mercenario. Yo, si no soy amada por mi cuerpo serrano, prefiero no ser amada de ninguna manera. El fuego interior de una mujer no es carbón de orujo. El fuego interior de una mujer ni se compra ni se vende.

«¡Caray con la abuela! —pensó Miranda—. A dos pasos de la tumba y aún nos va a dar lecciones a todas.»

Acaso adivinándola, la marquesa del Pozo del tío Raimundo se apresuró a añadir:

—Pero hablo por hablar, pues hace tiempo que se me apagaron los braseros, los hornillos y hasta el encendedor. Lejos de mí el cáliz de la carne, porque cáliz es. Una vez lo probé y nunca he dejado de lamentarlo... Y es que, aunque a estas alturas no lo parezca, en mi juventud fui frívolona.

—¿Usted? Si siempre se la tuvo por espejo de virtudes.

—Con virtud y todo, tuve un hijo.

—Ya. Con su marido.

—Con mi marido tuve dos. Sin mi marido, tuve uno.

—¿Usted sola?

—Hija, pareces tonta. Lo tuve sin mi marido pero con un griego.

—¡No puede ser! —exclamó Miranda—. En los últimos días siempre salen griegos en las conversaciones.

—Sí, hija. Tengo un hijo en Grecia. Se lo llevó su padre a poco de nacer y lo ha educado según los usos y costumbres de aquellas tierras. ¿Y sabes qué es en la actualidad? No puedes imaginarlo siquiera porque es... ¡archimandrita!

—¡Archimandrita! ¡Haga el favor de no decir palabrotas!

—¡Cuidado! Archimandrita es un cargo clerical de cierta enjundia. Éste es mi segundo oprobio: ¡un hijo mío sirviendo a la religión ortodoxa; esa religión que, como tú no ignorarás, fue causa de tantos cismas!

—No tenía la menor idea.

—La tira de cismas, hija, la tira. En realidad, creen en Dios, pero no como nosotros. Es decir, no como manda Dios. ¿Tú has visto algún ortodoxo orando ante el Cristo de Medinaceli? Nunca en la vida. Ellos tienen sus propios cultos: los que profesa ese niño a quien di el ser. Es como si el señor hubiese querido castigarme por aquel desliz. Tengo mi excusa en el gancho sexual del griego. Se parecía mucho a Jordi Pujol.

—No sabe cómo la comprendo. Yo tampoco habría sabido resistir tanto *sexy* homologado.

—De nuestro viaje a Grecia lo que más me ilusiona es conocer a ese hijo que Yannos tuvo el mal gusto de entregar a esa religión que no es la nuestra. Mi viaje puede ser mucho más útil de lo que tú piensas. Es necesario que devuelva mi hijo al recto camino. Quiero verle diciendo misa católica en los Jerónimos.

—¿Qué edad tiene el archimandrita?

—Lo tuve a los veinte, luego tendrá setenta y dos.

—Pues yo, a esa edad, lo dejaría en la religión que tiene ahora, porque con el cambio le puede dar un patatús. Igual se le muere antes de hacer la primera comunión.

—Hablas así porque no crees en Dios como debieras. Y en esto tengo yo que reprenderte una vez más.

—¿A mí? ¡Si soy una malva!

—Pero no observas los mandamientos.

—Perdone, los observo todos menos nueve.

—Eso está mejor. Me gusta que las jovencitas os regeneréis a tiempo.

Cuando a una mujer de cuarenta y cinco años la tratan de jovencita se le abre el cielo en la tierra; pero a Miranda volvió a cerrársele cuando recordó que, comparada con la marquesa, ella podía ser Pipi Calzaslargas, pero si se comparaba con esa niña, ella podía ser la marquesa.

Mérito es de Miranda que pueda llegar a tales razonamientos sin hacerse un lío mental.

Cuando llegaron al convento de las Arremangadas sintióse levemente decepcionada. Teniendo en cuenta los donativos de la marquesa imaginó un coro de monjitas esperándolas a la puerta, un palio para que no las mojase la lluvia, un órgano sonando a todo meter y ese tipo de cosas que antes formaban la flor y nata de la liturgia.

Privadas de pompa, tuvieron que subir las escaleras del convento custodiadas por el chófer, que sostenía el paraguas con mano temblorosa y tosía de manera desproporcionada para un octogenario sano. Por lo cual dedujo Miranda que estaba tuberculoso, de modo que quiso evitarle el soponcio llevando ella misma el paraguas. Como sea que éste era más pequeño que su pamela, cubrió cariñosamente a la marquesa, con peligro de arrancarle el velo con las varillas.

Entraron por fin en un pequeño vestíbulo presidido por una monjita que trabajaba con gran diligencia ante un ordenador, donde ella misma había instalado el nuevo programa Windows 95, mientras de un fax último modelo brotaba una larga tira de papel.

Se entretuvieron curioseando en un pequeño quiosco, de aspecto coquetón, donde se ofrecía una piadosa variedad de artículos: yemas de las habilidosas hermanitas de la orden, las obras completas de la madre Ráfols, diapositivas de la gruta de Lourdes en horas punta y un vídeo con todos los detalles sobre la violación de María Goretti.

Al cabo de unos minutos salió a recibirlas la hermana tornera, una viejecita corva y arrugada que obedecía al nombre de sor Reverenciada del Urgente Auxilio.

Sabiendo que le fallaba la memoria, la marquesa preguntó con extrema dulzura:

—¿Se acuerda usted de nosotras, hermana «tronera»?

—Tornera, hija, tornera. Claro que me acuerdo. —Y, dirigiéndose a Miranda, añadió—: Sobre todo de usted, señorita. Todas las hermanas la aplaudimos cada tarde en la preciosa telenovela *Florecilla del barranco*.

A Miranda no le gustó que la confundieran con un personaje de los culebrones sudamericanos que enardecían a sus tres filipinas.

—Me toma usted por alguna de esas indias putumayas... —dijo, en tono cortante—. Sin duda le fallará el coco a causa de la edad...

La religiosa acusó el golpe:

—No hable usted de edad, comadre, que la veo muy granadita para presumir tanto.

Miranda estuvo a punto de saltarse a la torera el respeto a las togas.

—Francamente, todavía no tengo en la cara ese acordeón que su reverencia lleva en la suya.

—Sí, rica, pero yo no me pongo los potingues que debe ponerse usted y total para tener el cutis hecho una porquería... —Y, volviéndose a la marquesa, añadió con retintín—: Francamente, a esa tía la encuentro un poco trasto.

—Y yo a usted demasiado mundana... —reprendió con dulzura la marquesa—. Ande, ande, vaya a buscar a la madre superiora, que tenemos prisa.

—Siempre queda un resto de mundanidad —refunfuñó la tornera—. Yo, de joven, fui muy coqueta. Recuerdo que, después de la guerra, las mozas bien solíamos usar Cutifina y fajas Sabelín. ¿Se acuerda usted, señorita?

Miranda volvió a recibir el impacto.

—¿Se acuerda usted de la coronación de Eugenia de Montijo, guapa?

Afortunadamente, la hermana tornera ya estaba demasiado lejos para oír aquel comentario. Una vez hubo salido de la habitación, Miranda dijo a la marquesa:

—A mí esa sor me cae fatal. La encuentro retorcida en el decir y suspicaz en el mirar.

No había acabado de pronunciar esas palabras cuando sus ojos se fijaron en una ventana que daba a un claustro de aspecto pacífico, bañado de luz y sombras beatonas, como los glorificados en la película *Sonrisas y lágrimas*. Sólo que en aquella ocasión lo atravesaba una de esas damas cuya presencia suele ser una declaración de guerra. Caminaba con andares provocativos, arrastrando un *renard* que la hacía distinguida, al tiempo que insólita por estar tan cerca el verano.

—¡Arrea! —exclamó Miranda—. Fíjese en esa mujer que pasa por el claustro...

—¿Esa con aspecto de pendón de lujo?

—Es que se trata de un pendón. ¡Es Perla de Pougy!

—¿Perla en un convento? ¡Qué cosa tan rara!

—Ahora que caigo: vino a verme esta mañana para abusar de mi teléfono, como suele. Para colmo, me dijo que quería hablar en privado, pero tuve tiempo de oír que pedía por una madre superiora. ¿No será la de este convento?

—Tu amiga querrá arrepentirse. Dios es misericordioso en todas sus cosas y en sus muy variados intentos. Del mismo modo que a cada puerco le llega su San Martín, a cada pecadora le llega su Miércoles de Ceniza.

—Usted, marquesa, siempre dice cosas tan bonitas que, al escucharla, se me cae el tampax.

—No es éste el lugar, Mirandilla. No es éste el suelo.

—No, que es sacro. Veo que corresponde guardar piedad. Pero esto no quita que me intrigue qué estará haciendo aquí Perla de Pougy.

—Más que intrigarme esa liviana, me incomoda la tardanza de la madre superiora.

—Estará cantando en el coro. Y ya se sabe: del coro al caño...

—¿Al qué?

—Al caño.

—Ah, bueno.

Guardaron silencio. El tiempo iba transcurriendo y la impaciencia de Miranda empezaba a incordiar. Estaba mareante. Se levantaba, daba un corto paseo, echaba una mirada al claustro, abría una puerta, entraba en una habitación vacía y regresaba con la misma actitud de impaciencia.

Pero una de las habitaciones no estaba vacía. Por el contrario: estaba abarrotada de cajas de transporte que habían sido abiertas y vueltas a cerrar con cierto descuido.

En voz queda, casi en un susurro, Miranda llamó a la marquesa a su lado. Mantuvo el tono de secretez al preguntar:

—Fíjese: ¿de qué serán esas cajas?

—Vendrán cargadas de cilicios para las penitencias de esas santas mujeres. En todo caso, no nos incumbe.

—Cuando una cosa no me incumbe, me interesa mucho más. Fíjese: aquí dice que vienen de Colombia... de un sitio que se llama Medellín.

—Me suena a un pueblo que sale en la televisión cada vez que se habla de drogas...

—¡Yo no resisto, no resisto y no resisto! —iba diciendo Miranda mientras buscaba en su bolso un cortapapeles que siempre llevaba cuando iba de visita—. Es por si tengo que forzar la cerradura del escritorio de alguna amiga. Las muy pérfidas suelen cerrarlo con llave.

—Eso que estás haciendo no me gusta nada, Miranda. Recuerda que el undécimo es no fisgar.

Pero Miranda había conseguido levantar la tapa de una de las cajas. Hundió la mano en ella y, al sacarla, mostró unas diminutas piezas redondas y blancas como la nieve.

—¡Son hostias de las de comulgar! —exclamó asombrada—. Cientos, acaso miles de hostias.

Se apresuró la marquesa a confirmar aquella evidencia. Mientras lo estaba haciendo, entró la hermana tornera, con el mismo paso cansino y una idéntica mirada de antipatía hacia las dos visitantes. Actitud que aumentó de tono cuando las descubrió rebuscando en las cajas.

—¿Qué hacen ustedes, sacrílegas? —exclamó, a gritos—. ¿Cómo se atreven a tocar esa sacra mercancía?

Su acartonado cuerpo adquirió de pronto una agilidad sorprendente. Saltando sobre Miranda, le retorció el brazo con una maniobra que se parecía sospechosamente a una llave de judo, mientras gritaba:

—¡No las toquen! No pueden llegar manoseadas a Galicia.

—¿De Colombia las mandan a Galicia vía Madrid? —preguntó Miranda, acariciándose el brazo dolorido.

—Es que en Galicia hay mucha piedad —dijo la hermana tornera—. Sólo en Santiago se comen la cuarta parte.

—¿Puedo probar alguna? —preguntó Miranda.

—¡De eso ni hablar! No tenemos vino consagrado para acompañarlas.

—No se preocupe. Con un whisky me conformo. Traigo mi petaquita. Y no ponga usted esa cara, sor. Mi amiga Torrebruna O'Hara me dijo que, en Escocia, en lugar de consagrar con vino lo hacen con Johnny Walker.

Imposible describir la furia de la hermana tornera ante aquellas palabras. Y ya no estaba ella para más ejercicios, a juzgar por sus jadeos y cierto temblor en las venerables piernas.

Fue entonces cuando llegó la madre superiora, imponiendo un respeto que el lector encontrará natural si sabe que era una mujer alta, esbelta, de porte augusto y enérgicas maneras. Todo en ella destilaba un aura de majestad sólo traicionada por unas horribles cicatrices que le llenaban el rostro, por otro lado bello.

La marquesa no pudo esconder un grito de horror.

—¡Cómo tiene usted la cara, reverenda!

—Son los estigmas, hija mía. Me los manda el Señor por primavera.

—Miente —dijo Miranda, por lo bajo—. Se ha hecho un *lifting* y todavía le está reposando.

—¿Estás segura? ¡Mira que tú eres muy aventurada!

—Que sí, mujer, que sí. Que esto es un *lifting* como una catedral.

—Pues no me gusta nada que la superiora de las Arremangadas lleve operaciones propias de casquivana. De todos modos, a lo que hemos venido. —Y, volviéndose a la reverenda, dijo en tono más dulce—: Una vez más, le entrego el óbolo con el que mi familia mantiene a esta orden desde los tiempos de Viriato, pastor lusitano.

—Y una vez más, gracias por su donativo, señora marquesa. Nosotras somos muy pobres, usted lo sabe. Lejos de nuestra orden esa abundancia en que otras nadan e incluso bucean. Somos pobrecitas y, por serlo, agradecemos ese dinero mínimo por cuyo desembolso las almas piadosas como usted se dignan creer que nos mantienen.

La marquesa se puso inmediatamente en guardia, como siempre que le hablaban de dinero.

—¿Qué quiere decir su reverenda?

—Quiero decir que debiera usted poner al día sus limosnas. A poco que se descuide nos pagará en reales de vellón.

—Una bondad no se discute.

—Pero se aumenta, hija mía, se aumenta.

—No es de bien nacidos morder la mano de quien nos da de comer.

—Es que los aristócratas nos dan más bien para ayunar.

Se entabló una pelea cuya exposición podría herir a las almas sensibles, tanto a las que creen en los valores permanentes de la aristocracia como a las que comulgan con los valores perennes de la religión. Y como sea que las palabras que se cruzaron la marquesa y la reverenda fueron poco aristocráticas y mucho menos religiosas, será preferible quedarnos en la conclusión: la reverenda tenía algunas bulas a buen precio y la marquesa necesitaba varias para un buen morir.

Además del aumento de óbolo se incluyó en el trato una lavadora nueva, una antena parabólica y la colección completa de las novelas de Rosa Montero para deleite de las novicias progresistas.

Ya puestas de acuerdo, se abrazaron con fervor y la reverenda se dirigió a su despacho. Era como el de un notario, pero impregnado de pías intuiciones.

La estaba esperando Perla de Pougy, una pierna sobre la otra, el *renard* sobre los hombros y un cigarrillo humeando en su boquilla de plata. No es que intentase parecer provocativa. Es que era pendón, como ya se ha dicho.

—No debe usted fumar en este convento —dijo la reverenda. Y en tono secreto, añadió—: Pero si me da un pitillo la disculpo... —Tomó un rubio de la pitillera de oro de Perla de Pougy. Se excusó ante sus probables reproches, diciendo—: Hija mía, de vez en cuando el alma tiene que dar una tregua al cuerpo...

—La que quiera, reverenda —contestó Perla, con su *sans façon* habitual—. Lo que me interesa es ir al grano de una vez. Debe saber que en los últimos tiempos se está haciendo muy difícil encontrar una mercancía adecuada...

La reverenda adoptó una actitud de grave circunspección:

—El obispo se ha quejado. El tal Ramoncito le ha salido rana. Tenía más años de los que aparentaba.

—Su madre me dijo que tenía trece.

—Eran dieciséis.

—Su eminencia se anda con demasiadas contemplaciones. A ese Ramoncito lo podía haber colocado a tres ministros, que siempre pagan mejor.

—Pero no tendría usted la bendición episcopal.

—Eso sí. Para una buena cristiana es lo más importante.

—¡Santa mujer! Vamos a ver que nos trae.

Perla de Pougy sacó un álbum donde aparecían las fotografías de algunos varoncitos en la primavera de la vida.

—Aquí hay varios que son de primero de BUP.

—A su eminencia le gustan con acné.

—Para acné éste. ¡Fíjese qué primor de criatura!

—Eso más que acné es la viruela. Resulta un poco asquerosillo, con tanto pus. ¿No tiene usted algo más presentable?

—Ya le he dicho que las cosas se están poniendo difíciles. Este país ha prosperado mucho, y los padres no alquilan a sus hijos así como así. Tiene que ser algún parado, alguna madre que esté en la cárcel; en fin, ya sabe usted... De todos modos, he decidido ampliar el negocio. Es necesario buscar en países más necesitados. Entre nosotras: dentro de pocos días puedo tener nuevos contactos.

—¿Y pues?

—Sabrá usted que viajo a Grecia con la expedición de la princesa Von Petarden, pero yo voy a mi negocio, que es el siguiente: hay en determinada isla un determinado hospicio, cuyo nombre me cuidaré de revelar, donde abundan los adolescentes morenitos que no tienen ni padre ni madre y que, por acumulación a lo largo de los años, amenazan con reventar aquellos píos muros...

—¿Adolescentes en edad de BUP, querida?

—Y de primera comunión, reverenda.

—Dios los bendiga, porque gracias a ellos se llenarán los pucheros de esta santa casa.

—Y mi vestuario, madre. No voy a negarle que en los últimos tiempos la economía anda muy apurada. Sobre todo desde que han metido en la cárcel a ese imbécil de Melchor Osváldez...

—¿A usted también le afecta?

—Como a tantos. Y ustedes no serán menos, supongo. En confianza: ¿lo de los niños y el obispo pasaba también por Osváldez?

—Lo de los niños y lo de la sagrada forma. Yo no estoy muy enterada, porque lo mío es rezar, pero nuestro intermediario nos ha contado que entre Colombia, Galicia y el banco que regentaba Osváldez existen conexiones muy poderosas y seguras. No puedo creer que este encarcelamiento consiga romperlas. Si así ocurriese, nuestro convento tendría que mantenerse con la venta de la biografía de santa Genoveva de Brabante, que en los tiempos que corren tampoco es un *best-seller*.

—A todos nos conviene que la piedad de sus reverendas se dirija ahora en beneficio de Osváldez.

—En efecto. Recomendaré a todas mis monjitas que, a partir de hoy, recen continuamente para un pronto arreglo de esta enojosa situación, que perjudica el bolsillo de tantos cristianos.

Y para sus adentros se dijo: «Y no nos olvidemos de Colombia, señor. No nos olvidemos de la pobrecita Colombia.»

116

AJENAS A LOS NEGOCIOS DE PERLA DE POUGY, la marquesa y Miranda se hallaban de nuevo en el coche, en actitud meditabunda. Miranda sacó del bolso un pañuelito de encaje que abrió a su vez cuidadosamente. Lo que allí salía bastó para alejar a la marquesa de su ensimismamiento.

—¿Qué es eso, Miranda? —exclamó con los ojos abiertos de par en par—: ¿Qué has hecho?

—Mientras ustedes hablaban de óbolos, yo he arramblado con un cuarto de quilo de hostias como recuerdo. Voy a probar una. ¡Hace tanto tiempo que no comulgo!

—¡Te guardarás de hacerlo! —exclamó la marquesa—. Me dice el corazón que puede caer sobre ti la ira del Señor.

—No tema: la ira del Señor está cayendo ahora mismo sobre Sarajevo y otros sitios, de manera que no tendrá tiempo de venir a castigarme a mí por una tontería como ésta.

Se llevó la hostia a la lengua y, sin la menor dificultad, la saboreó a placer.

—Nunca había hecho una cosa así fuera de misa —comentó la marquesa, intrigada—. ¿Qué se siente, hija mía?

—Un gusto muy raro. No me recuerda para nada a las que tomaba de niña en la capilla del colegio.

—Es que también la Iglesia ha cambiado en los últimos años.

—Ésta sabe a coco.

—Claro, viniendo del trópico... También allí tienen usos distintos y acaso pintorescos. Lo que no sé es si sabrán apreciarlo en Galicia... —Y al ver que Miranda continuaba con su particular merienda, la reprendió cariñosamente con un golpecito en la mano—. Basta ya. No conviene abusar de los dones del Señor, que lo mismo que te los da te los quita.

Miranda envolvió la mercancía con su pañuelito, mientras decía:

—Las guardaré para enseñárselas a mis amigas. Dejando aparte a Miriña, que le pega su marido, las demás no han visto una hostia desde hace siglos... —Y con actitud desenvuelta añadió—: Por cierto, marquesa: los griegos esos del culto de su hijo, ¿con qué comulgan?

—¡No lo quiero saber! —exclamó la marquesa, llevándose las manos a la frente—. ¡No lo quiero saber!

—¿Se comen a los católicos?

—Mujer, tanto no.

—¡Ah, entonces, podemos ir a Grecia tranquilas! Es que al decirme usted lo de la otra religión me veía yo como a santa Ágata, que le cortaron los pechos por lo sano. Y lo peor es que le dejaron uno más largo que otro, igual que a Lidia Ejarque, que se los operaron fatal... ¿No me escucha, marquesa?

En efecto, la marquesa volvía a estar ensimismada. No tardó un segundo en sacar un pañuelito centenario para secarse unas lágrimas que casi lo eran también.

—A medida que nos acercamos al domicilio funerario siento una pena inmensa por mi amiga la baronesa. ¡Pobre Macarena! Perder a una hija siempre es una desgracia; perderla en una *sex-shop* es, además, un cachondeo. ¿Tú crees que esa desgraciada habrá ido al cielo?

—No lo sé, pero esto es lo menos importante,

porque con el tute que se daba ya conoció el cielo en la tierra. De todos modos, tiene usted razón en una cosa: hay que llorar un poco. Si nos presentamos con los ojos secos seremos muy criticadas.

—Sobre todo por María Asunción Solivianto. No sabes cómo está de beatuca desde que tiene comercio con la Virgen.

—Lo que no sé es si es santa o celosilla y acuciosa. Igual le ha dado por imitar a Pitita Ridruejo para adquirir notoriedad.

—Distingo, y mucho. Pitita es más seria. Sabe de lo que habla y lo demuestra. En cambio, la Solivianto habla tanto por boca del cielo que ya no tiene voz propia.

Así llegaron a la mansión de la baronesa. Era uno de los pocos palacetes que quedaban en pie en el barrio de Salamanca, y si bien esta característica lo convertía en una curiosidad, el interior hacía de él un museo. Durante cinco generaciones se habían ido almacenando reliquias de todo tipo, que contrastaban en estilo, época y dignidad, yendo de lo mejor del periodo napoleónico a lo más kitsch del primer franquismo, con todos los estilos imaginables de épocas intermedias. En realidad, la baronesa de Montebarrillo se preciaba de pertenecer a una de las pocas familias de Madrid que no se habían visto obligadas a vender nada, pero cualquier decorador de gusto le hubiera indicado que debía vender bastante.

Era el lugar ideal para que una folklórica exclamase: «¡Qué lujo, qué prosapia, qué empaque!» Y ni siquiera las telarañas que colgaban de algunas armaduras les hubiera parecido otra cosa que un adorno pinturero.

Impresionada por lo que también ella consideraba una calidad de raza, Miranda Boronat se encogió bajo su luto y siguió a la marquesa del Pozo del tío Raimundo, que continuaba llorando a mares.

Salió a recibirlas la condesa de Vallecasburgo —título reciente—, seguida por las hijas de la baronesa, Lolón y Sisín. Iban todas enlutadas, con velos que les cubrían completamente la cara. Por todo ello, Miranda las encontró muy favorecidas.

La del Pozo del tío Raimundo y la de Vallecasburgo se abrazaron, sin dejar de llorar un solo instante.

—¿Quiere usted ver a la difuntita —terció la hermana mayor, que llevaba un lindo luto de Versace.

—Francamente no —dijo la marquesa—. Prefiero recordar a Menene como era. En toda su belleza juvenil. En toda su lozanía.

—Se estará refiriendo a otra —comentó Miranda por lo bajo—. O será el Alzheimer.

—En cambio, quiero abrazar a mi pobre Macarena. Me extraña que, con lo cumplida que llega a ser, no haya salido a recibirnos.

—Está abatida; no sé yo si de dolor, si de vergüenza. Porque, anda que esas niñas de hoy van a morir en unos antros...

Lolón y Sisín se llevaron a Miranda aparte mientras la del Pozo del tío Raimundo se iba con la de Vallecasburgo a las habitaciones de la dolorida madre.

El velatorio estaba en su punto culminante. Doce señoronas divinamente enlutadas se repartían por los distintos rincones de un saloncito de paredes tapizadas de rojo y sillería isabelina. Las damas que las ocupaban representaban todos los estamentos del dolor coincidentes en una misma

120

máxima que acreditaba su profunda religiosidad y su extrema distinción. Esta máxima rezaba: conformidad y resignación con los designios del Señor. Y en el fondo no dejaba de ser tranquilizadora.

Ninguna de las reunidas tenía mucho interés por la difunta. En realidad eran amigas de la madre. Compañeras de bridge, de merienda en Embassy, de teatro con comedia fina y compras en Serrano. La que más la que menos era viuda de algún alto cargo del franquismo o solterona con antiguo novio que hizo las milicias universitarias. Sólo había cuatro amigas de Miranda, y se les notaba, ya por la cara de aburrimiento, ya por la sonrisa de complicidad cuando alguna de las otras invocaba algún concepto pasado de moda (que eran casi todos).

En cualquier caso, la mezcla no desentonaba porque todas aquellas damas, las carcas y las modernas, coincidían en el mínimo de elegancia exigido para hacer compañía a una difuntita de pro. Por todo ello, Miranda lo encontró uno de los velatorios mejor montados de aquella temporada y aun de varias.

Lolón, la del luto Versace, le aclaró por lo bajo:

—La verdad es que está animadísimo. Ustedes se conocen todas, ¿verdad?

Las señoras más serias dirigieron a Miranda un vistazo de animadversión. En cambio, las modernas se hubieran limitado a arañarla de no ser por las buenas formas. Sin embargo, una de ellas se las saltó, gritando como una euménide:

—¿Que si nos conocemos? ¡Como que a esta bruja voy a aprovechar yo para arrancarle los ojos! ¿Quién te mandó decirle a mi marido que

121

tengo citas secretas con Pepón Cisternas? ¡Cotilla, más que cotilla!

Acostumbrada a aquel tipo de reproches por parte de sus doscientas peores enemigas, Miranda se encogió de hombros y, en tono ligero, contestó:

—Servidora ni quita ni pone rey. A quien le pique, que se rasque. Además, un velatorio no es sitio para hablar del puterío.

—Estoy con usted, querida —concedió Almudena del Pedral—. Estábamos hablando de Grecia y, por extensión, de la Virgen.

—Entonces no es ninguna que conozcamos... —comentó Miranda, jocosilla.

Pero su broma no fue aplaudida como esperaba. Del mismo modo que la mayoría de las allí presentes no pertenecían a su círculo, ninguna de ellas podía entender su lenguaje. Decidió guardar sus bromas para mejor ocasión; una en que no hubiese difuntitas de por medio ni religiosidad planeando.

Puso orden la benemérita dama Pilar Prima de la Higuera, que en los gloriosos tiempos de la Falange había sido palanganera mayor de doña Carmen:

—Volviendo a la Virgen, debo decir que la única autorizada para hablar de ella es María Asunción, que es quien de verdad la ha visto.

Todos los ojos se volvieron hacia una distinguida dama, que acababa de entrar, con las manos unidas sobre el pecho, quedo el paso, pregonando en su mirada una infinita paz interior. Su diminuta estatura, su aspecto ínfimo, como de dulce madrecita de los gnomos, contribuía a crear a su alrededor una atmósfera tranquilizadora. Era María Asunción Solivianto.

—Yo no he llegado a ver a la Señora —dijo

con dulces acentos—. Ella me concede el regalo de la fe, pero no me ha considerado digna de ser su portavoz. Quien de veras la ha visto es Edipa, esa admirable rústica de las helenas montañas.

La muy distinguida marquesa de Las Tablillas tenía algo que decir al respecto, y lo dijo:

—A mí no me parece de recibo que, habiendo tanta gente de abolengo, vaya la Virgen a aparecerse a una plebeya.

—La Señora siempre encontró predilección en los rústicos —dijo María Asunción Solivianto—. De ella he aprendido yo, en mi modestia, a tratarlos como si fuesen personas.

—Es cierto —apostilló Eugenia de Bombón Palmas—. En nuestra finca extremeña tenemos un matrimonio de campesinos que incluso hablan. Pero cuente, María Asunción, cuente lo de la Virgen.

—Estaba Edipa macerando melocotones griegos cuando oyó unas voces que llegaban de lo alto. En un principio, la santita optó por callarse, para que en el pueblo no la tratasen de neurasténica, pero a la que las voces se repitieron se lo contó a su vecina Electrilla y ésta le recomendó que se tomase un valium, y aunque así lo hizo, volvieron las voces y entonces se lo dijo a su cuñada Calpurnia, y ésta fue y le dio la dirección de un doctor de los nervios, y a la cuarta sonaron las mismas voces y esta vez eran muy claras, muy claras...

—¿Qué decían?

—«Edipaaa, Edipaaa», decían las voces. Y no paraban de decir «Edipaa, Edipaa...».

—Está claro que era la Virgen... —dijo la Prima de la Higuera, con autoridad—. Es su forma de expresarse.

—Hete aquí que la rústica, animada por tanta benevolencia, puso los brazos en alto, en señal de infinita adoración, y preguntó: «¿A qué venís, señora? ¿A qué venís?» Y en estas la Virgen, siempre condescendiente con la humana especie, declaró: «Vengo a aparecerme ante el mundo en la tierra de mi predilección.»

—Será España, sin duda —dijo Sonsoles del Parral.

—«Quiero comparecer ante los humanos para anunciarles la voluntad de Dios. Y ha de ser en la tierra donde al evangelista le fue revelado el fin de los tiempos. En la isla del Apocalipsis.» —De pronto, María Asunción abandonó su tono evangelizador y dijo, en un tono de ligera suficiencia—: La Señora se refiere a Patmos, naturalmente.

—¿Patmos no es el nombre de una cafetería? —preguntaron algunas al unísono.

De pronto se oyó en la puerta una enérgica voz que gritaba:

—¡Cállense las acémilas!

Todas se giraron para contemplar, con el correspondiente desagrado, la oronda mole de Ruperta Porcina Boys.

Si hubiese vestido de luto, como las demás, sus adiposidades se habrían visto disimuladas por el favor del negro, pero se empeñaba en realzar su conocida modernez a base de cuero barato y unos tejanos que querían parecer elegantes y, como mucho, contribuían a dar a sus piernazas la apariencia de dos butifarras.

Dispuesta a ganarse la voluntad de las reunidas, les espetó una larga disertación sobre la isla de Patmos, sus relaciones con Juan Evangelista y su importancia en la tradición cristiana. Tan erudito discurso tuvo el poder de levantar el entusiasmo de María Asunción Solivianto, quien aprovechó para congratularse de que la escritora experimental viajase con ellas a Grecia.

No contaba con la reacción de algunas de sus compañeras, cuyos principios estaban edificados en la firme convicción de que Franco salía cada mañana por Oriente y se ponía por las noches por Occidente, para volver al alba, igual que el dios Ra de los egipcios.

La reacción fue típica y, seguramente, práctica:

—Nosotras no viajamos con una roja.

—¡Rojos de ninguna manera! —exclamó la condesa de Saguntillo—. Si fuese hace tres años, todavía, porque estaban medio de moda, pero ahora que están de capa caída no voy a transigir.

Ruperta Porcina Boys se amparó en las dulces manos de la Solivianto, mientras decía con un hilillo de voz destinado a demostrar su profunda ingenuidad:

—Pero ¿qué dicen? ¿Roja, yo? Si mi padre era íntimo de un teniente coronel. Y mamá sacaba a pasear por la Albufera a nuestra tía la monja.

La condesa de Saguntillo no se daba por vencida:

—Sí, pero tan dignos antecedentes no evitaron que estuviese usted en el mayo francés. Lo leí en la peluquería hace pocas semanas.

—Claro que estuve en el mayo francés, pero ¿acaso no estuvieron también muchos sacerdotes?

—No serán de los que a mí me confiesan... —dijo, altiva, Olivia Sotomayor.

—Ni los que den la extremaunción a mi marido cuando tenga la excelente idea de morirse —exclamó otra.

Sabiendo que se estaba jugando la confianza de la ideología que estaba a punto de irrumpir con fuerza en la vida nacional, Ruperta Porcina Boys decidió jugar sus cartas con un arrojo casi desesperado:

—Pues yo aceptaría que me diesen los sacramentos no sólo esos sacerdotes, sino todos los del mundo. ¿Quiénes somos nosotras para juzgarlos? ¿No fueron ellos investidos con unos poderes que nos sobrepasan?

María Asunción Solivianto estaba a punto de aplaudir, cuando se oyó un gemido y, al poco, un ataque de hipo. Todas las miradas se volvieron hacia Miranda Boronat, que aparecía pálida de muerte y con el rostro empapado en sudor.

—No sé qué tengo —susurraba—. No sé qué me pasa. ¡Ay, que me voy!

—Tiene escalofríos —comentó Olivia Sotomayor.

—Estará destemplada.

—El mundo me da vueltas —gemía Miranda—. Estoy en un tiovivo. Estoy en el vientre del diablo.

Todas coincidieron en que debía pasar a una habitación más amplia y ventilada. Se ofreció a acompañarla Mauricia Resclós, que pertenecía a su clan y por tanto sabía cómo tratar sus excesos.

Mientras todas las miradas seguían la espectacular salida de Miranda, María Asunción Solivianto cogió aparte a Ruperta Porcina Boys y, con su habitual tono de dulzura, comentó:

—Usted siempre me desconcierta. ¿Es roja o no es roja?

126

—Soy rosada, mi amor. Mis ideas van con mi afecto. Un poquito para quien me quiere, otro para quien me respeta, otro para quien se porta bien conmigo.

—¿Me cuento yo entre estos últimos?

—Siempre estuvo. Y a fe que sé demostrarlo. ¿No leyó mi crítica sobre su libro de poesía mariana?

—La tengo enmarcada junto a una dedicatoria de don José María Pemán. Nunca podré agradecérselo bastante.

—Ahora puede.

—¿Cree usted? Me encantaría.

—Podrá, querida, podrá. Tengo una amiga, que goza de crédito excepcional en el mundo de la literatura, y cuyo máximo interés está en localizar a esa Edipa antes que nadie...

Mientras Ruperta Porcina Boys informaba a la Solivianto sobre su conversación con Tina Vélez, otro complot se tejía en la salita adyacente, a donde Miranda se había desplazado para tomar un casto ponche en compañía de Mauricia Resclós. Pero ésta, que se distinguía por su extraordinaria afabilidad, no estaba aquella tarde de muy buen humor.

—Menudo peñazo será encontrarnos a todas esas beatas en el mismo barco. En lugar de bailar sevillanas acabaremos rezando el rosario durante todo el crucero.

—No me habías dicho que tú también te apuntabas... —comentó Miranda, con voz entrecortada.

—Será un pretexto para ir a Grecia sin levantar sospechas. Es necesario que me entreviste urgentemente con Victoria. Estoy en su mismo caso. Quiero que me cuente cómo se las ha arreglado para irse con los bolsillos llenos dejando al cretino de su marido en la cárcel.

Hubo un silencio. Miranda, tan rápida en sus reflejos, no acababa de entender lo que Mauricia intentaba decirle sin necesidad de mayores explicaciones. Al final, no hubo más remedio que dárselas.

—Es mejor que te lo diga de una vez. A mi marido lo han llamado a declarar esta tarde. Y también está implicado el de Sonsoles y el novio de María del Coro y el pagano de Lupita.

Desde su profundo mareo, Miranda Boronat se iba enterando de que los juzgados madrileños se estaban llenando de prestigiosos financieros. En un momento de lucidez se preguntó si era una coincidencia que todas sus esposas decidiesen apuntarse a la romería griega de María Asunción Solivianto.

No tuvo tiempo de formular la pregunta en voz alta. De pronto, se llevó las manos a la cabeza y exhaló un grito, no se sabía si de horror o de batalla. Cayó al suelo, presa de horribles convulsiones.

Mauricia se abalanzó sobre ella y le tomó el pulso. Parecía detenido, pero no podía estar muerta porque continuaba aullando como una posesa.

Los gritos atrajeron la atención de las damas que se habían quedado en la estancia vecina. Corrieron todas en ayuda de la agonizante, que se debatía entre sus tules negros y desgarraba la pamela, rompiendo de súbito en risotadas tanto más desconcertantes que sus lágrimas anteriores.

Si las damas no salían de su asombro, la marquesa del Pozo del tío Raimundo no salía de su horror. Imposible creer que aquel estropajo humano fuese la dulce Miranda de otras horas. Y cuando alguien se refirió al alcohol, la marquesa adujo con certeza que en toda la tarde la pobrecita no había dado ni un trago.

Fue Ruperta Porcina Boys quien sentenció:

—Esto es un ácido que le ha sentado mal.

—¿Un ácido? —exclamó Mauricia—. Pero si Miranda no se ha drogado nunca.

—Pues tiene todos los síntomas de un colocón. ¿Alguien la ha visto tomar algo? El ácido se puede tomar con un pastelito, una galletita empapada, un poquito de pan...

Fue entonces cuando a la marquesa del Pozo del tío Raimundo se le iluminó el cielo, tanto o más que a la propia Miranda.

—¡Es la hostia! —exclamó la dama.

—¡Marquesa! —exclamaron todas, escandalizadas.

—No se asombren ustedes de los designios del cielo. Yo he visto a esta insensata tomar su propio castigo. Esto le ocurre por comulgar cuando no debía y donde no debía. Porque sólo el Señor sabe lo que hay dentro de la sagrada forma, cuando Él no está en ella.

Y toda la congregación dijo «Amén».

LEJOS DE ESE AMBIENTE SEÑORIAL, otra muerte convocaba a las vecinas de Margot Sepúlveda, señorita de cuarenta y dos años y residente en una de esas urbanizaciones de chaletitos adosados que acordonan Madrid, ridiculizándose a sí mismas por su exceso de pretensiones incumplidas.

Las doce mejores vecinas de Margot regresaban del entierro de la madre de ésta. Se habían empeñado en entrar a ofrecer compañía porque es uno de los tópicos preferidos del alma popular que el dolor se lleva mejor con un poco de charleta. Era como no conocer a Margot, pero en esto estaban ellas y nadie se lo quitaría de la cabeza.

¿Quién era, qué había sido la difunta? En realidad, muy poca cosa. Igual que la urbanización y sus vecindonas, fue una mujer anónima y anodina. Aparte de casarse, parir y enviudar, jamás había hecho nada destacado. Si acaso vivió una guerra civil, pero muy mezclada con el resto de su generación. Igual que casi todos sus componentes, nunca habló por la radio. Nunca salió en ninguna revista. Su única oportunidad de aparecer en televisión sería asistir como espectadora a uno de esos programas que permite al público ponerse de veintiún botones por si los pesca la cámara. Sólo que a doña Obdulia no le quedaba siquiera esta posibilidad porque llevaba veintidós años postrada en cama.

Se acostó en 1973 con un calambre y no volvió a levantarse, porque el calambre se convirtió en una parálisis total. Era el momento justo para morirse, pero Dios, que a veces manda la vida cuando nadie se lo pide, decidió concederle veintidós años más.

—¡Gracias, Dios mío! —exclamó la enferma—. Pero podrías ahorrártelos.

Esto mismo comentaban las vecindonas después de cantar todas sus virtudes; tarea que, por cierto, apenas les ocupó tres minutos. Parecía apasionarlas más el de la única superviviente de una saga familiar basada en la mediocridad.

—Pobre Margot —gimió una—. Se ha dejado la juventud al lado de esa madre consumida.

—Es cierto que no puede pedirse mayor abnegación —salmodió otra—. ¿Cuántos años tendría Margot cuando la mártir se quedó crucificadita en este lecho de espinas?

—Veinte serían. La flor de la juventud.

—¡Los verdes años! ¡Y cómo se le han ido marchitando entre estas cuatro paredes, haciendo de enfermera perpetua!

—Ella lo llevaba con resignación. Y ya es mucho, porque, sin querer criticar, Obdulita era una santa, pero de trato difícil.

—Era todo un carácter, sí.

—Vamos, un poquitín borde.

—Borde total. Diría que una cabrona. Creo que, una tarde de mil novecientos setenta y ocho, le tiró un orinal a la asistenta y le dio en la cabeza.

—En fin, ya está enterrada y bien enterrada. La pobre niña Margot podrá rehacer su vida.

Ya lo estaba intentando la superviviente en otro lugar de la casa. Había dejado a las plañideras para encerrarse en el baño con el pretexto de un llanto que, en realidad, no existía. Por el contrario: sus acciones hubieran sorprendido a las que la imaginaban blanca como la cera y con carita de Dolorosa.

Margot se contemplaba en el espejo, calibrando si le quedaba algo de juventud en los ojos y un poco de fuego en los labios. Los fruncía provocativamente, como recordaba en las actrices de su adolescencia, sobre todo Brigitte Bardot, que era la que mejor sabía hacer morritos. Sintióse vampiresa de la pantalla y respiró con alivio. Todavía no era un zombie. Para asegurarse se deshizo el moño que había llevado durante los últimos años y dejó que la caballera cayese libre y ondulada sobre los hombros. Ahora se sintió tentadora. Ajada, sí, pero tentadora al fin.

Al verla regresar, las vecindonas se apresuraron a consolarla. No reparaban en que el pelo suelto ya implicaba algún consuelo.

—No te desesperes, hija, que tu madre ya descansa.

—Piensa que cada alma tiene su momento para volar hacia esas alturas donde todo se perdona...

—Consuélate pensando que, cuando cerraron el ataúd, estaba igualita que en vida. Diríase que respiraba.

—Podrás recordarla como era, porque la hemos filmado en vídeo doméstico.

Margot les regaló un mirada incomprensible. No era de dolor ni de rabia. Contenía si acaso un poco de burla.

—Menos mal que la he afeitado —comentó, entre dientes—. Después le he puesto un buen *after shave*, para que no le pique en la otra vida...

—Pero ¿qué dices, Margot? ¿Estás delirando?

—Para mí que se ha trastocado.

—Son cosas mías. No me hagan caso. Amor de hija, que en casos dramáticos suele irse por los cerros de Úbeda.

—Pues nosotras nos vamos a los cerros de casa de cada una. Que hoy es viernes y dan premio especial en el cuponcito de la tele.

—Igual nos toca a una de nosotras y no nos enteramos hasta mañana y es una alegría que se aplaza.

—Eso. Y en los tiempos que corremos, no conviene aplazar las alegrías ni un minuto.

Margot las acompañó hasta la puerta, con una sensación de alivio que equivalía a repique de castañuelas. Si mucho la incordiaban esas profesionales del dolor que suelen frecuentar entierros y funerales, más la incomodaban las que, además, no lo sentían. ¿A qué ignorar que se limitaban a seguir la política de la buena vecindad, esa según la cual la amiga que nos ayuda a amortajar a la madre tiene derecho a pedirnos azúcar, leche o vídeos cada vez que se le antoje?

Pero una mujer desconcertada como Margot no necesita de estos subterfugios: su desorientación sólo precisa una confidente de veras: la mejor amiga, la vecina por antonomasia, la de paredes colindantes y jardincillo casi unido. Y esta amiguita era Emilia Redes de Ruiz-Ruiz y ninguna otra.

Era una mujer de la misma edad que Margot —dos años más a lo sumo— que presentaba la configuración típica de las amas de casa que no son ni guapas ni feas, ni bajitas ni altas, ni rubias ni morenas, ni elegantes ni desastrosas. Obedecía a ese término medio que hemos aprendido a apreciar en el común de los mortales sin que por ello despierten ni nuestra aprobación ni nuestro rechazo, ni nuestra admiración ni nuestra crítica, ni nuestra simpatía ni nuestra animadversión. Es el término medio, que ha dado a las masas del siglo XX su fisonomía más característica.

En este orden de cosas, Emilia Redes de Ruiz-Ruiz pertenecía al tipo de mujer que se manifiesta plenamente dichosa todos los días de la semana, menos el viernes, el sabado y la mañana del domingo. Entre otras razones, que el lector conocerá por boca de la propia Emilia, el viernes era un día fatídico por una razón fundamental: hacía veinticuatro horas que habían salido las cuatro revistas del corazón, las había devorado ávidamente y ya no tenía lectura hasta el jueves de la semana siguiente. Tanto era así que ahora tenía que contentarse hojeando un ejemplar atrasado de *Alma de Fémina*. Y aunque en sus páginas aparecía la mansión de su personaje preferido, la princesa Celeste Angélica von Petarden, no era lo mismo verla por enésima vez que descubrir su ponderado piso parisino, que la revista había prometido enseñarle hacía ya demasiadas semanas.

Emilia Redes de Ruiz-Ruiz había permanecido sentada en un rincón, sin intervenir en los ditirambos de las vecindonas. Más aún: conseguía no oírlas siquiera, tan concentrada estaba en los dorados, bermellones y pirámides de metacrilato que decoraban la mansión de su ídolo. Sólo cuando las visitas se hubieron ido aceptó salir del ensueño para observar los inquietos paseos de su amiga. No quería hacer el menor comentario. Era preferible esperar a que estallase la furia. Lo cual no tardaría en suceder.

Y es que cuando una cuarentona decide que la comedia ha terminado, su contacto con la realidad puede ser más cruento que la realidad misma.

—¡Veintidós años para morirse! —estalló por fin Margot—. Veintidós años en esta cama, y yo consumiéndome a su lado. ¡Ni un solo momento me dajaba libre! Ahora el desayuno, ahora una tisana, ahora el pipí, limpiarle las caquitas; después, lavarla con colonia, ponerle la televisión, apagársela. Y hasta cambiándole el canal, Emilia, porque era tan agarrada que no quiso gastarse un

134

duro en un asqueroso mando a distancia. ¡Claro! ¡Si me tenía a mí, que era un mando para todo! ¡Veintidós años muriéndose! ¡Veintidós! Tenía yo veinte cuando dijo: «Me voy, hija, me voy.» Y yo no tuve valor para ayudarla a irse de una vez. Y tú ¿qué miras? ¿Qué pasa? ¿Piensas que soy mala? ¿O es que vas a hablarme de la resurrección de la carne? ¡Que no se te ocurra, Emilia, que no se te ocurra! Si me dicen que ha de resucitar, pido un bidón de gasolina y una cerilla y quemo el nicho.

Emilia Redes de Ruiz-Ruiz dejó de lado la sonriente expresión de la princesa Von Petarden en su piscina de mármol rosa.

—¿Qué quieres que te diga? —murmuró—. Hemos hablado de esto cientos de veces en los últimos años.

—Es cierto que me has hecho de paño de lágrimas. Y es injusto que ahora te exija que sigas haciéndolo. Te noto cansada. Casi más que yo. Es mejor que te vayas.

Emilia se encogió de hombros. Dejó la revista sobre una mesita y se levantó cansinamente.

—Total, para lo que me espera en casa...

—¿Hoy también estás sola?

—También. Hoy es viernes. A los niños no los veré hasta el domingo al mediodía. Y mi marido ha perdido el puente aéreo. O ha querido perderlo, que para el caso es lo mismo.

—¿Sigues empeñada en creer que no tiene ningún lío sentimental en Barcelona?

—Mujer, me consta. No porque le crea más honrado que los demás, sino simplemente porque no dispone de tiempo. Está todo el día metido en este asunto de los parques de atracciones. Mejor dicho: está como colgado de su jefe. Desde que se ha convertido en su hombre de confianza no para en casa.

—Si me permites ser sincera, a veces pienso que tu marido es un calzonazos.

—Es posible, pero le tengo voluntad. Es mi marido y el padre de mis hijos. Le elegí para toda la vida y así lo juré ante el altar. Es un calzonazos, es idiota, le apesta el aliento, ha echado barriga, tiene un carácter insoportable, es desconsiderado, y aun así es el hombre que ha de morir a mi lado.

—Oyéndote, empiezo a pensar que ha sido una suerte para mí el quedarme soltera.

—Si lo dices por lo de estar sola también da igual. Tú has dedicado veintidós años a cuidar de tu madre; yo los mismos a criar a mis hijos y a hacer feliz a mi Ignacio. Y, al final, ya ves para qué. Si no nos hacemos compañía nos espera una noche en absoluta soledad. Anda, vente a casa y nos preparamos una cena rica y vemos una película.

—Que no sea de amor. ¡Me producen una envidia!...

Salieron por la puerta del jardincito presidido por un prunus convencional y entraron a otro jardincito exactamente igual y presidido por otro prunus tan raquítico como el anterior.

La casa de Emilia Redes de Ruiz-Ruiz era exactamente igual que la de su amiga. El mismo tresillo de piel. Las mismas mesitas camilla con las mismas lamparitas con pantallas de *patchwork*. Idénticas estanterías con enciclopedias compradas a plazos, volúmenes formados con fascículos adquiridos semana tras semana en un mismo y eterno quiosco. La misma edición de los premios Planeta y las Obras Eternas de la Humanidad. Y, en casa de Emilita, retratos de los niños en las estanterías, tres porcelanas Lladró que representaban unos cisnes y recuerdos de sus viajes matrimoniales: una torre Eiffel, un Big-Ben y una pagoda.

Las fotos de los niños conmovieron profundamente a Margot Sepúlveda. Hacían hogar. Algo que ella nunca tuvo; algo cuya necesidad ni siquiera sintió porque la única fotografía de que disponía era la de una madre a la que estaba harta de ver a todas horas, año tras año.

—No quiero que te canses —dijo Emilia, en tono perfectamente eufórico—. Hoy cocinaré para ti y pondré tanto esmero en servirte como si fueses la mismísima Diana de Gales, a quien respeto más que a ninguna otra princesa mundial (las nuestras aparte, por descontado). Quédate aquí, leyendo plácidamente, mientras yo trabajo.

—Cocina, pues, si tanto te apetece —dijo Margot, completamente derrotada—. De todos modos, necesito un calmante.

—Tengo unos ansiolíticos divinos —dijo Emilia, animada por la posibilidad de ejercer de anfitriona.

—Mujer, con una aspirina efervescente me sobra y me basta.

La otra salió de la cocina cargada con una enorme caja, que apenas podía sostener. La depositó en el suelo con gran esfuerzo y, al abrirla, apareció un arsenal de medicamentos como Margot nunca había visto, pese a haber pasado veintidós años con una enferma en casa.

—Son cuerdas de salvación —aclaró Emilia—. Muletas, por así decirlo. Todas, todas son para mi salud espiritual. Para los nervios, la ansiedad, el estrés, las convulsiones, el decaimiento, el mal humor, las obsesiones, las fobias...

—Y la depresión, supongo.

—¡Ah, no! Depresiones nunca he tenido. Ya sabes que soy una mujer feliz.

Margot siempre lamentaría haber pedido algo tan simple como una aspirina efervescente. Porque la otra se puso a leerle en voz alta prospectos de anafrenil, lexatín, soñodor, aneurol, bromazepam y, naturalmente, el ya inevitable Prozac. Afortunadamente, empezó a hervir algo en la cocina y Emilia la dejó sola, no sin antes aconsejarle que se entretuviese con las revistas de la semana.

La paz no duró mucho. Al cabo de tres minutos, Emilia sacaba la cabeza por la puerta de la cocina. Continuó hablando sin cesar durante el rato que pasó abriendo latas. De repente, tuvo el acierto de callar durante unos minutos, pero esto no consoló a Margot, que la conocía lo suficiente para temer que estuviese meditando una nueva retahíla de insensateces. Pero cuando salió, con la sartén en una mano y una cebolla en la otra, parecía inspirada por un filósofo de la nueva ola:

—¿Sabes una cosa? —preguntó, en tono elevado—. Cada vez que hojeo esas revistas pienso que las mujeres que salen en ellas tienen una suerte descomunal.

—Por algunas no me cambiaría yo —dijo Margot escuetamente.

—Embustera. ¡Con lo que tú serías capaz de hacer para cambiar tu situación!

—No sería exactamente así. Sería otra cosa. Habría viajado mucho. Conocido mundo. Habría acumulado experiencia, pero no relumbrón.

—Pues yo sí. Lo pienso a menudo. ¿Sabes? Cierro los ojos y me veo en la Gala de la Cruz Roja de Montecarlo. Carolina y Estefanía me tratan de tú. Rainiero me saca a bailar. Alberto me invita a su yate. Y en lugar de todo esto, ¿qué tengo?

—Una familia. Lo que querías al casarte, supongo.

—Será eso. Sí, lo es. Lo que tengo es exactamente lo que quería. Pero esto no quita que al ver la mansión de la princesa Von Petarden, piense que en esa piscina de un rosa divino debía estar yo.

—Yo sólo lamento no haber tenido más estudios y ocuparme en algo provechoso. Con otra madre y otra época, a lo mejor...

—La princesa Von Petarden seduce sin necesidad de estudios. Creo que su vida es una lección para todas nosotras. Demuestra que una mujer, para colocarse a la altura del hombre, puede hacerlo con su femineidad. Que puede triunfar con las armas que le dio la naturaleza. Desgraciadamente nunca tendremos la inmensa suerte de conocerla. Además, no estamos a su altura. Consolémonos viendo esa película que grabé el otro día. Mari Loles me dijo que es muy aleccionadora. Es sobre una mujer que mata a sus siete maridos y queda impune.

—No estoy para películas. Bastante tengo con la mía. Quiero dormir muchas horas y levantarme serena para pensar en el futuro.

Emilia le dirigió una mirada de súplica:

—No te vayas tan pronto, por favor. Ni siquiera hemos cenado.

Margot se sintió incómoda al percibir cómo había cambiado la situación.

—¡Me apetecía tanto sentirme útil! —insistió Emilia.

—Procura serlo para ti misma. Yo debo aprenderlo, también, esta misma noche. Piensa que ahora no tengo nada. Ya que hace un momento hablabas de consuelo, tú, por lo menos, has tenido días felices.

—Eso sí. Nadie podrá quitármelos.

Cuando la otra se hubo ido, Emilia hizo un recuento de sus días. Formaban la feliz cabalgata de la perfecta ama de casa. Ninguna situación que no se pareciese a la anterior. Ningún acto que destacase de los demás. Felicidades repetidas día tras día. Alegrías que rechazaban cualquier imprevisto. Por un lado, la seguridad de saber que nunca se asustaría. Por el otro, la negación al inconmensurable placer del susto y de la sorpresa.

Escondía cualquier reproche a lo repetido de la vida porque lo hubiera considerado un insulto a los pobres de la sociedad. Su estado social era privilegiado en relación al de otras mujeres. Su marido le garantizaba una buena situación económica, sus vecinas le daban trato de señora, en verano podía salir de Madrid y solazarse en un precioso apartamento del piso vigésimo quinto de una playa de la Manga del Mar Menor donde podía intimar con señoras tan felices como ella. Además, su marido la había llevado dos veces a París, una a Londres y hasta a la mismísima Thailandia. Por otra parte estaba a buenas con su suegra y sus cuñadas, cosa que no pueden asegurar muchas mujeres. Y, por último, tenía a sus hijos. ¡Esas tres joyitas, sí!

La mayor se llamaba Vanessa, como mandaron los cánones de hace dos décadas. El niño,

Juan Carlos, por la moda del rey. En cuanto a la pequeña, llevaba un nombre de ópera que cualquier entendido encontrará singular.

Al matrimonio Ruiz-Ruiz lo invitó una noche a la ópera un amigo que trabajaba en algún ministerio. Era aquella gloriosa época de la lírica en que las butacas del teatro solían estar acaparadas por cargos del gobierno, con relevancia o sin ella. El socialismo había descubierto la música como forma de relumbrón social, y era impensable que un cargo destacado no deleitase a sus amistades con una disertación sobre las excelencias de Plácido y Kraus o lo bien que sonaba el *compact* de Von Karajan que regalaba la revista *Tiempo* (no conocían, por supuesto, ningún nombre más). Podía ocurrir, y ocurría, que las entradas del alto cargo fuesen a parar a uno cualquiera de sus subalternos, porque una cosa es hablar de ópera y otra escucharla entera. El agraciado con la localidad se ponía su mejor chaqueta, con selectas arrugas de Adolfo Domínguez y ascendía por unas horas en su propia apreciación pensando que estaba ocupando el lugar de su jefe y, al mismo tiempo, el de las mentes preclaras que habían ideado aquel espectáculo antaño reservado a las clases superiores y hoy al alcance de todos los funcionarios.

El amigo del matrimonio Ruiz-Ruiz tenía sus propios derechos, porque sin ser un alto cargo era un carguillo, y esos son los que más a menudo se arrogan privilegios y derrochan presunción. Nada mejor para deslumbrar a sus amigos de chalet adosado que llevarlos a ver *La Traviata*, y nada más lógico para un alma sensible como la Ruiz-Ruiz que emocionarse con el drama de Violeta Valéry, la pecadora tísica. Su historia le recordaba un poco una obra que, de niña, había oído por el radioteatro, *La dama de las camelias*, pero no quiso comentarlo para no meter la pata. Además, la emoción la estaba iluminando por dentro por partida doble, pues esperaba a su tercer hijo. No se limitó a llorar con fines artísticos: decidió que si era niña le pondría el nombre de la protagonista de la ópera. Y como estaba claro que toda ópera lleva en su título el nombre de la protagonista, ella no tuvo vacilación y la niña resultante se llamó Traviata. Para ser más exactos: Traviata Ruiz-Ruiz Redes.

De manera que con Vanessa, Juan Carlos y Traviatilla andaba la noble Emilia puesta como nadie en el aire de los tiempos.

«¿De qué puede quejarse una mujer como yo? ¿De qué, si tengo de todo? ¡Cuántas quisieran!... Esos hijos que son tres soles. Ese sol de marido que les dio el ser. Esa casa que brilla como otro sol. ¿De qué puede quejarse una mujer con la vida tan soleada?»

Acarició la fotografía de la niña Vanessa. Cada día estaba más rubita: señal que la camomilla funcionaba. El pelo del niño Juan Carlos también iba a dorado y, además, presentaba ya algún ricito: indudablemente, lavarlo con cerveza hacía su efecto. En cuanto a Traviatilla, el agua oxigenada acabaría por dejarle las trencitas más blondas que el pubis de una sueca.

Tanta blondez debía llenar de orgullo a una madre más morena que la reina de los gitanos, casada con un hombre que, de pura morenez, se daba a lo moruno.

La felicidad de esas razas dispuestas a renegar de sí mismas es a veces resultado de un decolorante, diría cualquier antropólogo observador. Y

142

a fe que Emilita se acercaba a la felicidad porque a fuerza de potingues había conseguido tener una prole anglosajona y un hogar de las mismas características. O mejor dicho, esas características que nos han enseñado a apreciar las series televisivas yanquis, donde cada saloncito es el mismo saloncito, del mismo modo que cada vida es la misma vida consagrada a la estupidez.

Cierto: Emilia Ruiz-Ruiz tenía lo que había soñado tener allá por los primeros años sesenta, cuando era una chica cancán y su marido un estudiante con seiscientos. Y puestos a hurgar en el baúl de los recuerdos, se veía a sí misma bailando el twist en los guateques y tomando un cuba libre con Ignacio en una terraza de Argüelles. Y recordaba cuán vanidosilla se sentía cada vez que el joven afirmaba, con rigurosa contundencia:

—Yo no quiero que mi mujer trabaje. Quiero encontrármela en casa, cuando llegue de la oficina. La quiero con la cena preparada y a punto para sentarse conmigo delante del televisor, tiernamente abrazados. Y así noche tras noche, toda la vida.

En aquella época la televisión era en blanco y negro. Ahora en rutilantes colores plastificados. Algo habían ganado.

Pero esta ganancia no acababa de compensar a Emilia, porque últimamente veía la televisión a solas. Su marido perdía demasiados puentes aéreos, queriendo o sin querer. En realidad, tomaba demasiados puentes aéreos. ¿No sería él mismo un puente aéreo en estado de permanente gravitación?

Si Emilia cerraba los ojos ya no veía imágenes idílicas: sólo un avión que se eternizaba en los cielos, como si el puente aéreo llegase hasta Pekín. Algún día aterrizaba en Madrid, pero con el tiempo justo para repostar. Volvía a partir para un viaje igualmente eterno, que sólo aseguraba retornos parciales.

Gracias a Dios se había inventado el teléfono móvil, de manera que su Ignacio podía llamarla desde cualquier lugar. Esta cortesía nadie podía negársela. Antes de entrar en una reunión de negocios, desde el coche de la empresa, desde un restaurante, Ignacio encontraba tiempo para llamarla y decirle, llanamente, que todo iba bien. Y este todo incluía una serie de cosas que la excluían a ella por completo, mientras él ignoraba las suyas propias.

—Estoy tranquilo porque sé que los chicos están contigo...

Era un forma como cualquier otra de decir que los niños estaban encerrados en su propio mundo; un mundo que, inevitablemente, la excluía también.

Los niños que le habían alegrado la vida con sus gracias y monerías —y, ¿a qué negarlo?, también con sus perrerías— se habían convertido en tres desconocidos que, si aceptaban parar una hora en casa, la pasaban haciendo *zapping* delante del televisor, y el más pequeño jugando a las batallas interplanetarias en su ordenador último modelo. Cierto que quedaba la maravillosa comunicación de las comidas, donde la familia demuestra que lo es, pero en aquellos casos los niños se ponían a hablar en una jerga que le parecía ininteligible; eso cuando hablaban, porque a menudo comían con unos auriculares que les permitían escuchar las rarísimas trapisondeces de aquel negrito que quiso volverse blanco y a fuerza de cirugía quedó más feo que antes.

Por otra parte, eran niños perfectos, ideales

para hacer feliz a una madre; no leían un solo libro, pero a cambio no fumaban, ni bebían ni se drogaban. Y si es cierto que nunca fueron los primeros de la clase también lo es que, afortunadamente, sólo suspendían ocho asignaturas por curso.

Extraños son los designios de la felicidad, que nunca accede a ser completa.

Esa felicidad de Emilia Redes de Ruiz-Ruiz tenía, pues, su lado incomprensible. De tan feliz, sentíase angustiada. No conseguía explicárselo.

La invadía de pronto una modorra pesada y lenta. El tiempo parecía no transcurrir. Se limitaba a aplastar. Una opresión en el pecho. Cerrar los ojos y apretarlos con fuerza no solucionaba nada. No aparecía un espacio negro, sino una superficie enteramente gris. Por fortuna empezaban a dibujarse algunas líneas, aptas para distraer. Sólo que no distraían. Trazaban espacios idénticos, uniformes, calcados unos de otros. A medida que se iban precisando los distinguía con temor: eran diez chaletitos adosados con un diminuto jardín y un prunus en el centro. Todos tenían un mismo tono coquetón y repetido. Tanto lo eran que empezaron a generar múltiplos y múltiplos hasta que la superficie gris se vio abarrotada de chaletitos adosados. Cientos de ellos. Miles, después. Una invasión de chaletitos adosados. Y a la puerta de cada uno de ellos, un automóvil.

Agobiada por tanta belleza, abría los ojos a fin de saborear la realidad. Empezaba a revisar los muebles, los objetos, las cortinas, pero el mundo objetal escapaba de su alcance. Sólo la modorra. Sólo el sopor. Sólo aquella misteriosa opresión en el pecho.

Hallábase sumida en aquel estado cuando

sonó el teléfono. No percibió la primera llamada. Tuvieron que pasar tres. No tenía ánimos para alargar el brazo. Sentíase inmovilizada, y el teléfono seguía sonando. Cada llamada se prolongaba como a lo largo o al revés de un sueño. Modorra, sólo modorra y sobre modorra una.

Levantó por fin el auricular; sin ganas, apática, sonámbula. Desde lo más profundo de la memoria, desde algo que habría oído en alguna ocasión, salió de sus labios un extraño saludo:

—Hola, Raffaella...

Al otro lado del hilo sonó una voz exuberante, pletórica de alegría; una voz pregonera del bienestar:

—Sí, soy yo. ¡Soy Raffaella...! y usted es la *vincitrice*, la ganadora... ¡Usted dijo «Hola, Raffaella!» ¡Lo ha *detto*! Lo ha *detto*!

Se escuchó una salva atronadora de aplausos mientras aquella voz exuberante, mezcla de italiano y castellano asesinándose mutuamente, proclamaba la indiscutible victoria de Emilita sobre todos los españoles que, al coger el teléfono, no se les había ocurrido pronunciar las dos palabras mágicas: «Hola, Raffaella.»

—¿Qué está usted diciendo, señora?

—Usted se lleva a la casa *sua tutto* el dinero acumulado en *questo programa* y, además, un *viaggio* a la Grecia...

—¡No me diga usted esas cosas, que me puede dar algo! ¡Que soy taquicárdica, señora!

—Cara amiga: usted y otra persona del *suo* agrado están invitados al crucero de la *principesa* Von Petarden... ¿Está usted casada?

—Por decirlo de algún modo...

—¿Casada o no casada, querida?

—Que sí, mujer, que sí.

—¡Pues qué oportunidad para vivir con su marido una segunda luna de miel mientras celebran el día de la mujer trabajadora con las damas de nuestra mejor sociedad!

—¿Con mi marido? ¡Usted está borracha, señora!

Ni siquiera se molestó en colgar. Recuperando de repente todos los colores del arco iris corrió al chalet vecino y entró por la puerta del jardín, exclamando a voz en grito:

—¡Margot! ¡Margot! ¡Nos vamos a Grecia! ¡Nos vamos a Grecia con la princesa Von Petarden!

La huérfana se hallaba junto a la chimenea quemando con exquisito cuidado los arcaicos ropajes de su difunta madre. Cuando vio entrar a su amiga, tan en tropel, creyó que la soledad se le había subido a la cabeza.

Era imposible creer sus palabras.

¡Incrédula enemiga de los sueños de plástico! ¿Por qué ha de ser locura la mediocridad? Al fin y al cabo, se han visto en las televisiones de las Españas cosas muy pintorescas. Folklóricas entrevistando a filósofos. Rumberas departiendo en coloquios de política. Políticos opinando sobre arte. Cronistas deportivos meditando sobre leyes jurídicas. Catedráticos hablando de rock. Trovadores impresentables ofrecidos como grandes artistas. Y en este orden de cosas nada tiene de extraño que una honesta señora de chalet adosado comparta las dulces horas de la mejor sociedad gracias a una italiana a quien sólo se le ocurre pedirle al pueblo español que conteste con un poco de garbo: «¡Hola, Raffaella!»

Majaderías de este estilo forjan la historia de las naciones.

Capítulo cuarto

LAS AMANTES DEL MAR

En Leikós, Elena Arquer estaba asustada. Todo cuanto había recordado sobre su juventud en Creta regresaba sobre su presente, como caballos a un galope feroz. Todas las definiciones, medio perdidas tras la niebla del tiempo, se imponían con una precisión que devolvía a cada cosa una existencia autónoma y una independencia que acababa por aplastar.

Veintidós años atrás. Todo un cálculo revelador. Un prodigio de crueldad.

En todo el tiempo que la separaba de su primer viaje consideraba el Egeo un mar de su propiedad: una inmensa finca donde fue posible ser joven. En los años sesenta, la Acrópolis todavía no olía a japonés indiscriminado, todavía era posible entrar en sus templos, sentarse en ellos, lanzándose a la ensoñación. Mikonos era el residuo exclusivista de las mariquitas selectas del gran mundo, las maniquíes que se parecían a Veruska y las *demi-mondaines* que imitaban a Marisa Berenson. También recordaba los atardeceres incandescentes de Rodas, los aprendices de pintor que vegetaban en el pueblecito de Lindos, a los pies de su fortaleza, y los innumerables escritores que preparaban una nunca conseguida obra maestra en las terrazas inclinadas de Patmos.

Pero sobre todas las islas aparecía siempre Creta, reina de la memoria, emperatriz de la nostalgia. Soñaba con regresar algún día, en la vana ilusión de parecerse a sí misma, después de tantos años de irse dejando atrás.

Caía en la cuenta de que estaba haciendo esfuerzos para recordar el verano de 1973, en la playa de Matala, el único de sus primeros viajes que no había querido repetir. ¡Pobre, escuálido paisaje de su memoria! No habría muchos viajeros que lo recordasen si no era por una excursión rápida, una visión al vuelo. Era incluso posible que estuviese invadida como tantos otros lugares del Egeo. Si alguien le dedicaba una cita piadosa, como había hecho Victoria Barget el día anterior, era porque, en efecto, tiene unas tumbas romanas en forma de cavernas, o unas cavernas naturales que sirvieron de tumbas a los invasores romanos. Los libros detallan estos hechos, de los que la memoria prefiere prescindir. Además, Elena Arquer no se recordaba como aprendiz de arqueóloga en aquellos días sino como aprendiz de mujer, que bastante es.

Victoria Barget se lo había recordado, aunque *en passant*: Matala era uno de los reductos favoritos de los hippies; era, de hecho, un pequeño paraíso, sin igual en todo el Mediterráneo. Lo cuentan ahora los guías con cierto resquemor. El mismo que sentían los lugareños en aquellos venturosos días. Detestaban a los jovenzuelos piojosos que llegaban cargados de música y drogas y, encima, no gastaban ni un duro. La vida en comuna fomentaba una impresión de inmoralidad.

Las hogueras que cada noche relucían en la playa debían de parecer el reclamo fluorescente de una nueva Sodoma. Tomó cartas en el asunto el obispo de Mesara, la llanura que se adentra en el mar, al otro lado de la isla.

¿Qué podía molestar a su eminencia y a los pacatos lugareños en las costumbres que se practicaban en las cuevas-tumba de Matala? ¿Qué, sino el incómodo espectro de la libertad?

Elenita Arquer llegó a Creta aquel verano de 1973, acaso uno antes, tal vez uno después, porque no importaban los años en este pedazo de tiempo donde todos los veranos se parecían, donde todos se condensaban en un nombre mágico: la década de los sesenta. Sus hijos no eran conscientes de que iba a terminar algún día, pero hoy sabemos que sus consecuencias colearon durante algunos años más. Y así, del mismo modo que la amada privacidad de Grecia era ya un sueño imposible en la madurez de Elena Arquer, así los sueños de la década fabulosa se han convertido en material para coleccionistas y recurso de suplemento dominical o reportaje televisivo. Una efemérides que gusta recordar sin pensar que arrastra despiadadamente a cuantos la vivieron.

Acataba Elena Arquer la mística de su generación, mezclando la revuelta con el esnobismo, combinando las ganas de romperlo todo con el miedo de ir demasiado lejos. Aunque la parte más importante de su vida se asociaba con un rincón del mundo llamado Madrid, las escapadas al Mediterráneo jugaron un papel determinante en su formación sentimental. En las cuatro estaciones del Mediterráneo —pero más en sus veranos— aprendió a reconocer el valor del instante, se dejó llevar por un fluido mágico donde todas las sensaciones estaban puestas al servicio de los sentidos. Esta dinámica era posible en el mundo de los hippies, entonces en su apogeo. No cabe hablar de España, donde el movimiento siempre fue mirado como algo pintoresco y, todo lo más, decorativo. Tuvo que conocer a un grupo de esos jóvenes en Roma, y también de la manera más tópica, en la plaza de Santa Maria in Trastevere, donde se tomaba la última copa con los amigos ocasionales que se encontraban acampados ante las oficinas de American Express.

También de aquella hermosa plaza solía echar la policía a los *capelloni* y tampoco allí hacían otra cosa que entonar sus melancólicas canciones folk y fumar su yerba. Y gandulear, plácidamente al sol o bajo la luna, que era sin duda lo que más molestaba al pensamiento burgués, siempre dispuesto a anatematizar a los que no han demostrado servir para algo. Huelga decir que este es el pensamiento que prevalecería hasta nuestros aciagos días.

Elenita Arquer llegó a Creta con uno de esos grupos, tan ligeros de equipaje que éste apenas consistía en las mochilas, las guitarras y cuatro autores fundamentales que todos leían sentados en el suelo, en las paradas de autobús de los pueblos de la montaña. Estos autores eran Anaïs Nin —sus diarios—, Durrell, Miller y Kerouac. No se le ocurría entonces a Elena que el pensamiento humano hubiese alcanzado mayor amplitud ni que ésta fuese necesaria. El pensamiento se perdía en meditaciones celestes, se balanceaba al vaivén de la yerba, se diluía con los quejidos de las guitarras (creía recordar que se cantaban, sobre todo, cosas de Joan Baez y Bob Dylan).

Nunca consiguió entender qué buscaba en aquella comuna tan distinta a sus aspiraciones, pero sí recordaba lo que encontró. Pocas veces —si acaso alguna— sintióse más cerca de las fuentes primigenias de la vida, ni de aquel retorno al paganismo al que siempre había aspirado para huir de las lacras que dejó en su vida una nefasta educación cristiana. Si Creta estuvo alguna vez cerca de sus orígenes, fue en esos años en que los jóvenes fugitivos de medio mundo le restituyeron el sentido del ritual. Y así, al cerrar los ojos, todavía se le aparecían las hogueras en la playa, los cuerpos desnudos, la melancólica paz de las canciones y, sobre todo, una infinita sensación de libertad...

Era una imagen excitante que podía verse borrada con lo que Victoria le dijo días atrás:

—Ya no queda nada salvaje en las costas de Creta.

Y ahora, Victoria, junto a ella en cubierta, añadía nuevas explicaciones a aquellas palabras apocalípticas.

Decidió no seguir escuchando las advertencias de Victoria y cerró los ojos para sentirse en otro tiempo. Para sentir las alegres hogueras de aquel verano de 1973, cuando parecía que en las costas indómitas de Creta el siglo podía regresar a los orígenes del mundo.

ELENA ARQUER llevaba una semana en la isla de la Gorgona y no había conseguido abordar el asunto que justificaba su viaje. Victoria Barget lo evitaba constantemente, y esta evasión llegó a convertirse en un pretexto para la pereza. Desde su llegada, Elena se limitaba a ser una turista consentida, la viajera privilegiada que reside en una mansión de ensueño, cerrada al resto del mundo, y es conducida en volandas por los rincones desconocidos de un territorio explotado hasta la saciedad.

Victoria Barget procuraba convertir su estancia en una réplica de las películas en cinemascope de los años cincuenta. Había color, lujo y sofisticadas músicas de fondo (Rachmaninoff, seguramente). Lo único que faltaba era el galán.

Faltaba por partida doble, más grave en el caso de Victoria, que lo tenía asegurado pero siempre ausente. En realidad, Elena no había conocido todavía al jovencito que, en opinión de muchos, provocó el escandaloso adulterio de su anfitriona. Ese Borja Luis, niño de no se sabía qué *master*, continuaba practicando deportes acuáticos en alguna isla menos frecuentada que Leikós. Le conocía por algunas fotografías repartidas por la casa, y lo cierto es que no le defraudó. Un veinteañero morenito, de cabello muy rizado, sonrisa permanente y ojos oscuros escondidos tras unas gafas de concha, elegantes e intelectuales a la vez. A juzgar por las fotos parecía capaz de dulzura, cosa que, en el caso de Victoria, podía tener una importancia vital. Y en otras imágenes, que le mostraban en traje de baño o con uno de esos ajustados trajes de goma que usan los surfistas, mostraba un cuerpo que se hacía respetar. Nada espectacular, nada macizo, sino armonioso y equilibrado; mono de caerse, pero tranquilizador.

Estos pensamientos ocupaban a Elena Arquer sin distraerla. En realidad, nada la distraía. Como todas las mañanas, acababa de despertarse con la sensación de que estaba perdiendo el tiempo; no porque no pudiese llenarlo de cosas agradables —el jardín, el baño, una buena novela policiaca—, sino porque no podía abordar de una vez lo único que daba justificación al tiempo. Su trabajo.

Caminaba de un lado para otro, nerviosa, esperando la hora para desayunar con Victoria. Ésta empezaba muy temprano sus clases de griego, lo cual exasperaba más a Elena por dos razones: la primera era la demostración de que alguien estaba trabajando en algo mientras ella no podía ocuparse en lo suyo. La segunda era que Victoria Barget se estaba planteando muy seriamente su residencia en la isla.

Recordó que le había preguntado:

—¿Por qué desperdiciar sus esfuerzos en un idioma que nunca rentabilizará fuera de este país? Y aun aquí, todo el mundo habla francés o inglés y hasta italiano...

—Si lo limita a la gente que se ocupa del turismo tal vez; fuera de ellos, nadie habla más que un griego oscuro y dialectal. Por otra parte, si decide hablar inglés con los taxistas y camareros, acabará diciendo: «Me Tarzan», «You Jane». Tendrá que reciclarse en Oxford.

Ante aquel comentario, Elena Arquer pensó con sarcasmo que estaban hablando de los griegos en los mismos términos de superioridad con que las grandes potencias colonizadoras solían referirse a los indígenas de los pueblos que dominaban. Algo había cambiado en la mentalidad española: algo que permitía despreciar a pueblos más débiles después de muchos años de ser despreciados por pueblos más fuertes. Era como si todas las jovencitas que habían trabajado de criadas en París, todos los jóvenes que habían construido las autopistas de Alemania se hubiesen convertido de repente en nuevos ricos y, además, cobardes. Porque aquella actitud no se atrevían a adoptarla ante los franceses o los alemanes. Tenían que sentirse superiores en Grecia, Marruecos o el Zaire.

Elena Arquer observó que su tendencia al análisis anulaba sus posibilidades de felicidad. Después de todo, le hubiera resultado más sencillo suponer que la afición de Victoria Barget al griego era una opción como cualquier otra. Algo que hacer cuando no se tiene nada en qué pensar.

Como a Elena la horrorizaba que esto último fuese su caso, se dedicó a observar la belleza del paisaje. Éste no tenía por qué ser uniforme; todo lo contrario: la alcoba era lo bastante amplia para disponer de dos vistas completamente distintas. Por un lado disponía de un balcón abierto sobre el mar, que tenía ya muy visto porque desde el primer día decidió saciar su sed de Egeo a cada atardecer y con cada despertar. Recordó con ironía lo que ella llamaba «el síndrome Guernica». Cuando vio el cuadro en Nueva York quedó extasiada. Después, a lo largo de los años setenta, encontró su reproducción colgada en el comedor de todos sus amigos progresistas. En consecuencia, los años ochenta la pescaron detestando a Picasso. (También a García Lorca, Bertold Brecht, el Che Guevara y todos los fetiches progresistas convertidos en equivalente de las sopas Campbell por toda una generación de beatos de la revolución.)

Como no quería que el mar Egeo —o cualquier mar— acabase convirtiéndose en un equi-

valente de sus perdidas pasiones de ayer, optó
por el balcón que daba a la montaña. Era una
parte del paisaje poco explotada, y con razón. Un
amasijo de piedra volcánica cuya rudeza sólo se
veía suavizada por algunos destellos de flora humilde y poco espectacular: plantas grasas y alguna pitia que dejaba brotar, enhiesto, un vástago
prematuro.

Pero el paisaje olía a mil perfumes que forzosamente debían salir de algún lugar, por lo cual
pensó Elena que habría tapices de una flora para
ella desconocida, inciensiarios que sólo se espar-
cían en aquellas latitudes. Recordó que la noche
anterior había rechazado un libro sobre la flora
griega titulado *La bouquet d'Athéna*. Convendría
echarle un vistazo si, como temía, su estancia en
aquella isla empezaba a prolongarse. Por lo menos tendría alguna afición que cultivar mientras
eperaba las confesiones de Victoria Barget.

No reparó en que estaba desnuda, y, si se dio
cuenta, le importó poco. Tenía derecho a que la
tierra comunicase a su cuerpo una plétora de
mensajes olvidados. Un tenue masaje de la brisa,
tal vez. Un violento latigazo del sol. Sin embargo,
algún residuo de su espíritu urbano se reveló de
pronto, al descubrir en el patio la presencia de
una pareja que podía verla.

No eran de compromiso, pero estaban en una
situación ideal para convertirse en mirones com-
prometedores. Se trataba de la criadita Lía y su
marido, el fornido chófer del mostacho turcoide.
Pareja de lo más disonante, como ella misma
notó el primer día; pero, además, con problemas.
Lo percibió sin dificultad al verlos gesticular de
una manera exagerada y, poco a poco, violenta.
Lía, tan insípida, tan poquita cosa, parecía tener

ahora las cartas de un triunfo inesperado: se estaba revelando respondona y se daba aires de bravía. Por momentos se iba convirtiendo en una furia histérica que se erguía sobre sus puntillas para llegar al rostro de su esposo y arrojarle sus gritos sin la menor contemplación.

«La posición más adecuada para escupirle a un hombre en pleno rostro», pensó Elena, con una sonrisa de complicidad.

Aunque Lía, la pequeñaja, tuviese planeado un buen salivazo, no tuvo tiempo siquiera de prepararlo, porque Stavros le descargó un soberbio puñetazo en la nariz que la hizo tambalearse hasta dar de espaldas contra una higuera. Y como sea que continuaba escandalizando —ahora con gritos y llantos—, el gigantón se sacó la correa y empezó a azotarla brutalmente, mientras ella se protegía el rostro con las manos.

Por alguna razón inexplicable, Elena Arquer sintió vergüenza de su desnudez y se cubrió rápidamente con un abrazo frenético, al tiempo que se apartaba del balcón, con la respiración jadeante. Era como si el golpe lo hubiese recibido ella, pero su reacción no era la de una maltratada, antes bien fue un escalofrío que tenía algo que ver con un fuego pasional bruscamente resucitado.

Seguía sintiendo vergüenza por algo que no conseguía entender. Podía ser debido a la humillación de un ser humano —una mujer indefensa, además—, pero también a una violencia que se infligía a sí misma con el propósito de saborearla. Vergüenza sobre vergüenza, en cualquier caso.

Se cubrió con un camisón prestado —un prodigio de lencería— y corrió hacia el balcón que daba al mar. Los aspectos más duros del paisaje habían quedado al otro lado. Aquí, el mar recuperaba el aspecto que había aprendido a reverenciar: una superficie aletargada a la que el sol privaba de sus tonos azules para convertirla en un gran manto de lamé dorado.

No cabía la menor duda: aquella isla era la hermana de Alejandro y la amante del sol.

Contemplaba distraídamente el pequeño embarcadero, donde estaba anclado el famoso yate de los Osváldez y, a su lado, una canoa más pequeña, pero lo bastante poderosa para desplazarse a las islas cercanas. El mar, aunque calmo, sacudía ligeramente ambas embarcaciones con un bamboleo que, a fuerza de mirarlo fijamente, acababa por producir somnolencia.

Pero Elena Arquer abrió los ojos de par en par cuando descubrió dos figuras que avanzaban abrazadas hacia la canoa. Se trataba de Victoria Barget y el joven gafudo que aparecía retratado por varios rincones de la casa. Ella todavía iba en *negligée* —por cierto, muy liviana y más azul que el mar a aquellas horas—; él vestía el ajustado traje de goma que había merecido el beneplácito de Elena en las fotografías. Cualquier mente romántica hubiera visto en la pareja a una Venus marina que despedía a un gallardo tritón, pero la mente de Elena Arquer, poco dada a la poesía, pensó simplemente que acababan de pasar una noche muy satisfactoria. Y aun antepuso un pensamiento más racional: «Así que no estaba en otra isla. ¿O va y viene como el cartero? Qué mala educación, de todos modos. Ni una presentación, ni un pláceme... ¡Tan claras como parecemos, y ahora resulta que tenemos misterios rondando alrededor!»

Disponíase a sacar una conclusión poco piadosa cuando percibió un detalle que cualquier romántico habría recibido con desagrado: mientras el joven tritón abrazaba a Victoria con una pasión difícilmente controlable, ella se quedaba con los brazos caídos a ambos lados del cuerpo, recibiendo el amor, más que dispensándolo.

Saltó por fin el efebo a la canoa y al cabo de unos minutos ya se estaba perdiendo mar adentro, hasta que la poderosa luz de Helios la confundió con el cielo ígneo.

Lo que la luz no consiguió disimular fue un ataque de llanto de Victoria. Tan fuerte era que acabó escondiendo el rostro entre las manos. Y Elena Arquer dedujo que en sus opiniones sobre el caso debería introducir la noción de absurdo.

—Él es ferviente, qué duda cabe. Y ella, en cambio, se pone a llorar. Espero que no tendrán el mal gusto de obsequiarme con un melodrama. En fin, sea lo que sea, una cosa está clara: me han dado la habitación de las indiscreciones.

Volvió a examinar todos los rincones de la estancia. No sólo era indiscreta. Además, no había nada en el mobiliario que no sugiriese la perfección.

«¿Está planeado para hacerme conocer las ventajas del lujo? ¿Será una especie de trágala? ¿Equivale a decir: "fíjate lo que me perdería si hiciese caso a tus consejos, desgraciada"? No es posible. No parece propio de Victoria Barget. Más bien se tratará de una concesión al hedonismo. Esa mujer lo está necesitando. Por más que se pregone enemiga del pastiche popular se abrazaría a una tinaja de los montes para sentir que está dejando atrás todo lo anterior; lo sabido, lo obvio, lo ya detestado. Sólo queda saber dónde encaja ese joven con su *master*, sus gafitas y su cuerpecito bombón.»

Una de las criadas le indicó que Victoria la estaba esperando para el desayuno. En efecto, la encontró en la veranda, debidamente protegida por la sombra de unos cortinajes de lino, graciosamente colocados a guisa de toldo. En una mesa aparecía una increíble variedad de frutas locales, además de embutidos y quesos. A Elena aquel despliegue le recordó los *buffets* tropicales que suelen amenizar ciertas convenciones de ejecutivos; pero en aquella ocasión no quiso preguntarse si Victoria intentaba deslumbrarla. Optó por servirse los manjares más refrescantes y darse por entero al hedonismo.

Era obvio que aquella mañana las clases de griego habían sido suspendidas. Nada que oponer. La presencia de un amante que va y viene justifica cualquier aplazamiento. Sobre todo el de la gramática.

Victoria estaba de muy buen humor y quiso hacérselo notar. En agradecimiento, Elena se abstuvo de hacer preguntas sobre el tritón errante.

—Tengo que desplazarme a Atenas para unas compras... —comentó Victoria—. ¿Le apetece acompañarme?

—De acuerdo. Será una forma de asegurarme de que no se me escape.

Entró otra criada a quien Elena no conocía —una tal Irina— con un fax que, al parecer, había recogido el chófer Stavros la noche anterior. Podía ser urgente, pero era, sobre todo, voluminoso. Tanto que Victoria le dirigió una mirada de horror:

—¡Un fax de ocho páginas! —Y lo apartó rá-

pidamente sin mirar siquiera su procedencia—.
Creo que podrá esperar por lo menos un mes.

—Fastidiará a quien lo envía.

—El que envía un fax de ocho páginas a este
paraíso está reclamando a gritos ser fastidiado.

—Y hablando de gente fastidiada: ¿su chófer
tiene por costumbre pegarle a su mujer?

—No me extrañaría. Es un tipo muy peleón.
Me ha contado el servicio que cada noche se emborracha en la taberna del pueblo. Alguien tiene
que pagar su agresividad, supongo. La pobre Lía,
tan poquita cosa, es el blanco perfecto.

—No crea que es tan indefensa como parece.
Es sólo que él es más fuerte.

—No lo encuentro tan extraño: precisamente
es el caso de las víctimas y los verdugos. Si todos
fuésemos iguales en fuerza, no existirían ni las
unas ni los otros.

—Es algo que jamás podría tolerarle a un
hombre.

—Incluso a las que no lo toleramos, nos han
pegado de otra manera. No se necesita llegar
a los puños para herir. Y usted lo sabrá, sin
duda.

—Si se refiere a heridas espiritules, es cierto
que he recibido algunas. Para ser exactos... muchas.

—¿Y no se ha sentido tan humillada como si
fuese un bofetón? ¡Vamos, vamos! Las mujeres
modernas, por decirlo de algún modo, tenemos
otros recursos, pero siempre es la ley de la selva
la que acaba imperando. Aquí todo es más di-
recto: a Lía le dieron ese hombre sin que lo de-
sease. Podría haber sido cualquier otro. Más
guapo, más feo, más joven o más viejo. También
él estará en el mismo caso: tomó la mujer que le

daban. Es una especie de semental que sólo ha entrado en el siglo veinte porque tiene carné de conducir. Tipos así no se molestan siquiera en elegir: esto ya implicaría pensar un poco. Les basta con tener una bestia a su lado. Podría haber sido usted... ¿O lo ha sido ya?

Se produjo un silencio, y Victoria notó que era muy tenso. La otra lo rompió para preguntar con voz tenue:

—Si he sido ¿qué?

—Bestia herida al lado de otra bestia más fuerte.

Elena reaccionó con una brusquedad nueva en ella. Hundiendo el tenedor en el pomelo, exclamó:

—Lamento haber tocado este tema. Dejémoslo.

—Adivino que entra dentro de su capítulo privado... —Elena asintió con la cabeza—. Si es así, no hablemos más de ello. —Y, en tono más distendido, añadió—: Ya que acepta acompañarme en mis compras, quiero darle una sorpresa. Esta mañana estoy dispuesta a trabajar en lo suyo.

—¿Lo mío? Creo que está usted invirtiendo los términos.

—Lo que la trae aquí.

—Lo de usted, entonces. Tengo mis papeles en la habitación, pero creo que no serán necesarios. Todo se resume en una cuestión: su marido quiere creer que usted volverá.

—Hace mal en creerlo.

—Dejemos aparte la cuestión sentimental.

—Ahora hace mal usted en dejarla aparte. Una mujer no da un paso así si no hay mucho sentimiento de por medio. En esta ocasión es negativo, pero sentimiento al fin. Y, puesta a dar el paso, tampoco lo da si no tiene ciertas garantías legales. Ya le dije que yo las tengo todas.

—Desde un punto legal es algo que puede llevarse a pleito. Desde un punto de vista ético es donde todas sus razones fallan.

—En cuestiones matrimoniales la ética pierde todo sentido. Digamos que me cobro lo que podríamos llamar «servicios prestados».

—Por muchos servicios que prestase en el pasado, el que rinde ahora a su marido es bien flaco. Le deja sin blanca. En el caso de que le permitiesen salir bajo fianza no podría pagarla.

—¿Quiere hacerme reír? No creo que pueda ser tan inocente como para pensar que Melchor queda desprotegido. Sabe demasiadas cosas como para que este gobierno o cualquier otro se permitan tenerle en la cárcel durante mucho tiempo. Alguien pagará porque conviene tenerlo fuera. Aun sin dinero, él puede hundir un gobierno. Y le diré que, después de lo que llevo visto y oído, sería un hundimiento justificado.

—No debe hablar así. Ese gobierno forma parte de mis creencias.

—¿No diría mejor «formaba»? Mucha gente empieza a decirlo. Y más lo dirá cuando salga a la luz pública todo lo que esconde mi marido.

Otro silencio, no menos violento que los anteriores. Victoria lo aprovechó sin demasiadas contemplaciones.

—Querida, no acabo de comprenderla. Me está usted hablando de ética, pero no ignora que mi marido hizo su fortuna con una serie de personajes que decidieron prescindir de toda ética hace ya muchos años. ¿No ha oído hablar de la gente que se enriqueció en Sevilla cuando aquella famosa Exposición Universal? ¿Le han contado cuántos bolsillos catalanes engordaron con los reputados Juegos Olímpicos? Esto para citar los casos más clamorosos. Son personas que ocupan cargos muy importantes, y se lo montan con gente más importante todavía. Esto para empezar. Puedo hacerle un *rapport* muy completo de los asombrosos viajes que ha efectuado el dinero español en los últimos años. Pero, descuide, no lo haré porque equivaldría a suponer que usted no lee los periódicos.

—Usted, sin embargo, está más enterada de lo que aparenta.

—En todo caso, ha sido sin querer. Verá usted: haciendo de reina consorte una escucha todas las conversaciones, aun cuando no se le permite tener parte en ellas. A los hombres importantes les va muy bien una mujer que acepta estar en la sombra. Lucir, sí. Deslumbrar, siempre. Pero en la sombra. Ahora bien, lo que no pueden pretender es que, encima, seamos sordas. Son demasiadas horas aguantando la candela del gran señor.

—¿A eso se refería cuando habló de servicios prestados?

—A eso y más. La entrega absoluta de unos años que nunca volveré a tener. ¿No cree que valen más que la fortuna de mi marido y la de todos los maridos del mundo?

—Es usted terrible. ¡Terrible!

—Se equivoca. Es terrible lo que tengo a mi alrededor. Eso apesta. He vivido el relumbrón dentro de la basura. Lo que he oído al lado de mi marido bastaría para estremecer al más pintado. Las luchas sucias, las cabezas caídas, los personajes sobornados, las ideas utilizadas... Y aún podría tocar su fibra más sensible hablándole de los pequeños accionistas arruinados por la gestión de mi marido. Puedo enseñarle algunas cartas de esa pobre gente. Después de trabajar toda la vida, reunieron un dinero para comprar un puñado de acciones que les asegurase la vejez. Muchos han quedado completamente arruinados. Pero, descuide, no pienso gastarme sus míseros ahorros en antigüedades. He dispuesto que este dinero sea devuelto en su integridad. Espero que esto le ablande el corazón.

—Las profesionales no tenemos corazón. Sé que suena a tópico, pero es así. No nos lo podemos permitir.

—Entonces la terrible es usted, porque sabiendo toda la porquería que hay detrás de la detención de mi marido y de todo lo que es capaz de hacer si le dejan, continúa defendiendo sus intereses. ¿Tan lejos llegan sus simpatías políticas... o lo que sea?

—Por lo visto, hoy sí tiene usted muchas ganas de hablar del asunto. Y a mí me apetece dejar en claro algo tan importante como es mi independencia de criterio. Del mismo modo que mis simpatías hacia usted no quitan que actúe con todo el peso de la ley, ciertos aspectos de mi relación con su marido no quitarían que lo mandase a la guillotina, si lo mereciera.

—En otras palabras: ¿qué quiere decirme?

—Yo me he acostado con su marido en cinco ocasiones.

Victoria no pareció inmutarse.

—No es usted la única. Otras han llegado a diez.

—Mejor para ellas. Su marido, usted lo sabe bien, es un mirlo blanco. Cuando quiere, es el ser más afectuoso del mundo. Es capaz de llenarte de todas las atenciones.

—La llevaría a Viena, supongo.

—Ésa es la fulana de otro banquero. Yo no crucé la frontera. Me bastó con lo que tenía: una aventura con un hombre de peso en la *suite* presidencial de un hotel de cinco estrellas. Como podrá comprender, no me deslumbró la categoría: estoy acostumbrada. Sin embargo quedé satisfecha con las atenciones que me prodigaba su marido. Me divertía mucho.

—Sigo sin entender por qué me cuenta todo esto.

—Para que sepa que no hago un doble juego. Así de sencillo.

—Se lo agradezco. Lo digo de corazón. Confío plenamente en su independencia de criterio. Y ahora que lo sabe vaya a arreglar sus cosas para el viaje. Sólo hay un avión diario y el aeropuerto queda lejos.

Descargaron la tensión con unas risas que no pudieron ser más oportunas. Cuando se disponían a salir, Elena dirigió una mirada a la mesa de la ventana:

—¿Sigue sin querer leer el fax?

—De ninguna manera. No quiero que las noticias de España me estropeen el viaje.

—Yo que usted lo leería —aconsejó Elena. Y, midiendo cada una de sus palabras, añadió—: Pudiera ser de «su» Borja.

La miró con ironía, que Victoria tomó por traviesa revancha, pero ella no iba a quedarse a la zaga:

—¿Cómo podría serlo? Usted misma vio cómo le despedía hace menos de una hora.

—Es usted un lince.

—En absoluto. Es que su balcón es perfectamente visible desde el embarcadero.

—Me dijo usted que él estaba ausente para diez días.

—Decidió regresar anoche, con el propósito de sorprenderme. La ternura de esos jóvenes puede ser infinita. Son como los gatos que, de repente, echan de menos a la madre. Borja es un niño muy curioso. Desahoga su ternura y todo lo que hay detrás y, después, se larga a hacer esquí acuático. En cierto modo es reconfortante. Cuando una se va de compras, nada hay más odioso que un caballero que manifiesta su aburrimiento mirando continuamente el reloj.

Elena empezaba a asombrarse de las cosas que aquella mujer era capaz de evitar para que sus días no fuesen estropeados. Y aunque no sabía si creerla, prefirió pensar que lo hacía.

Capítulo quinto

TÉ Y SIMPATÍA

Visnú de Meller no era tan feliz como aparentaba ante las chicas de la editorial. Por el contrario, cuando la jornada llegaba a su término se enfrentaba a un ámbito común a tantas solteronas: un apartamento lleno de cosas lindas, pero que sólo le deparaba la posibilidad de consumir películas de amor en un vídeo que se hallaba ya en el lamentable estado de sobreúso que caracteriza a las almas solitarias.

Mademoiselle sólo tenía un consuelo: dos veces por semana se dirigía al Ambigú del Palace para tomar té con masitas mientras sonaban los poéticos acordes de un arpa, una guitarra o un piano, según los días. En cualquier caso, nunca eran acordes más altos que los permitidos en un ambiente consagrado a evocar los románticos fastos de un lejano anteayer.

Aquellas inefables tardes del Palace, con sabor a romanza de opereta y a cuplé sofisticado, tenían una compañera única e irremplazable. Se trataba de Silvina Manrique, la argentina que se había convertido en consejera profesional de Visnú y, al mismo tiempo, en su modelo de mundanidad. No era mala elección lo primero, pues Silvina dominaba las relaciones del mundo editorial desde épocas inmemoriales; en cuanto a los aspectos mundanos de su personalidad, nadie podía precisar si era cierto lo del *flirt* con un descendiente de los zares o su cena en La Tour d'Argent con cierto millonario griego, pero lo cierto es que Silvina Manrique había vivido lo suficiente para demostrar que en ella cualquier romance, si no era vero, era bien hallado.

Sentada en un rincón discreto del Ambigú, desde donde era posible mirar y ser vista, admirar y ser aplaudida, Visnú De Meller meditaba sobre lo que parecía ser una cadena perpetua: su soledad de solterona tan sofisticada que nunca encontró a un hombre digno de sostenerle la toalla al salir del baño de espumas coloreadas. Claro que esta resistencia quedaba ya obsoleta; en las circunstancias actuales, Visnú De Meller se hubiera contentado con que le sostuviese la toalla el último de los camareros que la rodeaban. Sólo que ya era demasiado tarde, porque si bien es cierto que la gallina vieja siempre hizo buen caldo, no es menos cierto que pocos la prefieren a las de la última hornada. ¿Dice esto poco en favor de los hombres? Ellos sabrán, en cualquier caso.

De momento, el camarero particular de Visnú De Meller se limitaba a ordenar el té y las masitas del ritual. Después de tantas temporadas no hacía falta preguntar siquiera.

No tardó en aparecer Silvina haciendo sonar al unísono todos sus collares, pulseras y demás abalorios, con un estrépito tal que acalló por unos instantes las notas de un *Danubio Azul* que arrancaba a las cuerdas doradas una arpista vestida de azul celeste.

Silvina Manrique iba sobrecargada, como siempre: los guantes, el bolso, los collares, el libro de Umbral, la agenda y los periódicos y revistas del día. Llegaba de su acostumbrada comida semanal de «muchachas solas», cita de profesionales que solía ponerla de muy buen humor porque se enteraba de muchas cosas y ampliaba sus nociones del *Quién es quién*, el *Quién será dentro de cuatro días* y el *Quién deja de ser ya mismo*. Además, sus encuentros con mujeres dinámicas y poderosas la reafirmaban en su idea de que la fuerza, ejercida en común, dobla sus efectos.

Sin embargo, aquella tarde no se la veía tan satisfecha como de costumbre:

—Esas chicas se han vuelto muy pesadas. Vengo podrida de oírlas hablar. ¡Qué ganas tenía de un poco de té y otro de simpatía! Tú y yo, las dos juntas, solas, confidentes, con ánimos de largar...

Llegó el té con la celeridad habitual. La que da el *chic* de los siglos, casi.

—¿Pues no dices siempre que son amiguísimas y amorosas...? —dijo Visnú mientras servía a su amiga.

—Sí, mujer, amorosas sí son; santas de altar, también; pibas regias, todo lo que quieras, pero... ¡cómo se han vuelto con eso de la política! Es que no hablan de otra cosa, viste. ¡Menudo almuerzo me dieron! Con decirte que al segundo plato tuve que llamarlas al orden. Les dije: «Si siguen ustedes hablando del Congreso, el Senado, los socialistas, y que si caen, que si los derriban y todas esas cosas, yo desentierro la momia de Evita Perón y se la sirvo en forma de albóndigas.» ¡Dios mío! Nunca debí decirlo, pobre Evita, porque ella quedó monísima con esa disecación que le hicie-

171

ron; pero es que mis muchachas me tenían harta a base de *potins de actualité*. ¡Qué racha fulera, mi amor!

—Es que ellas se ganan la vida con estos chismorreos de la alta política... —comentó Visnú en tono conciliador.

—Claro. Ellas no son zonzas: sólo plastas. ¡Cómo cambian los tiempos y los *moeurs*! Antes, todas éramos muchachas sofisticadas, siempre con un filme que comentar, una *pièce* de teatro, un chisme editorial, una *tenue* de Manuel Piña, qué sé yo, cosas mundanas, como siempre nos gustaron. Pero eso terminó, viste. Ya no embocamos una. Recién entraron todas en la radio, la teúve o la prensa se volvieron como voceras de los partidos. La Pilar Uno defendiendo a las derechas en una emisora, la Pilar Dos defendiendo a las izquierdas en uno de esos incontables coloquios televisivos... ¡Qué mujeres tan empecinadas! Pensá que incluso cuando cotillean se refieren a políticos. «Qué mal gusto el peinado del presidente, qué linda corbata la del jefe de la oposición...» ¡Por Dios! ¿Cuándo una mujer sofisticada se fijó en la corbata de un político?

—Ninguna mujer sofisticada se fijó nunca en un político. ¿Para qué sirven ellos, a fin de cuentas?

—Será para arreglar el país. Una cosa no quita la otra.

—Una mujer sofisticada nunca quiso arreglar un país.

—Es cierto, linda: bastante tenemos con arreglarnos nosotras... —Emitió otra de sus risas acompañada con el tintineo de las pulseras—. Recuerdo que, en Buenos Aires, las chicas sofisticadas platicábamos de otras cosas. Había la que recomendaba lo último en cremas Zulema, como la que era a base de pepino. Y el agua oxigenada De Santo, que dejaba aquel teñido tan perfecto y duradero. ¿Que llegaba el verano? Se hablaba de las mallas Zaza, de los nuevos pantalones en brin sanforizado. ¿Que llegaba el invierno? Las creaciones de la peletería Rose Marie, de la calle Esmeralda 245. ¡Había unos tapados de zorro de la Patagonia y unos sacos de nutria que eran divinidades...!

Hizo una pausa sólo para agradecer al camarero que hubiese pedido a la arpista melodías francesas de los años cincuenta. Se supo entonces que Silvina Manrique nunca había sido indiferente a la voz de Gilbert Bécaud.

—A las porteñas sofisticadas todo nos llegaba de París. Esos envíos mentales nos arreglaban la vida por medio del ensueño. Y bueno, ya que hablamos de arreglos, ¿qué me dices del tuyo? ¡Qué buena jugada! ¡Grecia y sus islas! Recuerdo que hace algunos años (aunque no demasiados: para una mujer sofisticada nunca hace demasiados años de nada) ... pues hace *esos pocos años* estuve en alguna isla del Egeo. Me llevó cierto conde italiano a quien quise pero no amé.

—¿Cómo se hace para querer sin amar?

—Muy simple: queriendo y no amando. El amor es como el jamón: querés un pedacito pero no te enamoras del cerdo.

—Tú siempre tan original. En cambio yo nunca he amado ni he querido, ni he sido querida ni amada. Por no tener, ni cerdo tengo.

—Tenés a tu loro, ese divino *Valmont*. ¿Le diste mis recuerdos? Al fin y al cabo es mi ahijado. De todos los que tengo, es mi preferido. Claro que también quiero mucho a la *Zahíra* de

Gala, al canario de Titina y a la tortuga de Milton López. ¡Es tan lenta la pobrecita!

—Por lo menos el loro me hace compañía. Y a fe que la necesito. No te negaré que estoy atravesando un mal momento. En confianza: finjo en la oficina, finjo con todas mis amigas, pero estoy hundida en la duda y en el pavor.

—Te daré magias diversas. Un yerbero del Amazonas acaba de enviarme unas raíces de mandrágora que combaten todas las depresiones. Y, además, siempre está ese Prozac regio. ¿No habrás dejado de tomarlo? ¿Lo acompañás con la oración de San Cayetano?

—Sí, mujer. Y mojo la pastilla con agua del Ganges, de la que me trajo Eli Leris. Y toco la piedra de jade que me trajiste de Tegucigalpa. Y entono nuestra canción...

—Es fundamental. Cantémosla.

Se incorporaron y, haciendo el molinillo con las manos, se pusieron a cantar en medio del Ambigú:

Chica Prozac
siempre adelante
¡Ra, ra, ra!

Recibido que hubieron el aplauso de camareros y turistas tártaros, volvieron a su té con masitas. Pero Visnú De Meller no conseguía disimular su profunda tristeza.

—Me voy a Grecia a vivir mis sueños, pero esto no soluciona mi vida en Madrid. ¡Cuando pienso que debo encerrarme en mi apartamento durante todo el fin de semana!

—Ese apartamento tan coquetón, con tu cuartito azul, como en el tango. ¿Querés un consejo?

Compráte un disco de milongas para alegrarte todo el *weekend*.

—Para tango el mío. Y para milongas la que me espera cada lunes, al regresar a la editorial. Tengo miedo de que llegue de pronto el jefe para presentarme a mi sustituta: una joven tetuda y de culín prometedor.

Silvina Manrique tosió con disimulo. Era evidente que no le gustaba la conversación.

—Y bueno, ¿es que vos sos loca? ¿Cómo se te ocurre imaginar siquiera una cosa así?

—No se te ocultará que ya no somos unas niñas.

—Por supuesto que no. Somos mujercísimas. Claro que con ventaja. Al fin y al cabo, ¿quién nos echaría los años que tenemos?

—Nosotras mismas.

—Nosotras no contamos, mi amor. Nosotras *no somos* imparciales.

—Es cierto: una mujer, cuando piensa mal de sí misma, siempre se equivoca.

—Y claro. Hacé como yo. El día que no me veo divina sé que es un error de cálculo. Nada puede salir bien cuando una empieza el día luciendo mal. De modo que voy hasta el espejo y le digo con insolencia: «Qué suerte tenés de reflejarme tan bella, amoroso. *Comme ça!*»

—No sé qué haría sin tus consejos. ¡Eres tan optimista! Eres capaz de hacerme creer que María Antonieta perdió la cabeza por pura distracción. Pero hay días en que todo este voluntarismo no sirve para nada. La amenaza de las chicas que empujan y quieren subir a toda costa sigue estando ahí. Y si yo me empeño en decir que sólo tengo treinta años, imagínate los que tendrán ellas, que nacieron treinta años después. Acabarán retirándome. ¡Lo sé, lo sé! ¿Y que haré yo encerrada todo el día en casa? ¿Cómo podré vivir sin mangonear en la prensa, en las presentaciones...?

—Estás obnubilada pensando que en la vida sólo existe el camino que has emprendido.

—Sé que hay otros muchos, pero ya los he dejado atrás.

—¡Boluda! La carrera de una relaciones públicas no termina nunca. ¿Te acordás de Mónica Riquet, la que llevaba las *publics* de la editorial Pizza y Janvier? Estaba harta, harta, como nosotras lo estamos; hartísima de que un autor viniera a abroncarla porque le habían hecho poca publicidad, de que otro encontrase poco frecuentada su presentación, de que un peruano cualquiera se le quejase porque la prensa española no le hacía caso... Bueno, pues ella se jubiló antes de tiempo y se fue a trabajar para una orquesta de música clásica y ahora es felicísima promocionando a Beethoven, Liszt y Chopin, que, no nos engañemos, siempre venderán. Y ahí tenés a Anita Graven: siempre dice que cuando se le acabe lo de la editorial se pone a promocionar modistos y se harta de ganar plata.

—El ejemplo no sirve. Ana Graven es más joven que nosotras.

—Querida, ninguna mujer es más joven que las otras... si éstas se empeñan en que no lo sea. ¿De acuerdo? Pues dejá de preocuparte por esa jubilación y vete a Grecia y sé feliz. Aunque dudo que puedas serlo yendo con esa bruja...

—No sé por qué tratas de bruja a la pobre Tina Vélez. Con llamarla cerda serviría.

—Es cierto. Todas mis amigas brujitas son beneficiosas; en cambio ella es taimada. ¡No sabés lo que les hizo a mis señoritos! Para cederles los derechos de la última novela de Willy Nelson Sánchez los obligó a quedarse con cinco autores uruguayos que en su vida han vendido un cacahuete y, encima, son del año del jopo. Yo eso lo encuentro propio de lagartona.

—Ten un poco de piedad. A saber si su mal carácter le vendrá de la viudez. Fue perder a su marido y encerrarse en la agencia a trabajar y trabajar sin detenerse un sólo día.

—Ella no perdió a su marido, querida. En realidad, nunca lo tuvo. Acuérdate de lo de él con cierta reportera de la revista *Literatura y vinagre*.

—Más motivo para compadecer a Tina. Ni tuvo marido ni tuvo hijo, que es lo que siempre deseó. Me lo contó en una cena del premio Banal. Se puso a llorar como una loca y yo le cogí cariño. ¡Ay, si los críticos supieran que las letras hispanas dependen de una mujer insatisfecha!

Acertó a pasar otra relaciones públicas, Priscilla Ortiz, que había venido a contratar un salón del Palace para la presentación del libro del filósofo Rupérez titulado *Claudia, Noemi y otras top models o una actitud neogerativista del arte del cuerpo y otras meditaciones sobre el poder de los media*. Pero más que el libro que debía promocionar, Priscilla estaba interesada en mortificar a Visnú De Meller, a quien sabía amiga de una enemiga. Y ésta era Ruperta Porcina Boys, la infame que le robó a un actorcillo pagándole un viaje a Marruecos.

Así que Priscilla atacó de frente:

—Tú es que eres demasiado buena, Visnú, hija, mi vida. Tú es que has llegado a defender a la mismísima Porcina.

—Yo me limité a decir que sus obras de teatro

no son tan aburridas. Y nadie puede contradecirme.

—Nadie, en efecto, porque nadie ha visto una entera. Pero tú fuiste más lejos: dijiste que ella es físicamente aceptable, cuando todo el mundo sabe que es igual que una morsa.

—Yo me limité a parafrasear el principio de *Lo que el viento se llevó*. Yo dije: «Ruperta Porcina Boys no era completamente horrenda, pero los hombres no se daban cuenta hasta que se le levantaba el peluquín y aparecía su repugnante calva...» Hice una cita literaria y nada más.

—No te salió muy brillante porque los hombres nunca esperan a verle la calva. Huyen antes.

—¿Cómo puedes ser tan maligna? Ella siempre va a los estrenos rodeada de chicos guapísimos. Los llaman «los efebos de la fallera». O sea, que es mujer de éxito.

—Esos efebos le cuestan un dineral al gobierno. Por si no lo sabías, se pagan con el presupuesto de su teatro.

Silvina Manrique cogió los guantes, el bolso, los collares, el libro de Umbral, la agenda y los periódicos y revistas del día y, con todo este cargamento, consiguió levantarse para asombro del mundo.

—Niñas, debo dejarlas. Tengo una cita de caridad.

—¿Con quién? —preguntó Priscilla Ortiz—. ¿Alguien de prensa? Me consta que puedes colocar a un académico en el suplemento *Coppelia*. Si está babeando y en silla de ruedas le dan portada.

—Hoy no tengo a ninguno de esos adorables académicos. Estoy citada con Ruperta Porcina Boys, precisamente. ¡Pobre ángel mío! Ha tenido un percance con uno de esos chulitos que se lleva a casa. Le ha arrojado un cenicero a la cabeza.

—¡Dios mío! ¿No le habrá empeorado la cara? Porque eso sería llover sobre mojado.

—Peor todavía: se ha dejado los eslips, la camiseta y algún objeto comprometedor tipo preservativo, viste. Voy a echarle unos polvillos mágicos para ahuyentar los malos espíritus.

—¡Qué buena eres con las amigas! Dale mi amor a la Porcina. Yo me voy a la tienda de Helenia Benarroghini a comprarme cuatro complementos para lucir en las suntuosas fiestas que, sin duda, organizará en mi honor Tina Vélez.

—Cuando regreses de tu crucero por las islas tomaremos otro poco de té y simpatía —dijo Silvina.

Hubo intercambio de besos, choque de collares, deseos de prosperidad y búsqueda de taxis. Pero antes de que el portero los encontrase, coincidió Visnú en el vestíbulo con una de las cronistas políticas más famosas, que llegaba para la presentación del septuagésimo libro sobre la transición publicado aquel mes. No era, naturalmente, un tema que pudiese interesar a nuestra Visnú ya que, según el cómputo oficial, veinte años atrás estaba todavía en el internado. Ella quería ir al tema que más podía mortificarla, de manera que abordó abiertamente a la cronista con una pregunta definitiva:

—Pilar Uno, amor, tú que estás siempre en el Senado: ¿se sabe algo del nuevo plan de jubilaciones...?

Como de costumbre, Visnú no entendió absolutamente nada de lo que quiso contar la otra, de manera que optó por meterse en un taxi y repasar mentalmente su cuenta bancaria para saber si podía comprarse un cinturón y unas zapatillas de baño. No era un cálculo aventurado. A fin de cuentas se disponía a meterse en el templo del mejor gusto.

En Chez Benarroghini andaba toda la parroquia revuelta. Iban de un lado para otro la mitad de las señoras del crucero (la otra mitad, perteneciente a la grey de María Asunción Solivianto y Pilar Prima de la Higuera habían decidido ir con uniforme de penitente, cuanto más moradas mejor, las tías).

Mientras Olivia Sotomayor se peleaba con la condesa de Saguntillo por un conjuntito de pantalón y *tween set*, otras se arrancaban de las manos unas gasas floreadas que estuvieron a punto de romper del tute que les daban. Tirando unas de un lado y otras de otro, también estuvieron a punto de dejar inservibles varios chales de cachemir y otras valiosas piezas de una colección recién llegada. Las dependientas no vieron con buenos ojos que aquellas señoronas dejasen casi imposible un precioso chal de *shatush* que valía un potosí, pero como sea que este material procede de las barbas de las cabras tibetanas, la elección se prestaba al chiste. Elegido por las señoronas, el *shatush* volvía a su procedencia.

Casi todas buscaban prendas que hubiese lucido Isabel Preysler en alguna revista reciente. ¡Empresa vana! La imitación, por imposible, sólo conseguía acentuar la perfección del modelo.

Siendo las pieles la gran especialidad de Helenia Benarroghini, no es de extrañar que algunas damas perdiesen el aliento ante los nuevos modelos. La princesa Von Petarden, cuya coquetería no sabía de estaciones, se probaba un abrigo tras otro, preguntándose si lo que servía para Navidad podía servir también para la canícula de agosto. Duda aciaga, dilema cruel, porque la dama estaba acariciando nada menos que un maravilloso despinsado bicolor, con el ante en tono camel y el pelo en gris grafito.

—Ese visón nos sienta divinamente a las mujeres que hemos nacido para llevarlo —exclamó embelesada de su propio empaque—. Claro que no sé yo si para un crucero de verano...

La dependienta sabía cómo tratar a esas damas con mucho dinero y pocas horas en la escuela del buen gusto.

—Princesa, todo el mundo sabe que las noches de Grecia son muy fresquitas.

—Si es así me llevo tres, porque habrá más de una noche... —Y dirigiéndose a las demás—: ¡Niñas, llévense visones, que el verano griego es glacial...!

—Yo me llevaré una estola de armiño —dijo Nenita Lafuente—. Encuentro que hace más para la canícula canicular.

—¡Los zapatos! —gritó Miranda Boronat—. ¡Mirad qué divinidades! ¡Quiero ser un ciempiés para ponérmelos todos!

—Yo sólo me quedaré ocho pares. En tiempos de crisis no conviene abusar.

—Es cierto. Llevarse diez pares sería un insulto a los parados.

—¿Los quiere a juego con el visón o con el bikini? —preguntó la dependienta.

—Unos de Walter Staiger para el visón, esta *mule* de Bottega Veneta para el bikini floreado y los Louboutain para el traje sastre, porque si bajamos a cenar a algún puerto no quiero parecer una marujona desprevenida.

Esas últimas palabras no sentaron bien a dos

señoras que rebuscaban entre los sofisticados artículos haciendo los mismos cálculos que, en su taxi, hiciera Visnú De Meller. Y es que Emilia de Ruiz-Ruiz había decidido irrumpir en el bien ganado crucero equipada con el mismo arsenal que las importantes. Y sólo Margot Sepúlveda, que deambulada a su lado con mirada de aburrimiento, se atrevía a disuadirla de vez en cuando, recordándole el pan de sus tres hijos.

Lo cual no evitó que Emilia de Ruiz-Ruiz cargase con todas las marcas que irían a añadirse a las que ya había atesorado en otras tiendas de élite.

—¿Tú crees que sirve la tarjeta de El Corte Inglés?

—Aquí lo dudo. Aquí necesitas las tres que lleva tu marido en la cartera. Pero ¿de verdad crees que tendrás tiempo de lucir todas esas compras?

—Es que todo no es para mí. He decidido vestirte.

—No hablarás en serio. Yo no pienso aceptar regalos tan costosos.

—Es que no te regalo nada. He calculado la herencia de tu madre y te da para llevar encima una cosa de Armani, otra de Versace y otra de Hermés. Así, bien recargada, para que ésas vean que no venimos del fango.

Aquel despliegue de ostentación contrastaba con el porte de Visnú De Meller, que dirigía a la dependienta una mirada demasiado altiva para lo que había venido a comprar.

—Yo quiero un *foularcito* nada más. Eso sí: el mejor de los *best*.

—¿A juego con qué? —preguntó la dependienta.

—Mientras sea verde loro, me conformo.

—¡Qué triste está esa señora! —comentó Emilia de Ruiz-Ruiz a Margot.

—Como que no parece marquesa ni nada —contestó la otra.

—Será una sofisticada sin nombre.

Visnú, que las oía, suspiró para sus adentros:

—¡Ay de mí! ¡Lo más triste que puede ser una sofisticada auténtica! ¡Sin nombre! Y si siguen subiendo las jovencitas me veré, además, sin oficio ni beneficio ni perrito que me ladre. Pero lorito que me hable, sí tengo. Eso, por lo menos, no puede quitármelo nadie. Mientras exista *Valmont*, tendré un interlocutor válido.

Mendel se vede bien, no enferma...
—Una débil vista es según —comentó Raúl.
lu de Raúl Rafael Sánchez.

...otro que ...to habrá ... detrás es ... no man...
...encuesta la una...

—Será una bandada sin nombre.
—Usted que lee obe empleo ... to ... sus adentros
—y de todas más odio que piense que puede ser tan
...ofuscada ante mí. ¡Sin nombre! Y sé alguien
sumado ... sobre tanta me tan, ac ... bre, sur ...
cio la benéfico al permisión que liada. Y, si no...
ria.olfateable ... a reno. Por por lo estan...
no puede culturado ... Mañana exista tan.
...ser. teneia, que ... ser ...

Capítulo sexto

HACIA CITEREA

EL VUELO QUE TRANSPORTÓ A LAS AMIGAS de la princesa Von Petarden, a las feligresas de María Asunción Solivianto y a ocho invitadas de la prensa rosa bastaría para confirmar que el personal de Iberia es el más complaciente del mundo, opinión que ha de contrastar con los detractores habituales, pendientes sólo de los retrasos sin reparar en las puntualidades. Son ese tipo de usuarios que, utilizando el avión para negocios domésticos, ignoran lo que significa desplazarse por el mundo en las garras del personal de otras compañías. Ahí querríamos verlos, lidiando con la proverbial insolencia de las azafatas francesas, la estupidez cerril de las alemanas, la mala educación de las italianas y la sangre de sidral de las británicas.

Comparadas con esas y otras pesadas, las azafatas de Iberia llevan el cielo, si no a la tierra, sí al interior del avión, como si hubiesen abierto la ventana para que entrase el aire fresco... en vuelos que no siempre van llenos de gente agradable. Se nota en algunos caballeros de la clase preferente —que ellos llaman «del

185

bisnis»—, pasajeros cuya especialidad consiste en encontrarlo todo mal y en apurar whisky tras whisky, no por sed, sino para aprovechar al máximo el precio del billete y exhibir así su categoría social. Las groserías que las probas azafatas deben tolerar a esos piojos resucitados llenaría todo un vademécum de la humana resistencia y el humano pundonor. En cuanto a los azafatos son lo bastante gallardos para sonreír a señoronas de medio pelo cuya pesadez y pedantería merecería un escupitajo.

No lo hacen en público, porque un honesto trabajador no ha de jugarse el puesto por una cretina, ya sea de la buena sociedad, ya del gobierno, pero, en cuanto cierran la cortinilla que los separa del pasaje, a esos Ícaros modernos se les borra instantáneamente la sonrisa y, con todo derecho, despotrican con sus compañeras de las impertinencias, faltas de educación y colmos de exigencia de un pasaje que en principio se suponía civilizado.

A veces, estas evidencias se producen aun antes del despegue. La idiosincrasia de los pasajeros ha sido comprobada con creces durante ese largo, exhaustivo preámbulo en que cada uno ocupa su lugar en completo desorden, porque en España subirse a un avión todavía equivale a una merienda de negros.

En el caso de la excursión de la princesa Von Petarden el desorden fue en aumento no bien las pasajeras comprobaron que no había sitios reservados y que todo el avión había sido convertido en clase preferente. Aun así, se manifestaron las preferencias de cada una de ellas. Lógicamente, todas pretendían reunirse en grupos afines, sin renunciar a su derecho a ventanilla. Porque la que más la que menos quería llegar a Atenas contemplando el Partenón desde el aire para darlo por visto y dedicarse a compras.

Por este y otros muchos motivos, el sonriente azafato Jerónimo cerró la cortina tras de sí y, cambiando su sonrisa por una mueca de brutalidad, preguntó a la azafata Miriam:

—¿Tú a cuántas estrangularías?

—Depende. ¿Qué condena te sale por una?

—Cadena perpetua.

—Pues, perdido por perdido, las estrangularía a todas.

Pero la azafata Miriam recuperó la sonrisa para explicar a las viajeras las normas de seguridad.

Pese a la violencia que debe de suponer someterse a este ritual de aspavientos a la vista de todos, ninguna pasajera tuvo el detalle de dedicarle una mirada de atención. Y era lógico, pues estaban demasiado imbuidas en la propia seguridad. Las feligresas de María Asunción Solivianto porque se sabían protegidas por su devoción mariana; las invitadas de la princesa Von Petarden porque habían aprendido desde niñas que las ricas mueren en la cama.

En cuanto a la marquesa del Pozo del tío Raimundo pensaba que, a su edad, cuanto más cerca del cielo la atrapase la muerte, mejor. Y Fificucha Osváldez Barget se limitaba a interesarse por la alta cultura:

—A mí, antes de embarcarme en el crucero, me gustaría ver la capital.

—Hija, para eso vamos a Atenas —dijo Perla de Pougy, sentada a su lado.

—Pues desde Atenas me gustaría ir a la capital. Un ir y venir, y ya está.

Y nadie la sacaba de esta voluntad, que demostraba lo mucho que había aprovechado sus estudios en uno de los mejores colegios del Madrid esnob.

Continuaba la azafata dando instrucciones de salvamento y las otras ignorándola sin la menor contemplación. Sólo Emilia de Ruiz-Ruiz iba diciendo a su amiga Margot Sepúlveda:

—Apuntemos todo lo que dice porque puede servirnos si la cascamos.

—Déjalo. En ese caso no tendríamos tiempo de rezar ni un triste padrenuestro.

—Pues finjamos escuchar, para no hacerle un desaire a esa *miss*.

Pero no era esta la principal preocupación de Emilia de Ruiz-Ruiz, sino la particular disposición de su amiga en aquel viaje de ensueño. La encontraba desdeñosa, arisca, como mirando por encima del hombro a un acompañamiento que ella consideraba el no va más de la finura. Podría atribuirlo al golpe que había sufrido con la muerte de su madre, pero temía algo peor, y así lo expresó:

—Creo que estás cohibida porque te sientes inferior a todas esas señoras. Claro, te has pasado tantos años encerrada que no sabes ir por el mundo. Temo que metas la pata a cada momento y que nos llame la atención la princesa y su muy distinguida corte.

—No seas cursi. Ésas sólo nos llamarán para que les freguemos la cubierta del barco.

—Hija, te estás convirtiendo en una pesimista nata. Los del concurso me dijeron que éramos huéspedes distinguidas.

—Pues insisto: nadie nos ha dedicado un «ahí te pudras».

188

—¿Cómo quieres que esas señoronas sugieran que nos pudramos? Ciertas palabras no están en el vocabulario de la gente de abolengo. Además, que la culpa es de los del concurso. Tendrían que habernos presentado. En la *jet* no es costumbre que la gente se hable sin que antes medie una introducción de, qué sé yo, la princesa Soraya (viuda que es del sha de Persia) o la vizcondesa Pernila, reina de las noches marbellíes, como no ignoras.

—¿Sabes lo único que te salva? Que por tonterías que llegues a decir, nunca igualarás a las de la gente que tanto admiras.

—Por admirarlas deseo quedar ante ellas como lo que soy: una señora.

Pero Emilia no pudo disimular sus celos al ver que la azafata Miriam se inclinaba sobre la princesa Von Petarden para hablarle en tono absolutamente confidencial. ¡Lo que hubiera dado ella por oír lo que decían! O simplemente, por ocupar el asiento de la secretaria Beverly Gladys Gutiérrez, que estaba al lado de la dama, repasando su agenda de prioridades.

—¿Está cómoda, princesa? —preguntaba Miriam—. ¿No encuentra a faltar su avión privado?

—Sólo en los retretes. En los de mi *jet* el papel higiénico es reciclado. ¿Ustedes no reciclan, querida?

—Francamente, no sabemos qué hace el personal de tierra con los detritus del aire.

—Pues debería usted informarse, niña, porque la salvación del planeta depende del reciclaje. Es posible que yo pueda ayudarla. No me molesta en absoluto. Para eso está una: para salvar el planeta azul. Vamos a ver: ¿dónde tienen ustedes los cubos de la basura?...

Sin dar tiempo a que la otra le contestara tiró sobre el asiento su costoso chal de cachemira y, con paso raudo, se dirigió hacia la pequeña cocina situada en la primera parte del avión. Antes de desaparecer tras la cortinilla, se volvió hacia el resto del pasaje y, con voz cantarina, gritó:

—Niñas, guarden los papeles de los caramelos, que no se puede tirar nada.

Invadió la cocina cual furia determinada a ejercer su imperio. Como sabía que la guiaba una noble causa, no tuvo reparos en que, por culpa de su vaivén, quedasen arrinconados las azafatas, el azafato y el sobrecargo.

—Vamos a ver, ¿cuántos cubos tienen? Con tres servirá... Uno para los papeles y el cartón, otro para el plástico y un tercero para el cristal. *Voilà, voilà, voilà!* Pero tenemos que escribirlo por fuera para que así el personal de otras tripulaciones, menos concienciados que ustedes, no se olviden de utilizar el cubo apropiado... Les dejaremos instrucciones... ¿Quién tiene un bolígrafo y un papelito?

Le dieron lo que pedía, no sin maldecirla en voz baja, pues estaba retrasando el servicio de bebidas y algunas pasajeras habían empezado a quejarse.

Un gracioso azafato rubio que sostenía el papel a la princesa se permitió decirle:

—Usted perdone, pero reciclaje se escribe con jota.

Ella lanzó unas risas tipo champán rosado.

—Eso se lo dirá usted a todas.

—No, señora: sólo a las que reciclan.

La carcajada de la princesa fue ahora un trueno:

—¡Ay, qué gracioso es usted! Apuesto a que se llama Jerónimo.

—¿Cómo lo sabe?

—Por el cartelito que le cuelga de la solapa, monada. ¡Ay, Jerónimo! No sé qué tiene este nombre que me recuerda a un indio salvaje y avasallador...

Estaba toda la tripulación en paro, escuchando aquella sarta de sandeces cuando, de pronto, la azafata Miriam tuvo una idea salvadora. Recordó haber leído en algún lugar que a la princesa Von Petarden le gustaban morenos y de mediana edad, cualidades ambas que coincidían en los dos pilotos.

Sin que nadie lo notase, la azafata Miriam abrió de par en par la puerta de la cabina e indicó a uno de los pilotos que se volviese ligeramente. Lo hizo él con una sonrisa tan amplia que la princesa no pudo dejar de percibirla. Como además de moreno, era ancho de espaldas y con rasgos espléndidos, la princesa dejó el reciclaje de lado para comentar a la azafata:

—¡Qué guapo es ese jinete del cielo! ¡Por Dios, qué galanura! —Se detuvo y, con excelsa coquetería, añadió—: Pero a lo mejor son imaginaciones mías. Desde niña me hacen tilín los uniformes. Claro que muchos hombres, cuando se lo quitas, se quedan en nada.

—No es el uniforme. Es que, en efecto, Sotillos es muy guapo. Entre nosotras: es el más codiciado de toda la flota.

El azafato Jerónimo no había tardado en comprender el juego de su compañera, así que se agarró a él como a un clavo ardiendo:

—¿Le gustaría ver Zaragoza desde la cabina, princesa?

—Encantada. A mí, desde la cabina, me encanta verlo todo. Y si me enseñan la caja negra, pues ganga.

Mientras las azafatas celebraban esa decisión como un maná caído del cielo, otras pasajeras la lamentaban. Entre ellas, Miranda Boronat, quien dijo a la marquesa del Pozo del tío Raimundo:

—No debían haberla invitado a entrar en la cabina. Igual se pone a fornicar con el que conduce y éste pierde el control del vuelo y nos estrellamos contra los Monegros.

—No te preocupes, mujer. Para casos así tienen el piloto automático.

—No importa. Ella también se lo fornicará.

No contaba con que unos oídos ávidos de chismorreos la escuchaban desde el asiento de atrás. Eran, por supuesto, los de Emilia de Ruiz-Ruiz.

—¿Qué dicen? —preguntó a su amiga.

—Hablan de la princesa.

—Es divina. ¿Reparaste en sus manos? ¡Qué bien cuidadas las lleva! ¿Y has visto la sortija? Es de un gusto exquisito.

—Yo la encuentro hortera. Parece una naranja.

A medida que el vuelo avanzaba, las características y diferencias de cada una de las pasajeras se iban delimitando con mayor precisión. Las más serias leían atentamente unos folletos de introducción a la cultura y el arte griegos facilitados por la agencia que había tramitado el viaje. Se veían muchas playas, muchos yates y muchas bañistas tudescas en *top-less*.

—Hija, diríase que vamos a Benidorm —comentó Pilar Prima de la Higuera.

—Cierto —contestó Olvido Velázquez—. Además, en ningún folleto se anuncia la aparición de Nuestra Señora.

—Será un error de programación.

Los oídos de Emilia de Ruiz-Ruiz se abrieron ahora a los comentarios de aquellas señoras que tenía en el asiento de atrás:

—Por lo que entiendo, tiene que aparecerse una Virgen. ¡Cuánta emoción contenida! Esto lo habrá arreglado María Asunción Solivianto. He leído que ella y las vírgenes se tratan de tú.

De repente, una dama que estaba observando por la ventanilla se levantó, gritando a otra que se hallaba tres filas más adelante:

—¡Asómate al espacio, Almudena, que ahí abajo está Zaragoza!

—¿Se ve el Ebro? ¿Se ve el Pilar?

—No, pero se intuye. Cantemos, cantemos a la patria chica.

Las más simpáticas rompieron a cantar:

> *Aragón, la más hermosa*
> *es de España y sus regiones...*

—¡Qué animadas están! —comentó Fificucha Osváldez Barget.

—¿Animadas? —contestó Perla de Pougy—. ¡Si eso es una borrachera de agua bendita! Hablando de borrachera: ¿no tardan mucho en darnos los drinkitos?

—Me han dicho esas obreras del aire que, antes de la escala en Barcelona, ya correrá el morapio. Además, la princesa Von Petarden ha prometido barra libre.

—Qué generosa es. Para hacerse perdonar su pasado es capaz de dilapidar la fortuna del príncipe invitando a la gente importante. Se muere por ser aceptada.

Emilia de Ruiz-Ruiz, que se sentaba en la misma fila, al otro lado del pasillo, preguntó a Margot:

—¿De qué hablan tus vecinas?

—Del pasado de la princesa.

—Es un pasado conmovedor. ¿Sabes que cuando el príncipe la conoció ella estaba estudiando en un internado?

—Te equivocas. Sería un bar de alterne.

—Te digo que era un internado y, además, de monjas. Ella misma lo contó en «La radio de Julia», y menuda es Julia para no sacarle la verdad, toda la verdad y nada más que la verdad... Por cierto, ¿te has fijado en la que está en la segunda fila, junto a esa gorda medio calva que dicen que es escritora? Pues se trata de la ministra de cultura. ¡Me cae de bien!... Siempre la veo en las revistas inaugurando cosas.

Pero aquel no era precisamente el tema que más podía preocupar a Amparo Risotto. Seguía obsesionada por los chantajes de Ruperta Porcina Boys, que no había parado de hablar de su teatro desde que se encontraron en el aeropuerto de Madrid.

Por cierto que, al coincidir en la sala VIPS, la ministra pensó: «¿Cómo puede ponerse pantalones de cuero teniendo ese pompis que parece una plaza de toros?» Mientras, Ruperta se decía para sus adentros: «Con esa minifalda, cuando se siente se le verá el parrús. Si esto es una ministra, que baje Dios y lo vea.»

Pero al instante se dieron besos en las mejillas, mientras decían al unísono:

—Estás divina, cuchilinda.

Y se felicitaron por haber elegido ambas como lectura de viaje las obras completas de Juan Benet.

Sin embargo, este prodigioso entretenimiento les serviría de poco, pues Ruperta empezó a soltar sus acostumbradas diatribas contra todo el mundillo cultural, para acabar regresando implacablemente a sus propias intrigas. Fue entonces cuando la ministra decidió defenderse:

—Con los asuntos que tengo que resolver en Atenas me quedará poco tiempo para cruceros. Lo más que puedo es alcanzaros en la tercera isla. Así que, si quieres un consejo, trabájate a la princesa Von Petarden.

—Me parece que no nos entendemos. Yo no quiero un cargo de conservadora en un museo de botijos. Con que no me quiten mi teatro me conformo.

—Precisamente. ¿No sabes que la fundación Von Petarden se ha hecho cargo del proyecto?

—¡Por Dios! Ésos están metidos en todo.

—Como tú, guapa. ¿Crees que no me he fijado que hace un momento estabas intrigando con la Solivianto? ¿Qué piensas sacarle? ¿Tu próximo ingreso en las derechas?

—Eso vendrá si tú no me ayudas. Así que cuéntame de una vez qué interés puede tener la princesa en echarme de mi teatro.

—Quiere poner a Pepín Morrón.

—¡Cómo! ¿Ese chulo de putas?

—De putas no sé. De ella sí.

—¡Qué falta de decórum! ¿Es posible que el porvenir del Teatro Experimental tenga que decidirse en la cama?

—Mira, yo ya no tengo ánimos para hablar de esas cosas. Bastante harta me tenéis entre todos los protegidos oficiales. El otro día me llegaron anónimos contra el director del Teatro Filo-Nacional: se quejan de que lo ha convertido en un feudo de la mafia rosa, en el sentido de que sólo acepta maricones. Otros anónimos me cuentan que en el Teatro Filo-Nacional Dos sólo entran jovencitas porque el director es menorero. Y de ti me ha llegado que has colocado a tus efebos hasta en la taquilla...

—¡Ministra!

—Ni ministra ni puñetas. Todo el mundo metéis a vuestros ligues de cama en las compañías que paga el Estado, ¿y ahora vas a montarme un cirio porque la princesa, que paga ella, pone a su chulo? ¡Amos anda, reina! Trabájatela bien, y te ayudaré en la sombra, pero no me vengas con reproches que yo soy una mandada y todos los enchufes que tenéis los he heredado de los ministros anteriores. Y ahora cállate, que quiero ver la cartelera de Atenas para saber cómo está la cultura de ellos en relación a la nuestra.

—No te servirá de nada. Viene en griego.

—¡Insolente! Nunca recuerdas que estás hablando con la ministra de cultura. ¿Lo ves? Aquí pone «Silvester Stallone».

—¡Ah, bueno!

Como estaba anunciado, el avión aterrizó en el aeropuerto de Barcelona, momento que aprovecharon algunas para exclamar con desdén:

—Fíjate cómo se gastan esos catalanes los dineros de todos los españoles.

En Barcelona subieron las invitadas catalanas. Llegaban presumiendo de aeropuerto, para oprobio de las de Madrid.

—Hija, este aeropuerto nuestro de BAR-CE-LO-NA es que es comodísimo. La sala VIPS de este aeropuerto de BAR-CE-LO-NA sólo se ve en los países superdesarrollados del primerísimo mundo.

—Y tanto —decía la otra, abriéndose paso detrás de la azafata—. Yo siempre digo que ahora que se nos ha quemado el Liceo, bien podrían representar *Aida* aquí, en el aeropuerto. Porque lo que es columnas no faltan.

Las que así hablaban eran la señora Mariona Finestrell i Palautordera, esposa de un *conseller* de la Generalitat y su íntima amiga Nuri Sant Celoni i Vertun, esposa de otro *conseller* del mismo centro.

Detrás de ellas aparecían distintas señoras, miembros de una *jet* barcelonesa completamente alejada de los intereses de la Generalitat y por tanto del catalanismo. Eran las típicas señoras finas del «Up and Down», discoteca de moda para personas que son importantes allí y en ninguna otra parte. Así aquellas pijas se expresaban en un castellano de boca desmesuradamente abierta, usaban diminutivos espantosos —Chichi, Cuca, Lichi—, iban todas teñidas de rubio panocha y ya llevaban colgando del brazo el traje de faralaes para el concurso de sevillanas.

Como sea que estaban muy bien relacionadas en Madrid, empezaron a saludar a las marquesonas mientras las esposas de los *consellers* arrojaban a la azafata la primera de sus quejas:

—Oiga, preciosa, ¿cómo es que nos ponen en turista?

—Todas van en primera, señora.

—No nos enrede. Las que van en primera son las de delante. ¿O que se piensa que nunca hemos viajado por aire, guapita de cara?

—Señora, no hay tantas plazas de primera en

ningún avión del mundo. Por eso hemos descorrido las cortinas, para que se vea que no hay diferencias.

Miriam y una de sus compañeras se fueron a ayudar a las otras recién llegadas a colocar sus vestidos de faralaes de la mejor manera posible. Las esposas de los *consellers* seguían con sus quejas en perfecto catalán:

—Esta niña tiene piquito de oro, pero a mí no me levanta la camisa. Las enchufadas de Madrid van delante, y las demás a mortificarse.

—Yo ya me bajaría. Porque esto no es trato. Además, me escuece mucho que no se haya dignado venir la mujer del *Presidentíssim*.

—A lo mejor no la invitaron.

—¡Y ahora! Le mandamos la invitación con un tortel de nata y todo. Lo que pasa es que a esas mujeres, a la que llegan a primera dama, se les suben los humos a la cabeza.

Intervino otra amiga, Laieta Siurell i Rocmajó, esposa de un tercer *conseller*:

—No seáis mal pensadas. La mujer del *Presidentíssim* está siempre muy atareada. Tendría alguna inauguración por comarcas. Algún hogar de la sardana, la feria de espárragos de Gavá, un concurso de barretinas...

—Si fuésemos época de elecciones vendrían ella y toda la parentela.

—Yo no le deseo ningún mal, pero ya se lo encontrará. Cuando se muera su marido pedirá que todas las mujeres de Catalunya vayamos al velatorio vestidas de pubilla, pero yo me largaré a Salzburgo vestida de tirolesa. ¡Apa, apa y apa!

Pero estos pleitos de familia no han de importar en el contexto internacional en que esta novela se desarrolla. Es más poético rememorar el momento en que María Asunción Solivianto, incorporándose con suma delicadeza, elevó su voz por primera vez desde el inicio del viaje:

—Amigas y hermanas. Con este despegue hemos iniciado una nueva y ya definitiva etapa de nuestra romería hacia las fuentes de la vida. Propongo que, para mayor complacencia de Nuestra Señora, entonemos un himno de los que solían solazar nuestro espíritu en los benditos días escolares. ¿Os acordáis de alguna canción de las que nos enseñaron las madres?

—¡*Con flores a María*! —gritaron todas al unísono.

Pero aquí se produjo una nueva intervención de las esposas de los prohombres de la Generalitat:

—¡Ah, no! ¡De ninguna de las maneras! Nosotras cantaremos el *Virolai*.

Y se pusieron a cantar, como quien responde a un desafío:

> *Rosa d'abril, morena de la serra,*
> *de Montserrat estel...*

—¿Qué cantan ésas? —preguntó Fificucha Osváldez Barget.

Perla de Pougy se encogió de hombros.

—Debe de ser un bolero griego, porque no se entiende nada.

—Qué cultas son las catalanas. Van a Grecia con el idioma aprendido.

Apartadas, en una actitud digna y concentrada, dos señoras vascas acababan de interrumpir la lectura de unas revistas, acosada su sensibilidad por los cantos de unas y otras.

—Nos hacen tragar mucho, Begoña. ¡Nos hacen tragar demasiado!

—Cálmate, Estíbaliz, que si te exaltas dirán que somos terroristas.

Si no lo eran ellas, pareció que hubiera uno a bordo porque, de repente, el avión empezó a dar brincos y, por un momento, pareció caerse en picado. Las beatas de María Asunción Solivianto estrenaron una salve para invocar a las fuerzas sobrenaturales. Miranda Boronat, perezosa para las oraciones, encontró una explicación más práctica:

—¡No falla! ¡La princesa ya está empezando a fornicar con el piloto!

—Me temo que con toda la tripulación... —comentó la marquesa del Pozo del tío Raimundo.

—No tengo ganas de vomitar, pero vomitaría para demostrarle lo mal que me lo estoy pasando.

—Y yo también, hija mía, pero no por ese vaivén que no puede acarrearnos otro percance que el de la muerte física.

—¡Mujer, si le parece poco percance!...

—La muerte ha de llegar un día u otro. Debemos mirarle siempre a la cara, con una sonrisa de resignación. No me da miedo, no. Temo mucho más a ese picor que no me abandona desde que dejamos la villa y corte.

—¿Y pues qué le pica?

—El alma.

—Ustedes, las personas elevadas, tienen sitios rarísimos para poner picores.

—El alma puede tener picores y hasta furúnculos. Máxime cuando le asalta la permanente sombra de un recuerdo que, a su vez, no se priva de provocar remordimientos.

200

—No la entiendo de nada, pero sí veo que está usted muy pachucha y como ausente y chupada.

La marquesa quiso ahogar un sollozo, pero no pudo. Sollozó, pues, aunque lo justo.

—Ese hijo a quien me dispongo a ver por primera vez desde mil novecientos veintitrés, es la causa y origen de todos mis quebrantos. ¿Cómo me recibirá? ¿Cuántas cosas me echará en cara? ¿Debo dirigirme a él como madre que sufre o como pecadora que gozó? ¿Debe arrojarse él a mis brazos o yo a sus pies, implorando el perdón del cielo?

—Lo tiene usted muy fácil. Véale cuanto antes y sabrá.

—Todo está previsto. Hemos quedado citados en el American Bar del hotel Hilton.

—Francamente, no me parece el sitio más apropiado para entrevistarse con un archimandrita.

—Él dice que es donde preparan los mejores dry-martinis de Atenas. Y ahora déjame proseguir la lectura de este libro sobre la religión ortodoxa. Quiero informarme sobre sus diversas y variopintas manías. Quiero ver si los cojo en un renuncio para demostrar a mi hijo que está viviendo en las tinieblas, mientras en una parroquia madrileña podría vivir bañado de luz solar.

Viéndose condenada al silencio, Miranda se concentró en una película sobre un policía blanco y otro negro que luchaban contra unos delincuentes negros y blancos en una comisaría de Los Ángeles que le parecía haber visto ya en otras películas que transcurrían en una comisaria de Nueva York, Chicago o Miami, donde también aparecían dos policías blancos y uno negro que luchaban contra delincuentes de los mismos colores.

Fatigada por el esfuerzo mental a que la obligaban tantos dilemas de ubicación, Miranda se dedicó a meditar sobre las evoluciones y aun mareíllos de sus compañeras de vuelo. Transcurría éste entre rezos, cantos regionales, bebida a discreción para las más lanzadas y mucho tomar notas para las chicas de los medios, allí reunidas por gentileza de la princesa Von Petarden, que había vendido la exclusiva del evento a cuatro publicaciones y una hoja parroquial de la provincia de Albacete.

Por un lado estaban las cuatro reporteras básicas del fenomenal negocio rosa: Mirta Limones, Eblouisante Domínguez, Sara Tonel y Milena Sánchez-Quirk. Junto a ellas, la fotógrafa particular de cada una: Bría Tupinamba, Choni Beltrán, Severia Luces y Mariluz Petrillo.

Éstas eran algunas de las principales hazañas de tan intrépidas informadoras:

Bría Tupinamba consiguió fotografiar a la baronesa Pernila von Putten cuando estaba haciendo de vientre debajo de un olivo en el curso de una señorial capea en el cortijo de la millonaria sevillana Picha Lío.

Severia Luces retrató al príncipe Pantaleón Sapristi vestido de Teresa de Jesús en el curso de una fiesta de travestidos en la capilla de San Roque de los Cuernos.

Choni Beltrán obtuvo las famosas fotos del ministro y el futbolista paseando cogidos de la mano por el coto de Doñana.

Mariluz Petrillo, tras una ardua persecución que duró veinte días con sus veinte noches, atrapó a la esposa del banquero Melquíadez dándose el morro con el banquero Perdiélez en una pensión de El Escorial.

Éstos eran, además, los más laureados artículos de las reporteras:

«La condesa Potota Lentilla atrapada con un gitano debajo de un puente» (Mirta Limones), «La princesa de Lochinstorti muestra su palacio incluido el niño mongólico» (Eblouisante Domínguez), «La espléndida menopausia de la reina de Inglaterra» (Sara Tonel), «¿Era lesbiana la perra *Lassie*?» (Milena Sánchez-Quirk).

Como puede verse, eran mujeres que gozaban de imperio y gobierno sobre el gusto colectivo, aunque no todas las señoras del vuelo les concedían igual importancia. Sin ir más lejos, las catalanas de la Generalitat las esquivaban como al diablo, tan convencidas estaban de que una aparición en cualquiera de sus artículos podía arruinar su buen crédito, basado en la discreción y el buen tono. Pero en realidad eran las chicas de los medios quienes les daban de lado, en la idea de que a las importantes catalanas, más allá del Ebro, no las conocía ni su madre.

En aquel momento se oyeron unas frases destempladas, dirigidas contra la azafata Miriam y el azafato Jerónimo, que avanzaban por el pasillo con el carrito de artículos libres de impuestos.

Era Mariona Finestrell i Palautordera transmitiendo una de sus habituales quejas:

—Oiga, señorita, ¿cómo es que no tienen artículos catalanes?

—¡Eso mismo! —dijo Nuri Sant Celoni i Vertun—. ¿Dónde están los ricos carquinyolis, las sabrosas butifarras, el incomparable fuet de Vic...?

Ésta es una de las preguntas a que ninguna azafata del mundo les apetece responder, de manera que la llamada Miriam se limitó a encogerse de hombros mientras Jerónimo ofrecía a las señoras el catálogo de ventas.

—No, si ya lo hemos mirado —exclamó Mariona Finestrell i Palautordera, rechazando el catálogo con un gesto brusco—. ¿O que se piensa que hablamos por hablar? Tramitaré mi queja a Iberia. Sepa que habla usted con la esposa de un *conseller* de la Generalitat, que es mucho decir.

—Eso mismo —dijo Nuri Sant Celoni i Vertun—. Es decir más de lo que decimos.

Continuaron poniendo de vuelta y media a la azafata Miriam, mientras ésta se apresuraba a retirar su carrito ante el anuncio de que el avión estaba iniciando el descenso en el aeropuerto de Atenas.

Todas se abrocharon el cinturón de seguridad, menos una marquesa que dijo que ella no se abrochaba un cinturón si no era de Loewe. Todas le dieron la razón menos el azafato Jerónimo, que estuvo a punto de darle un sopapo. Y en este trance se hallaban cuando las ruedas del avión se posaron en la pista como un beso de ángel en el cuello de una blanca paloma.

—Qué aterrizaje más fino —exclamó con su habitual dulzura María Asunción Solivianto—. ¡Es la Señora quien lo ha dirigido!

Todas aplaudieron, y algunas entonaron *De rodillas, Señor, ante el sagrario*, con tanto acierto que el himno coincidió con el regreso de la princesa Von Petarden. A Miranda no se le escaparon las arrugas de su vestido ni el desorden del cabello ni un rastro de concupiscencia en su sonrisa.

—Mire en qué estado llega esa Petarden. Señal que ha habido tomate.

—Para mí que hemos aterrizado con el piloto automático —dijo la marquesa.

La recién llegada sacó la polvera y se dio unos toques. Al percibir que su secretaria le dirigía una mirada de inteligencia, comentó por lo bajo:

—¡Ay, Beverly! ¡Qué bien se ve el Peloponeso desde la cabina!

—¿Pues no se fue para ver Zaragoza?

—¡Lo que cambian los paisajes en tres horas! La verdad es que me han pasado en un suspiro... Por cierto: ¿se acuerda de las islas donde haremos escala?

—Por supuesto. Las tengo todas anotadas. Una a una. Día, hora y minuto.

—Pues hágame un favor: apúntelas en un papel reciclado y déselo a la azafata para que lo entregue al piloto. Él comprenderá.

PASADOS YA TODOS LOS trámites de pasaporte y aduanas, dos autocares con aire acondicionado las llevaron a uno de los muelles privados del Pireo, donde estaba anclado su barco. Por el camino, una guía les iba explicando los pormenores de la ruta, pero nadie le prestaba atención. Sólo cuando, al llegar a la puerta de Adriano, vislumbraron la Acrópolis comentó alguna que, de lejos, las ruinas parecían nuevas, como de ayer mismo.

—Yo no soy muy de ruinas —comentó Pilar Prima de la Higuera—. Siempre acabas con los pies hinchados.

—A mí me encantan, pero a condición de verlas rápido. Me acuerdo que hace unos años fuimos con Pilarcita Sotorreyes y otras amigas a Venecia. Lo vimos todo en una tarde. Al día siguiente, como no nos quedaba nada por ver, nos metimos en un cine donde daban *Emmanuelle*, que estaba prohibida en España.

—Ya tienen ustedes razón, ya —comentó Mariona Finestrell i Palautordera, en un intento de hacer amistad—. Sin ir más lejos, cuando nos desplazamos a Egipto acompañadas de nuestros esposos los *consellers*, nos hicimos pasar un vídeo de las ruinas en el hotel para no cansarnos. Y el resultado fue el mismo que si nos hubiésemos cansado. ¿Es verdad o no es verdad, Nuri?

—Y tanto —concedió la otra—. Vimos las ruinas con un colorido, un vistosidad que no tienen cuando las ves de cerca.

Con esta moral, compartida por casi todas las señoras, fueron dejando atrás el centro de Atenas para buscar la carretera del Pireo. Y aunque la guía les contó que en la época clásica existían unas murallas que iban desde aquel puerto a Atenas, todas siguieron en sus cosas, que eran variopintas y en modo alguno interesantes. Pura charla ideada para no callarse.

Beverly Gladys Gutiérrez seguía aferrada a sus papeles. Se adivinaba en ella a una de esas mujeres que no soportan dejar nada al azar, y mucho menos cuando se había tomado la organización del viaje como cosa propia de cuya perfecta resolución dependían los planes de la princesa. Y como sólo vivía para merecer sus elogios de la manera más repetida posible, no había detalle en su comportamiento que no estuviese encaminado en tal dirección. Beverly era como Mary Poppins: prácticamente perfecta en todo.

Pero como toda belleza suele tener algún lunar, no toda su perfección era tan fácil de soportar como pudiera parecer a los extraños. Al contrario: había momentos en que se excedía. Demasiados momentos, en realidad.

—Si quiere que le diga la verdad, estoy inquieta por las que se han apartado del grupo. Esto puede complicar las cosas. ¿Quién nos dice que Rosa Marconi sabrá encontrar el puerto? En cuanto a la ministra, vaya a saber si llegará a tiempo de alcanzarnos...

La princesa suspiró, con plácida indiferencia:

—Cuando una mujer tiene que conseguir el Partenón para ponerlo en la isla de la Cartuja, está excusada de antemano. Por cierto, he notado que desde que aterrizamos no para usted de dirigirme miradas hostiles. ¿He hecho algo para incurrir en su desagrado?

Beverly Gladys Gutiérrez guardó un segundo de silencio. Era cierto que por sus ojos asomaba el rencor, pero optó por reprimirlo un rato.

—Se lo comentaré luego. Ahora debo ocuparme en la distribución de los camarotes. Esas fieras son capaces de armar la marimorena.

—Nadie puede tener el menor motivo. Usted organiza las cosas de maravilla —la otra le dirigió una sonrisa servil. A su lado, la de una esclava sería altiva—. Claro que de la misma manera que la halago, puedo permitirme criticarla ligeramente...

—No me asuste —exclamó Beverly con el espanto reflejado en su rostro—. ¿He hecho algo malo? ¿He cometido algún error?

—Niguno, querida, ninguno: no se me vaya a suicidar. Mi reproche se refiere únicamente a una cuestión de estilo.

—¿Cómo? ¿No voy arreglada? ¿No se me ve compuesta?

—Demasiado, querida, demasiado. Ese cabello tan teñido, ese rubio que no se sabe si es de oro o de flan, toda esa laca... Me temo que en su empeño por parecer norteamericana se está pareciendo cada día más a la muñeca Barbie.

—Eso no es verdad —gimió Beverly—. Voy estilo «Hollywood Glamour» de los noventa.

—¡Que se cree usted eso! —dijo la princesa y, volviéndose hacia las demás, preguntó a voz en grito—: Vamos a ver, chicas: ¿a quién se parece nuestra querida Beverly?

—¡A la muñeca Barbie! —gritaron todas.

Emilita Redes de Ruiz-Ruiz comentó a su amiga Margot Sepúlveda:

—Ya quisiera yo ser como ella. Es una secretaria monísima. ¿Qué marca de laca crees tú que usa?

—Todas —contestó Margot.

Ajena a aquellos elogios, Beverly Gladys Gutiérrez dirigía a la princesa una de esas miradas suplicantes que dedicamos a los árbitros de nuestros destinos. Y, con voz trémula, tartamudeó:

—Es que soy venezolana. Si no me pareciese a Barbie se vería mucho mi parte de india putumaya. *(Sniff!)*

Tejiendo y destejiendo conversaciones llegaron a uno de los puertos de la zona más elegante del Pireo. Estaba destinado a las embarcaciones de recreo, y contenía los más deslumbrantes ejemplos de lo que el lujo es capaz de aportar a la navegación. Ninguno de aquellos yates bajaba de los cien millones; y algunos, para no avergonzarse ante los demás, sobrepasaban esa cifra.

Comprendieron todas que, dentro de la selectividad que privaba en aquella zona del gran puerto de Atenas, habían ido a parar al escondite de la verdadera *crème*.

Por encima de las banderas de varios países destacaban algunas naves de gran tonelaje: auténticos hoteles flotantes destinados a más de veinte personas. Entre todos ellos sobresalía un bajel verde, que estaba ya preparado para partir, con la bandera española pregonando el origen de sus provisionales dueñas.

La guía informó sobre la existencia de un pequeño centro comercial en cuyas tiendas y supermercados los propietarios de los yates solían hacer sus últimas compras antes de echarse a la mar. Todas aplaudieron con agrado la posibilidad de adquirir esas menudencias que una siempre olvida al hacer el equipaje: ese cepillo de dientes, esa pasta dentífrica, ese depilatorio, ese urgente qué-sé-yo...

Fue entonces cuando Perla de Pougy puso el grito en el cielo:

—¿Y hombres? ¿En qué tienda venderán hombres?

Y es que acababa de descubrir a la tripulación del *King Poseidón*, que así se llamaba la nave, en dudoso homenaje al rey de los mares.

Eran quince hombres, debidamente uniformados de blanco. Presentaban todos un aspecto limpio, disciplinado y, si se quiere, afectuoso y acogedor, de manera que no podía hallarse aquí el motivo de la repentina queja de Perla de Pougy. Tampoco en sus capacidades de marinero, pues se sabía que estaban entre los mejores. El verdadero problema radicaba en la desagradable disposición de sus rostros, que en nada tenían que envidiar a los del mítico Picio. Tampoco complacía a la mirada ciertas anomalías de los cuerpos: alguna espalda demasiado cargada —en realidad, casi una joroba—, algún pecho excesivamente abultado en forma de pirámide, más de un reuma y muchos lumbagos... En cuanto a la edad, entre los quince deberían sumar unos novecientos años.

—¡Qué feos son! —exclamó Perla de Pougy—. Y, sobre todo, ¡qué mayores!

La princesa, que como sabemos tenía su plato asegurado, no se inmutó siquiera.

—La verdad es que se parecen todos a Popeye; pero, en fin, ha sido una exigencia de María Asunción Solivianto. Dice que con tantas mujeres solas no quiere arriesgarse a un escándalo. Y a mí, si quieres que te diga la verdad, no me parece mal. Tampoco estaría bien venir a celebrar el Día de la Mujer Trabajadora y acabar conmemorando la fundación de Sodoma y Gomorra.

—Pero ¿qué dices? ¿Es que las mujeres trabajadoras no hacen el amor?

—No creo que tengan tiempo. Y las beatas no quieren hacerlo. La misma María Asunción sólo ha sido besada una vez por los labios de san Luis Gonzaga, y fue en sueños. Me lo contó ella misma.

Los orgasmos metafísicos de una reprimida sólo podían interesar a los redactores de alguna hoja parroquial. Otro problema empezaba a latir con verdadera fuerza, y Mariona Finestrell i Palautordera lo puso en evidencia sin la menor contemplación:

—*Escolti*, princesa. Aquí hay algo que no funciona. Nosotras, las catalanas de toda la vida, no podemos viajar en un barco que lleva esa cosa en el mástil.

—¿Dónde ve usted un mástil, guapa? Y, sobre todo, ¿qué es un mástil?

—Es aquel palo donde ondea *esa* bandera.

—Hija, es la española.

—Exactamente. La rojigualda.

—Dos colores bien bonitos. Visten mucho para cualquier bandera.

Y acto seguido se puso a cantar, ante el aplauso general:

> *Como el vino de Jerez*
> *y el vinillo de Rioja*
> *son los colores que tiene*
> *la banderita española...*

Lejos de impresionarse, Mariona Finestrell i Palautordera obsequió a la princesa con una disertación sobre el nacionalismo que le cogió por sorpresa. No había la menor picardía en su ignorancia. Habituada a dejar los periódicos una vez leído el suplemento financiero y hojeada la sección de espectáculos, acogía las cuestiones autonómicas, así como las distintas lenguas de las Españas, como una encantadora vertiente del alma popular incontaminada, igual que los botijos y trajes típicos de su colección.

Mientras ella se informaba sobre las pluralidades del país en cuyas revistas reinaba, Beverly Gladys Gutiérrez, agenda en mano, agrupaba al resto de invitadas de Barcelona. Con ellas no había peligro de polémica. Estaban tan castellanizadas que ya habían empezado a ensayar pasos de sevillanas en la cubierta del barco. Así pues, cuando Beverly consultó a Fanny Riurell i Rebull sobre la cuestión de las banderas, ésta se encogió de hombros y dijo, con su notorio acento de ricachona viajada:

—A nosotras esta cuestión nos da igual, porque somos catalanas, pero no nos pasamos.

Mariona Finestrell i Palautordera no perdió un segundo para imponer sus ideas:

—En cambio nosotras tenemos a gloria serlo y, por tanto, exigimos que en lugar de la bandera rojigualda pongan la *senyera*.

—¿Qué es eso de la *senyera*? —preguntó la princesa.

—Será aquella película titulada *La senyera Miniver* —dijo la marquesa del Pozo del tío Raimundo.

Como sea que la cuestión se estaba prolongando más de la cuenta, intervinieron las dos vascas:

—¿Quién está hablando de banderas? Porque si nos ponemos en ese plan, nosotras exigimos que se ponga la *ikurriña*.

—Ni más ni menos. Y la imagen de Nuestra Señora del Coro en la proa, para asegurar una buena navegación.

—De eso ni hablar —dijeron las catalanas—. La de Montserrat. O todo lo más la de Nuria.

En este punto, las señoras pertenecientes a otras autonomías decidieron que también debían tener voz en una cuestión que exigía tanto voto. Unas sevillanas propusieron a la Macarena, tres de Jerez a la Rociera, las mañas a la Pilarica, y ante tantas divisiones optó por intervenir María Asunción Solivianto, cuyas opiniones eran siempre escuchadas.

—Yo, en lo de las banderas no puedo entrar, porque huele a política, pero sugeriría que en la cuestion de las vírgenes no montemos litigio, porque podrían enfadarse las que no salgan elegidas y, haciéndonos a la mar, no nos conviene. Para tenerlas a todas aplacadas, propongo una Virgen cosmopolita: la de Lourdes, sin ir más lejos.

—¡Ésa, ésa, que no compromete!

—Pero, María Asunción, cielo, ¿dónde vamos a encontrar a estas horas una Virgen de Lourdes?

—Siempre llevo una en el bolso porque a veces, por las calles de Madrid, te encuentras algún mendigo tullido y se la refriego a ver si hace el milagro.

La princesa acogió con alborozo la bondad y el acierto de aquella elección.

—Como siempre, María Asunción Solivianto, ¡ese ángel! ha dado con el camino menos curvo entre dos puntos. Y si, a veces, la sabiduría se contagia, espero haber dado yo con una solución, si no tan acertada, sí, cuando menos, aproximada. Ya que cada autonomía...

—Autonomía no —interrumpió una vasca—. ¡Nacionalidad!

—Eso mismo —dijo Mariona Finestrell i Palautordera—. *Nacionalité*, señora princesa, *nacionalité*.

—Pues eso —dijo la princesa, a punto de perder el tino—. Como ni las de una *nacionalité* ni las de otra *nacionalité* se ponen de acuerdo, propongo que elijamos un punto medio.

—¡El oso y el madroño! —gritó Emilia de Ruiz-Ruiz.

—Nada de osos, que todavía tendríamos más problemas. Miren ustedes, bonitas, yo me siento tan española como la que más, pero también es cierto que, por parte de matrimonio, soy italianísima y, no nos engañemos, la cantidad más importante de esta celebración que nos disponemos a emprender se debe a un donativo de mi marido, el príncipe...

Aquí se exaltó Mariona Finestrell i Palautordera:

—¿Cómo? ¿La Generalitat no ha dado nada?

—Ni las gracias, guapa. O sea que, si encima nos vienen con exigencias de banderas, las mando a la mierda y punto. —Hizo una pausa que le permitió recuperar la finura—: *Hélas*! Volviendo al tono que más nos acredita: ¿qué les parece si solucionamos este desagradable conflicto optando por un término medio, que no es otro que la adopción de la bandera italiana? Piensen que no nos desacredita en absoluto.

—Todo lo contrario —dijo María Asunción Solivianto—. En Italia nació el latín, que es el idioma ideal para decir la santa misa.

—Eso era antes —dijo Pilar Prima de la Higuera. Y, mirando de reojo a las catalanas, añadió—: Ahora la celebran incluso en dialectos incomprensibles.

Mariona Finestrell i Palautordera acusó el golpe y supo responderlo:

—Para incomprensible lo que le dio a usted su padre.

—¿Pues qué me dio?

—Su apellido.

A partir de aquel momento comprendieron que serían enemigas.

Por una vez, Nuri Sant Celoni i Vertun tomó la inciativa:

—Yo, mientras no me vea regresando a Cataluña con la cabeza baja por haber viajado con bandera española, voto por la italiana.

—Tampoco crea usted que nosotras volveríamos muy tranquilas a Bilbao —dijo Estíbaliz Zumalacárregui Chorillo.

—Exactamente —asintió Begoña Arrieta Noriega—. Hoy en día no se sabe por dónde pueden ir los tiros.

Es signo de los tiempos que catalanas y vascas prefieran viajar con bandera italiana, pero todo está bien si bien termina y sobre todo si asegura la buena marcha de un crucero consagrado al triunfo de la mujer trabajadora.

Así se fueron a pasar su tarde en Atenas y, a la mañana siguiente, se hacían a la mar. Y cuando al cabo de una hora pasaban por el cabo Sunion, dominado por las columnas del templo de Poseidón, exclamó la esposa del *conseller* de la Generalitat, con lágrimas en los ojos:

—Mira, Nurieta, mira: ¡parecen las ruinas de Ampurias!

Capítulo séptimo

SORPRESA OLÍMPICA

Habíamos dejado a Victoria Barget y Elena Arquer en la decisión de volar a Atenas, perfectamente vestidas de verano, pero con la discreción de un entretiempo.

Stavros las llevó al aeropuerto, que así llamaban los isleños a dos miserables hangares donde esperaban los escasos viajeros para el único vuelo diario a la capital. El chófer tenía el mismo aspecto que a Elena tanto la impresionó el primer día, pero ahora acrecentado por un aura de violencia, fruto de la escena que había contemplado poco antes. Y es que cualquiera que fuese la opinión de Victoria Barget, una bofetada administrada por un hombre guapo no deja de tener su efecto, y confirma la teoría de que en cada mujer madura se esconde una Gilda en potencia.

Dos horas después, se hallaban tomando té con pastas en el corazón de Atenas. Victoria había elegido la encantadora pastelería *art-déco* de la céntrica calle Panepistimiou, que va de la plaza Sindagma a la Omonia, partiendo así el centro de la ciudad moderna.

Desde las mesas de la pastelería-cafetería Odi-

seo se divisa la mansión neoclásica del arqueó-
logo Schliemann, y Elena Arquer se entretuvo recordando una exposición sobre el oro de Troya
que vio en aquel edificio, tantos años atrás.

Al terminar su disertación, comentó:

—Yo no tengo por qué compartir su desinterés por lo que está pasando en Madrid; así que
me gustaría pasar por los quioscos de la plaza
Sindagma. Recuerdo que, a partir de las siete, llegan los periódicos españoles.

—Cómprelos, si quiere, pero debe prometerme
que se guardará las noticias para usted sola. A
cambio, la llevaré a una taberna popular que nadie se habrá preocupado en descubrirle. Está en
un patio muy pintoresco, con parra incluida. Un
sueño colocado a los pies de la Acrópolis.

De pronto, Elena consultó el reloj. Tuvo la impresión de que estaba robándole tiempo a su
amiga y apuró rápidamente su chocolate.

—No tenga prisa —recomendó Victoria—. Estamos en pleno *shopping center*, y esta tarde sólo
quiero ver un par de tiendas. Las demás las dejamos para mañana.

—¿Qué quiere comprar?

—Nada excesivo. Teniendo a mi marido en la
cárcel, no estaría bien que derrochase su dinero
en una crátera de la época de Pericles... —Elena
demostró su desagrado ante aquel comentario.
Victoria cambió inmediatamente de tono—: De
todos modos, no podría hacerlo: son caras, incluso para mí. Pero sí puedo permitirme alguna
porcelana del período otomano, alguna lámpara
art-nouveau... Mañana podemos ir al *marché aux
puces* de Monastiraki. Todo el mundo dice que ya
no es lo que era, pero todavía puede encontrarse
alguna ganga. ¿Sabe? Me encantan esas opalinas

de varios colores, ideales para el baño... —De repente, se interrumpió—. Sólo hemos tomado chocolate, ¿verdad?

—Seguro, ¿por qué?

—Porque si hubiésemos tomado ouzo diría que estoy bebida. Esa mujer que está contemplando la casa de Schliemann es la de la televisión... ¿Cómo se llama?... ¡Rosa Marconi!

—¿La de «El pueblo quiere saber»? No lo creo. Sólo se le parece.

—Le aseguro que es ella. La tuve toda una tarde en casa, intentando convencerme de que participase en un programa que quería dedicar a las mujeres de los banqueros importantes. ¡También es desgracia encontrármela en Atenas!

Nunca se vio tan vigilada la mansión de Schliemann como ese día en que unos ojos españoles esperaban ávidamente que se volviese una mujer relativamente joven, de aspecto internacional. Y al volverse ella, con gesto torpe y despistado, para consultar una guía, reveló bien a las claras uno de los rostros más televisionados de las Españas. La dinámica Rosa Marconi, tranquilizada de repente porque ya era una chica Prozac desde hacía seis días.

—En efecto, es ella —afirmó Elena—. ¿Qué piensa usted hacer?

—Vamos a salir por la puerta de atrás. Tiene acceso a unas galerías comerciales que nos permitirán atravesar la manzana sin que esa mujer nos vea.

A Elena le admiró que su anfitriona hubiese aprendido a conocer Atenas en tan poco tiempo, pero no le costó mucho rectificar su asombro: este conocimiento sería el fruto de muchos paseos románticos de la mano de su jovencito... o acaso a solas, caminando a la deriva, consagrada a meditaciones poco gratas para curar heridas dolientes.

En cualquier caso, se cumplió la predicción. Las galerías comerciales, que se dan en Atenas como colmenas, salían a la calle Stadiou y, desde allí, era fácil rodear el hotel Grand Bretagne, cruzar hacia los jardines del Parlamento y perderse entre las calles que suben hacia el monte Licabetos, formando la parte sofisticada de la ciudad.

Siguiendo la calle Solonos, justo detrás de donde podía estar paseando Rosa Marconi, llegaron a un pequeño anticuario, más bien brocantero, cuyo escaparate rebosaba en objetos que Victoria calificó de deliciosos. Y, en efecto, lo eran, porque parecían sobre todo innecesarios. Lámparas Liberty que daban poca luz, biombos chinos que no tapaban, gramolas *grande-guerre* que no sonaban...

Victoria había reservado aquellos caprichos para llenar unas habitaciones de invitados a los que, en realidad, no deseaba recibir nunca. Pero es característico de la gente poderosa tener las mansiones a punto, aunque sea para mantenerlas siempre cerradas a cal y canto.

¿Y no era éste, al fin y al cabo, el destino de aquellos objetos dispersos? En todo anticuario descansan, aglomerados, montones de fragmentos de la memoria que, por haber pertenecido a tanta gente, acaban por no pertenecer a nadie. Y a Victoria le apasionaba verlos en tan infame cafarnaum, porque equivalía a descubrir el pasado menos conocido de la ciudad: ese pasado reciente, de poco más de un siglo, que pasa inadvertido para aquellos que sólo ven en Grecia un recuerdo clásico, perdido en los siglos.

De pronto, el respetuoso silencio de Victoria fue interrumpido por un grito chirriante y absurdo:

—¡Victoria! ¡Victorita!

Se volvió horrorizada ante el sonido de aquella voz demasiado conocida. Una voz que tenía algo de timbre, cascabel y timbal a la vez.

Era Miranda Boronat, que la retenía por el brazo, mientras seguía aullando:

—¡Chicas! ¡Chicas! ¡Es nuestra Victorita!

Victoria no tuvo tiempo de reaccionar. Las vio aparecer una a una entre los trastos de la tienda. Allí estaban, como enviadas por el demonio, Perla de Pougy, la princesa Von Petarden, Zenaida del Pozo del tío Raimundo y alguna más.

—¡Es ella! ¡Es ella! —gritaron todas a la vez.

—Pero ¿no estaba en una isla? —preguntaba la marquesa.

—Ha venido a esperarnos —gritó Miranda—. ¡Menos mal que recibiste mi fax a tiempo!

—¡El fax de ocho páginas era tuyo! —exclamó Victoria, a punto de desmayarse.

—¡Claro! De tu amiguísima. Lo que te decía: estamos *todas* aquí... Queremos verte, mona, linda, corazón... ¿Y a que no sabes quién nos acompaña? ¡Tu hija amada! Sí, sí, Fificucha en persona viva.

Eran demasiados sustos a la vez, pero una mujer que ha vivido sabe reponerse a tiempo. Así pues, sin dar la menor tregua, Victoria empujó a Miranda contra un montón de chales, cogió a Elena del brazo y la arrastró al exterior de la tienda.

—¿Qué tal se le dan las carreras? —preguntó con la respiración entrecortada.

—¡Fatal! —exclamó Elena—. Pero puedo probar en caso de guerra.

Curiosa imagen para diversión del pueblo griego. Dos españolas elegantísimas que corrían como locas cogidas de la mano mientras otras diez, cargadas de paquetes, las perseguían gritando: «¡Victoria, Victoria!»

Más de un transeúnte pensaría que, en España, había ganado el Real Madrid.

Victoria no podía pensar en ironizar ni en nada; Elena sólo en su resuello. Estaban a punto de cruzar el semáforo, sin tiempo a mirar siquiera los colores, cuando un taxi frenó bruscamente a su lado. Podrá parecer un milagro, estando en Atenas, pero iba libre y el conductor no era grosero.

—¡*To aerodromo!* —exclamó Victoria, sin aliento. Y lo repitió por tres veces, ante la mirada de su compañera.

—Pero si no hay vuelo hasta mañana... —protestó Elena.

—No se apure. En el aeropuerto de vuelos domésticos alquilan helicópteros para desplazarse a cualquier isla. Por cierto, ¿le dan miedo los helicópteros?

—No he montado nunca. De todos modos, no me gustaría morir sin haber cumplido mi misión: hacerla regresar a España.

—Querida, si las ochenta mejores amigas de Miranda Boronat están en Grecia, le aseguro que vuelvo a España con usted y me encierro en el monasterio más apartado de Soria. ¡Como mínimo!

Sólo una cosa era evidente: el grupo había llegado a Atenas para iniciar su crucero en el Pireo, y los dioses olímpicos no habían hecho nada para impedirlo.

DURANTE EL VUELO de regreso a Leikós, Victoria se limitó a comentar que el alquiler de un helicóptero era más barato de lo que ella creía. No es que trescientas mil pesetas mejor o peor cambiadas fuese una cantidad capaz de asustar a Elena Arquer, pero la idea de considerarlas es lo que más le extrañó en la reacción de su anfitriona, de manera que se dijo: «Seguro que antes no se preocupaba por lo que valen las cosas. Ahora empieza a pensarlo. Ya es plenamente consciente de que el dinero es suyo. Y en ese caso, ¿quién podrá convencerla de que no debería serlo?»

Pero Victoria Barget estaba muy lejos de pensar en el dinero (privilegio, por otro lado, de quienes lo tienen). Toda su atención estaba concentrada en Miranda Boronat y su rápido encuentro en el anticuario de Atenas. Un encuentro tan rápido como la negativa a leer su fax por la mañana. Todo demasiado veloz para que ahora no lo considerase una falta de prudencia. Después de todo, una no debe fiarse de amigas que son capaces de tomar un avión para ir a comprar unos guantes en Londres o Milán. ¿Quién les impide acercarse a Grecia para merendar?

Llegaron a la villa tan nerviosas que Elena ni siquiera se molestó en apreciar la belleza del chófer, apreciación que se había convertido en su pasatiempo preferido en los últimos días. Tuvo que contentarse con entregarle los paquetes sin apenas mirarle y echar a correr tras de Victoria, que ya estaba subiendo las escalinatas del porche como una exhalación.

Una vez en el salón, Victoria empezó a registrar por todos los rincones, mientras pronunciaba como una letanía los nombres de algunas amigas.

—¿Se puede saber qué busca con tanto desespero? —preguntó Elena Arquer, con más ironía que curiosidad.

—Tengo que encontrar el fax de Miranda como sea... ¿Oyó usted si dijo que pensaba presentarse en esta isla?

—Me lo ha preguntado usted veinte veces durante el vuelo. No dijo absolutamente nada de venir.

—Pero sería lógico que lo hiciera. Conozco a las que iban con ella y son cotillas por naturaleza... ¿Dónde dejaría yo ese fax?

Elena le encendió un cigarrillo y, después de dárselo, sacó unos periódicos del bolso:

—Mientras esperábamos en el aeropuerto me he entretenido hojeando la prensa española.

—Si dice algo de mi marido, guárdeselo para otro momento.

—Dice de otros. Han sido llamados a declarar sus consejeros. También algunos miembros de la administración pública. Y se sospecha de altos cargos del Ministerio de Economía.

—¿Y qué esperaba usted? ¿Qué les hicieran un monumento?

Elena Arquer se quedó pensativa, si bien la respuesta no admitía muchos razonamientos.

—Francamente, salí de un país y voy a volver a otro. Me gustaría que por lo menos los árboles del Retiro no estén cubiertos de mierda.

—Ayúdeme a buscar ese fax y no sea pesada...

Elena se acercó a la mesita de la ventana y cogió unos papeles.

—Está aquí.

—¡Dios mío! ¿Dónde?

—Donde lo dejó usted.

—Parece lo más lógico; al fin y al cabo siempre fui una mujer ordenada. Pero si Miranda me anuncia lo que temo, será difícil mantener la cabeza y la tranquilidad... Vamos a ver: me cuenta el divorcio de Petrita, las rebajas de verano de Helenia Benarroghini, tres fiestas seguidas... Nada de esto interesa... ¡Por fin habla de Grecia!... —A medida que leía se iba alarmando—. ¡Horror! ¡Vienen todas! ¡No falta ni una!

—¿Vienen a esta isla?

—De paso. Primero van a Patmos. Se les ha de aparecer la Virgen en la cueva del Evangelista.

—No me haga reír.

—María Asunción Solivianto es capaz de mezclar el Apocalipsis con las profecías de Fátima y quedarse tan ancha. Pero no es esto lo que me preocupa. Es que están a un día de navegación y nadie las va a detener. Las conozco. Escuche esto: «Todas, pero todas, tenemos muchas cosas que preguntarte, así que no adquieras ningún compromiso y dedícanos un día entero para diversiones varias y coloquios de negocios exactos...» ¡Esto significa que necesito encontrar cualquier compromiso a muchos kilómetros de aquí!

Se puso a dar vueltas por la habitación, agitando los papeles a guisa de bandera. Parecía a punto para hacer un discurso que no acababa de salir. La otra seguía sus pasos con mirada divertida.

—Yo no veo el problema. Deje dicho al servicio que no abran la puerta.

—Es que entonces dirán que soy una grosera.

—¡Acabásemos! Quiere comportarse mal sin dejar de quedar bien. Es típico de las señoronas.

—Prescinda de las frases brillantes, ¿quiere? No se trata de analizar mi comportamiento, sino de mantenerlo. Exijo mi tranquilidad a toda costa. ¿No tengo un yate? Pues que sirva para algo.

—Si su marido estuviese en la cárcel de Barcelona y no en la de Madrid, le sugeriría que surcase el Mediterráneo y corriese a liberarlo. Esto le daría un aureola de heroína que sería muy apreciada.

—Hágalo usted. ¿No hizo el amor con él cinco veces? Pues es más de lo que yo conseguí en diez años.

De pronto se detuvo y miró a Elena, alarmada. Era una confesión que no debiera haberse permitido. Improvisó una excusa rápida:

—Por supuesto, no va a interrogarme sobre este asunto... ¡No ahora!

Por suerte para ambas no hubo tiempo. Acababa de entrar Lía con el teléfono portátil en la mano. Elena observó que, además, llevaba un ojo morado. Pero en aquel momento importaba más el contenido de la llamada que la predisposición de víctima oficial a que tendía la fámula.

Llamaba el niño del *master* en línea directa desde la isla de los tritones.

—Menos mal que se te ha ocurrido llamar —exclamó Victoria, sin disimular su inquietud—. Tienes que regresar ahora mismo. No puedo contártelo, pero es urgente que salgamos de viaje. ¿Que no podemos? ¿Por qué? —Permaneció unos segundos callada. Pero lo que iba escuchando aumentaba en su rostro la expresión de alarma. Al

226

cabo, añadió con la voz más alterada—: ¡Esa mujer! Olvídate de ella y ponte en camino ahora mismo. Puedes estar aquí a la hora de cenar. No importa que sea tarde. En Vassili's no cierran la cocina hasta la madrugada.

—¿Malas noticias? —preguntó Elena Arquer, cuando la otra hubo colgado.

—Alarmantes. Ese ingenuo dice que Rosa Marconi ha conseguido localizarle a través de unos amigos del consulado. Está dispuesta a acercarse a Leikós para hablar conmigo. ¿Se da usted cuenta de lo que eso significa? ¡La televisión en mi casa!

—Son los inconvenientes de la fama. Esto le ocurre por ser una figura pública.

—Cuidado con lo que dice. He pasado todos estos años a la sombra de mi marido, de una manera completamente voluntaria. Jamás he tenido el menor interés por ver mi rostro en un periódico y, desde luego, no voy a empezar ahora. Lo que he hecho es para mí misma, en mi provecho, no para entretener la curiosidad de señoras que no saben en qué ocuparse.

—Está bien. Tiene todo el derecho a seguir huyendo. ¿Cómo piensa hacerlo?

—Puedo aceptar una invitación que me hizo hace unas semanas Minifac Steiman.

—¿La novelista de los orgasmos fallidos? Perdone la risa. Creo que así la llaman en Inglaterra.

—Llámela como quiera, pero en este caso nos va a ser útil.

—Yo no pienso regresar a España con las manos vacías. No se irá sin que antes hayamos solucionado lo nuestro.

—¿Ahora lo pone en plural? Hace bien, puesto que le interesa a usted más que a mí. Pero no tenemos por qué discutirlo en esta isla. Tengo el yate a punto para cualquier emergencia. Podemos embarcarnos por la mañana, rumbo a Creta. Definitivamente, la casa de Minifac será un buen escondite. Voy a llamarla ahora mismo.

Elena apartó violentamente los periódicos y propinó a la mesa un puñetazo inesperado. Nada más justo, ya que acababa de recibir un golpe bajo.

—¡Creta! ¡Entre todos los lugares del mundo me propone usted volver a Creta!

—¿No quería recuperar su juventud?

—No diga tonterías. La juventud es irrecuperable. Me contento con rememorarla.

—Embustera. Lo que ocurre es que tiene miedo.

—Si lo tuviese estaría en mi derecho.

—De acuerdo, pero ¿tiene miedo?

Elena tardó unos segundos en responder. Cuando lo hizo, ofreció la respuesta lógica:

—Mucho.

—Razón de más para acompañarme. Cuando vea que en Creta ya no quedan hippies, dejará de mortificarse con los recuerdos.

—No es la ausencia de hippies lo que me duele.

—¿Qué es entonces?

—La sensación de que todos éramos mejores. ¿O no se acuerda ya?

—Claro que me acuerdo. Por eso no leo los periódicos españoles.

—No haga usted demagogia. No éramos mejores por no ser unos chorizos, pues tolerábamos que otros lo fuesen por nosotros. Pero acuérdese de que teníamos fe y mucho corazón. Tanto como para indignarnos continuamente. Tanto como para no aceptar que la mediocridad alcanzase algún día a nuestros maridos y a nuestros hijos.

—Por lo que veo, su marido y sus hijos también caben en el caos.

—Cabe todo, sí. Todo empezó a caber desde que dejamos de mejorar.

Hizo una salida digna de una reina dispuesta a abdicar, y Victoria Barget se preguntó si no habrían ido demasiado lejos. Su intuición le dijo que, por el contrario, no se aproximaban lo suficiente. O no conocía a las mujeres o Elena Arquer tenía tanta necesidad como ella de vomitar un alud de confidencias. Había algo que no acababa de funcionar en los mecanismos de defensa de aquella mujer aparentemente firme y segura. ¿El marido? ¿Los hijos? ¿O acaso algo lamentablemente llamado España?

Eran demasiadas preguntas para alguien que, como Victoria Barget, tenía miedo a tantas respuestas. Así pues, aprovechó para evitarlas una vez más con el pretexto de una llamada de emergencia a la formidable Minifac Steiman, residente en la isla de Creta.

EL SEÑORITO BORJA LUIS hizo su aparición con la luna más deslumbrante que la isla había visto en mucho tiempo. Era tan redonda, su tamaño tan inmenso, que los más viejos del lugar salieron a la azotea para contemplarla. Pero la maravilla no acababa en sí misma. La luz de la luna se desparramaba sobre el mundo, creando la impresión de un baño espectral. ¿O era acaso un barniz de nieve que hubiese quedado impregnado sobre to-

229

das las cosas? Eran, quizá, purísimos velos colocados a guisa de telón sobre el firmamento y el mar.

Y cuando unas nubes se colocaron sobre la luna, Elena pensó que la gran reinona se había vuelto recatada para permitir que reinase un poquito el niño Borja Luis.

Así compareció ante ellas: con el esperado aspecto de un pequeño rey. Desde luego, era el cargo que ocupaba en aquella casa, pero tal vez igualmente en el orden de las cosas. Nada en su aspecto desentonaba del tono sobrenatural que la noche había adoptado sobre sus cabezas. Si acaso sólo el vestuario, típico de un niño bien en horas punta. Cierto que de día se arriesgaba a las extravagancias de los jóvenes de su generación: camisetas tres medidas más anchas, pantalones hasta más abajo de las rodillas, con las ancas descosidas y algún remiendo en la pelvis, la gorra de béisbol colocada al revés... Sin embargo, todas esas concesiones al desarreglo no impedirían que cada noche, para cenar con su amante, Borja Luis apareciese con el polo azul Ralph Lauren, los pantalones blancos tipo marinero y un *blazer* con el áncora de Paul and Shark. Si llevaba *foulard* era invariablemente elección de Victoria Barget, cuyo buen gusto siempre fue proverbial en las mejores tiendas.

Elena lamentó que el niño hubiese tenido tiempo de pasar a arreglarse; le había gustado más por la mañana, con su ajustado uniforme de surfista. Decidió, pues, que ni siquiera los tritones son ya lo que eran. Hoy pueden parecerse a los modelos de Versace, con el pene al aire para justificar, no se sabe cómo, la exhibición de una simple corbata.

Fueron a cenar a uno de los restaurantes del puerto. El ambiente no ofrecía ninguna novedad desde la noche anterior y las que la habían precedido. Los mismos locales animados por el vocerío de los camareros, los mismos crustáceos y pulpos colgando en el escaparate, las ristras de fanales de colores atravesando la rada. Y por doquier las guitarras típicas mezclándose con la música más vulgar.

La única novedad eran los espectrales velos de la luna y la belleza de Borja y, sobre todo, su actitud silente. Más que un monarca parecía ahora la estatua de un aspirante a serlo. No era conversador, pero tampoco se sabía si le gustaba escuchar. Se limitaba a mirar a su amante con ojos de cordero. En realidad, era un devoto que traducía su voluntad de servicio en una mirada fija, obsesionada, que Victoria Barget correspondía con ligeras muecas de agradecimiento. Y Elena Arquer pensó que pocas veces había visto tanta fidelidad en los ojos de un muchacho.

Tuvo entonces un pensamiento loco: ¡si alguna vez, en algún momento, la hubiesen mirado así sus hijos!... Miradas de devoción, sí, en los ojos de dos jovencitos tan hermosos como Borja, pero no tan callados. O en absoluto. Bueno, en realidad los gemelos le habían salido charlatanes. Demasiado tal vez. Porque las suyas eran charlas cargadas de acusaciones, de reproches velados e imposiciones que ella no se sentía capaz de comprender.

No tuvo valor de preguntarse por qué no había deseado que aquella mirada de devoción estuviese también presente en los ojos de su marido, tan guapo él. Prefirió dedicarse a la contemplación del niño Borja, cuyo silencio empezaba a convertirse en un engorro, pues Elena había esperado conocerle un poco a través de su conversación. Y no por él, precisamente (¿quién era, al fin y al cabo?), sino por lo que pudiera saber de Victoria a través de él.

Pero continuaba callado. En cambio, Victoria no paraba de hablar.

—Borja es un gran amante de la pintura. Yo creo que es un gran entendido. No un experto, si usted quiere, pero con una extraordinaria sensibilidad. No se lo creerá, pero le encantan los impresionistas.

—Como a todo el mundo a esa edad... —comentó Elena, con su tercer vaso de retzina.

—Borja siempre combinó los impresionistas con los últimos istmos. Yo creo que si se decidiese a pintar obtendría excelentes resultados, pero prefiere este *master* donde, además, es tan brillante. Claro que no es su única afición. Me enseñó el otro día sus poesías. La verdad es que tiene una sensibilidad extraordinaria. Claro que está en esa edad en que las decisiones no importan demasiado. Quiero decir que no son absolutas. Borja puede ser un excelente financiero, si se empeña, pero esto no quiere decir que no pudiese cultivar alguna experiencia artística si se empeñase...

Se detuvo un instante para probar el queso de la ensalada. Elena volvió a albergar la esperanza de que Borja intentaría hablar. Fue en vano. Y Victoria aprovechó el silencio para seguir hablando ella:

—Creo que este viaje a Creta va a sernos muy provechoso. Sí, ya sé que estuvimos hace pocas semanas, pero sólo visitamos un par de lugares. Quedan muchas cosas por ver. Desde luego, no vamos a repetir las ruinas minoicas, ni tampoco las del periodo clásico (tampoco hay tantas, en realidad), pero piensa que son muy interesantes los restos de la dominación veneciana...

Borja parecía fascinado por aquella conversación, pero sin el menor interés por aportar nada. Se limitaba a sonreír con expresión angelical, y así continuó hasta que tuvo que ausentarse unos instantes por motivos fisiológicos. Elena Arquer aprovechó su ausencia para aconsejar:

—Yo que usted le dejaría hablar de vez en cuando.

—Es que es reservado por naturaleza. No le negaré que me gusta. El silencio es la característica de los genios y de los sabios.

Elena estuvo a punto de preguntar si el jovencito tenía algo que decir, pero prefirió no tocar aquel tema. En cualquier caso, no pudo comprobarlo en toda la noche porque Borja continuó guardando silencio. Ella decidió aplazar su decisión, máxime cuando, al llegar a casa, vio cómo abrazaba cariñosamente a Victoria y la empujaba hacia la alcoba.

—Una cosa no se le puede negar. Está enamoradísimo de usted.

—Claro —contestó Victoria—. No se puede negar que está enamoradísimo.

Los vio alejarse, tiernamente abrazados. Por un instante sintió envidia. Muchas mujeres han vivido momentos como el que estaba viviendo Victoria, pero no son demasiadas las que han conseguido preservarlos. No Elena Arquer, en cualquier caso. Ninguno de sus momentos felices. Ni siquiera las ínfimas, delicadas tonterías que la felicidad inspira al recuerdo. Como mucho, el eco de una ternura continuamente perseguida.

Aunque la noche ya no era tan clara como horas atrás, la luz de la luna todavía penetraba por rincones que a menudo eran invisibles, revelando así intimidades y escondites inesperados. Así ocurría con el patio interior, normalmente sumido en la oscuridad y hoy bañado por un halo de luz blanquecina, más propio del amanecer.

En aquella luminosidad espectral brillaban dos diminutos destellos que Elena Arquer identificó con lejanas imágenes de su infancia. Algo parecido a los ojos que solían invocar las reinas de la copla cada vez que se quejaban de los serranos de piel oscura que les habían clavado saetas en el corazón. Así de cursi y así de preciso también: un impacto erótico que no había sido superado ni por el tiempo ni por la modernidad.

Elena Arquer celebró que los ojos del chófer Stavros fuesen tan irreales como los de las coplas y tan increíbles como aquella noche dominada por la luna. Celebró también que el macho se hubiese decidido a mostrar de una vez su disponibilidad, desafiando la suya propia.

Porque la actitud y la postura de Stavros representaban un desafío que no excluía la pericia de un buen profesional. ¿No había dicho Victoria que estaba a disposición de las visitas? Sin duda sería complaciente con ellas porque provocarlas sabía, y mucho. Había salido a esperar a Elena vestido con un escueto eslip negro y una camisa blanca anudada a la cintura. Se apoyaba contra una columna, con las piernas cruzadas y un grueso cigarro en los labios. Por lo demás, se mantenía completamente inmóvil, como si lo suyo fuese únicamente ofrecerse a la admiración general.

Ya había sido admirado de sobra. Y algunos

espectadores, para sentirse realizados, necesitan pasar a la acción.

Elena Arquer sacó un cigarrillo, se apoyó en la barandilla y supo esperar. Al cabo de un instante, Stavros subía por la escalera de madera y avanzaba hacia ella con un mechero en la mano. Pero no hubo necesidad de contaminar la atmósfera. Elena desestimó él cigarrillo y se arrojó al cuello del macho sin pronunciar palabra. Sólo después de varios besos, murmuró en tono decidido:

—Tú no me entiendes. Así es mejor. No tienes por qué saber.

Le fue desabrochando la camisa hasta que sus manos dieron con un pecho velludo y tan fuerte que el más salvaje arañazo no le habría hecho la menor impresión.

—Quiero la belleza, así, de esta manera, sin que la belleza sepa nada de mí. Estoy demasiado bien acostumbrada, hombretón. Mi marido es hermoso, mis hijos son hermosos, yo misma lo seré todavía durante algún tiempo. No puedo conformarme con menos. Nada que no sea una estatua perfecta, fuerte, que no sepa hablar. Sobre todo que sea muda...

Stavros sólo reaccionaba con una sonrisa de hombre superior, que se fue desintegrando a medida que las manos de Elena descendían por su cuerpo. Entonces apareció bajo el bigote la mueca de ferocidad que la otra estaba esperando: el guerrero cretense que se le había aparecido tantas veces, saltando por las montañas, enarbolando un machete ideal para rasgar violentamente las entrañas de una virgen cristiana.

Los gemidos se los llevó la brisa hacia la terraza, pero sin que llegasen a la alcoba principal, donde otros gemidos parecían acompasarse al ritmo exacto de unas lágrimas. Y era el joven tritón quien gemía enloquecido y su amante, la diosa del mar, quien tenía la ocurrencia de llorar en un momento en que se sentía poseída por el furioso machetazo del amor.

Victoria se durmió con la plena convicción de que estaba viviendo el momento más feliz de su vida; pero al despertar por la mañana adoptó una decisión completamente inesperada para los seres felices.

—Borja, querido. Lo he pensado mejor: es preferible que te quedes con tus amigos haciendo esquí acuático. En casa de Minifac te aburrirías. Ya sabes cómo es ella: sólo habla de lo suyo.

El tritoncete protestó varias veces, amenazó seriamente con un pataleo, dijo y redijo que la amaba con todas sus fuerzas, pero la voluntad de Victoria no cedió. Al cabo de un rato, y tras reiteradas promesas de amor, Borja comprendió que los motivos de la amada podían ser más importantes que sus deseos y que una de las grandes virtudes de los amantes es dejar hacer.

Firmemente convencida de que el amor guiaba sus pasos hacia la razón pura, Victoria bajó a la terraza, donde la estaba esperando Elena. Ésta no le miró a los ojos, cuando dijo:

—Ha venido Stavros a comunicarme que el yate está a punto.

—Estupendo —contestó Victoria—. Tomamos algo y nos vamos las dos.

—¿Las dos?

—Borja se queda. No se sorprenda tanto. El chico tiene que estudiar. Además, los americanos están en lo cierto cuando dicen: «Vista una isla, vistas todas.» Que él disfrute con lo suyo y nosotras con lo nuestro.

Elena Arquer decidió no seguir sorprendiéndose. Está contraindicado para los nervios. Especialmente cuando las sorpresas revelan tantas cosas sobre los insólitos vericuetos de la madurez.

vista todas. Que el destino son lo suyo otra
guno con la muestra.
Tenía August decidió rutitu un supendular
doce. Esta computadora o para los nuevos. Fá
persistiendo cuando las sombras e en la cinco
pasa sobre los insólitos recuerdos de la mu
aquel.

Capítulo octavo

FRUSLERÍAS

Antes de que nuestras mujercísimas zarparan del Pireo, habían sucedido algunas cosas en la noche de Atenas. Nada sabemos de la ministra de Cultura, a quien recogió un coche escoltado por cuatro motoristas que tocaban *Yesterday* con las bocinas. De Ruperta Porcina Boys se supo que había ido a la librería de la calle Nikis para comprobar personalmente qué autores españoles habían sido traducidos al griego. Y aunque no ha sido posible confirmarlo, se dijo que fue reprendida por unas dependientas que la vieron esconder detrás de otros libros las novelas de algún colega a quien apreciaba, sí, pero nunca hasta el punto de no envidiarle.

Otras señoras, pertenecientes a esa clase de viajeros que no saben ir solos por el mundo, formaron un grupo para cenar en un sitio típico y recorrer juntas las tiendas de *souvenirs* del Plaka, abiertas hasta altas horas de la noche. María Asunción Solivianto y sus feligresas, poco proclives a la frivolidad, se fueron a oír tres misas seguidas en tres iglesias de los alrededores de Monastiraki. La princesa Von Petarden cenó en el aristocrático Club Náutico, atendiendo así a la invitación de unos parientes de su marido. En cuanto a la marquesa del Pozo del tío Raimundo, acudió a cerrar el pleito que la mantenía intranquila desde hacía tantos años: la entrevista con cierto archimandrita a quien parió en otro tiempo y de una manera poco recomendable.

Después de las compras y el inesperado encuentro con Victoria Barget, la marquesa se había dirigido al Hilton, acompañada por Miranda Boronat, quien, además de prestarle su solicitud, estaba dispuesta a no perderse bola de aquel encuentro conmovedor. Y ya estaba imaginando cómo lo contaría a treinta o cuarenta de sus ochenta mejores amigas, cuando tuvo que soportar una férrea decisión de la marquesa:

—Hija mía, no ignoras que nadie como yo sabe apreciar tus bondades. Por valorarte tanto, me atrevo a abusar un poco más, pidiendo que me permitas estar a solas con mi hijo...

—¡De ninguna manera! —protestó Miranda—. ¡No conseguirá que me largue!

—No debes pensar tanto en mí...

—Si no pienso en usted. Es que me voy a quedar desamparadita en esta ciudad hostil, cuando todas las demás se han ido ya de picos pardos y es imposible localizarlas.

—Hija, métete en un cine. Y, si puede ser, quédate tres sesiones seguidas.

—¿Cómo voy a meterme en un cine si ni siquiera sé los títulos de las películas? ¿No ve usted que están escritos en alfabeto raro?

—Estamos en Grecia. Esto quiere decir que en todos los cines ofrecen adaptaciones de tragedias clásicas. Te será de gran provecho ver *Electra*, *Antígona* o *Morena clara*.

—Una vez fui al teatro y me dormí nada más levantarse el telón. O sea que nada de tragedias. Miraré los anuncios del vestíbulo y si la película es de Walt Disney entraré. Al fin y al cabo, conozco todos sus argumentos de memoria. Además, una amiga mía que fue a Moscú a comprar *matruskas* vio *Dumbo* hablada en soviético y quedó de lo más esnob.

—Gracias, hija mía, por ser tan comprensiva con la intimidad ajena. Y no temas por mí. Dios está de mi lado por partida doble.

Miranda se fue sin albergar temor alguno. Primero, porque tampoco le importaba tanto el destino de los demás si ella no estaba presente para contarlo; después, porque la princesa Von Petarden había prometido enviar el coche de la agencia a recoger a la marquesa y llevarla al barco. Quedaba mucho tiempo, pues la anciana tenía la costumbre de llegar a las citas con media hora de antelación.

Miranda Boronat no era partidaria de las películas que no pudiese comentar a pleno pulmón con alguna amiga, de manera que prescindió del cine y se lanzó a ver templos, en la creencia de que habría muchos, y estarían todos enteros y repletos de un público ataviado con togas, clámides y chitones. Incluso se acordaba que para preguntar una dirección era muy apropiado decir «*Quo Vadis?*», y para pedir la carta de un restaurante «*Ora pro nobis*».

Con ánimo tan decidido salió a la puerta del Hilton y preguntó a un encopetado portero si hablaba inglés. Cuando el hombre contestó con el «*yes*» ritual, dijo ella:

—*Alors, appelez moi un taxi.*

—*Où est-ce-que vous desirez aller?*

—*I don't know. Anywhere. Typical greek* cachondeo, *for instance.*

—Si la señora lo prefiere, hablo español.

—¿De verdad? No me lo creo. A ver: ¿qué sabe decir?

—¿Dónde demonios quiere ir la señora? ¡Dígalo de una puñetera vez, que hay mucha gente esperando!

Empujó a Miranda al interior de un taxi, mientras daba al conductor una dirección que ella no entendió. Ni falta le hacía, en cualquier caso. La parte moderna de Atenas la estaba obsequiando con una serie de desilusiones. Era como el tráfico de un sábado normal en una ciudad que ella consideraba anormal. No había un solo templo clásico; como mucho, pequeñas iglesias con un cúpulas que comparó con gorros de baño. Y muchas tiendas, pero todas cerradas a aquella hora, de modo que ni siquiera le quedaba la posibilidad de hacer sudar las tarjetas de crédito, que era lo que más le divertía en cualquier ciudad de cualquier cultura.

El taxista la depositó donde el portero del Hilton le había indicado: la preciosa plaza Adrianou, en el corazón del Plaka.

Es una plaza particularmente propicia a las almas sensibles porque se halla junto a las ruinas de la biblioteca de Adriano, el emperador que quiso llenar Atenas de cultura en lugar de expoliarla de sus riquezas. Las columnas de lo que fue un recinto descomunal aparecen hoy tímidamente apuntadas tras las copas de los numerosos árboles que alegran la plaza, y son ellos los que acaban triunfando en el ánimo del visitante, que siempre hará bien sentándose en una de las mesas de los restaurantes al aire libre y dedicarse a observar, como en un letargo, el discurrir de la vida cotidiana.

Sintiendo en todos los poros de su piel la filosofía de la Grecia eterna, Miranda decidió ampliar tan poderosa sensación con una buena cena en un restaurante chino. Andaba buscando los farolillos y dragones que caracterizan a este tipo de locales cuando, en una mesa de uno de los restaurantes al aire libre que rodean el ágora romana, descubrió un rostro que le resultaba muy conocido.

Gritó tan fuerte que algunos vecinos se asomaron a los balcones, asustados por la eventualidad de un accidente:

—¡Que me aspen si no es Rosa Marconi atragantándose de espaguetis!

En efecto, era la Marconi pero no atragantándose, antes bien cenando plácidamente mientras leía una pequeña guía sobre los rincones secretos del Plaka; las innumerables callejas que van ascendiendo, en pendiente o escalinatas, por las laderas de la Acrópolis.

La roca sagrada recibía a aquellas horas una iluminación espectral, y Rosa Marconi, situada a los pies de la parte posterior, acertaba a vislumbrar el delicioso recinto del Erecteion y el olivo de Atenea. Era el lugar idóneo para reposar la mente de todos los líos de su vida profesional. Era un fármaco mucho más eficaz que el Prozac y todos sus sucedáneos. Y como sea que a su izquierda tenía la Torre de los Vientos y a su derecha las columnas del mercado romano, decidió que el lugar producía el efecto del aneurol. Además, las acacias, cariñosamente balanceadas por la brisa, parecían desprender efluvios de espliego y valeriana, en letárgica combinación.

En aquel ambiente idílico la irrupción de Miranda fue algo parecido a un martillazo. Rosa Marconi había conseguido pasar inadvertida llegando un día antes a Atenas para organizar sus conspiraciones en torno a la posible entrevista con Victoria Barget. Si se dio a conocer en el consulado, fue sólo para conseguir alguna información sobre su paradero y, casualmente, uno de los agregados le dio el teléfono de Borja Luis, con quien había coincidido días antes en la islita de los tritones. Una llamada, por otro lado inútil, era el máximo trabajo con que Rosa pensaba castigarse hasta el momento en que el destino —o la fatalidad— la reuniese con sus compatriotas en un crucero que no podía inspirarle más pereza.

De momento, el tiempo de Atenas le pertenecía por completo. Era suyo para conocer, suyo para reposar, pero también para meditar sobre sus más recientes experiencias profesionales, en absoluto satisfactorias. Sentíase libre por vez primera en mucho tiempo. Y ahora, para arruinar esa impresión divina, llegaba la Boronat haciendo muecas y aspavientos, como si un molino frenético hubiera sido incorporado al paisaje urbano.

Rosa Marconi improvisó una excusa a toda prisa. En realidad fue una excusa desesperada.

—Casualmente, ya me iba... —tartamudeó, levantándose de repente.

Miranda la cortó sin contemplaciones:

—¿Cómo te vas a ir si acabo de llegar yo?

—Es cierto, ¿cómo me voy a ir? —repitió la otra, indefensa. Y de repente decidió que tenía que recurrir a la grosería si deseaba salvarse—. Claro que, si bien se mira, tú y yo nunca hemos sido *muy, muy, muy amigas*.

—¿Qué estás diciendo? Amiguísimas no hemos sido, pero más amigas que de todos esos que nos rodean sí. ¿O es que vas a dejarme por embustera? —Y, señalando a las mesas vecinas, empezó a gritar—: ¿Vas a decirme que eres más amiga de esa gorda que mía? ¿Y ese alemán que come con los dedos? ¿Y aquella cerda que nos mira con cara de mala uva? ¿Somos más amigas de toda esta gentuza que no la una de la otra?

Avergonzada por las numerosas miradas que convergían sobre ellas, Rosa Marconi se rindió sin condiciones:

—No quería decir esto, mujer. Quería decir... que te sentases. ¡No sé cómo quería decírtelo, pero esto y no otra cosa es lo que quería decir! ¡Siéntate de una vez, coño!

—Te noto un poco histérica... —dijo Miranda, tranquilamente—. Deberías tomar Prozac. Todo el mundo lo hace últimamente.

—He empezado a tomarlo.

—Pues no te ha hecho efecto, hija. De todos modos no debes preocuparte: dicen que tarda quince días en funcionar. Claro que en este tiempo una amiga mía se cortó las venas cinco veces.

—Esto es algo que deberían enseñar en las escuelas a algunas personas que yo conozco...

—Yo nunca me cortaría las venas. Luego viene la prensa y te encuentra hecha una lázara. Yo sería más del gas. Es muy limpio. Ahora que lo más limpio es no suicidarse. Sin ir más lejos, esta noche, no me suicidaría por nada del mundo. ¡Con la poesía que se respira en el aire! Oye: ¿esa montaña tan bien iluminada es famosilla?

—Es la Acrópolis, mujer. Vamos, donde está el Partenón.

—¡Fíjate tú! Toda la vida soñando con verla y

ahora que la tenemos delante no daríamos ni un duro por ella... —Sin molestarse en pedir permiso cogió el libro que estaba leyendo la Marconi—. *Atenas secreta.* ¡Huy, qué picarona llegas a ser! Apuesto a que estás buscando rameras, proxenetas, drogadictillos y mariquitas para tu programa...

—Que no, Miranda, que no. Que este libro se limita a proponer itinerarios artísticos por la ciudad antigua...

—¡Huy sí! Todo es arquitectura y planos raros... Bueno, también debe de ser bonito hacer culturilla. Si quieres podemos dar una vuelta y, después, regresar las dos al barco, cogiditas de la mano y cantando himnos del colegio.

—Es que yo no me embarco hoy. Todavía tengo trabajo en Atenas. He quedado para entrevistarme con Amparo Risotto, que al parecer tiene una noticia bomba que comunicarnos. O sea que me reuniré con vosotras en Mikonos.

Se levantó precipitadamente, dispuesta a pagar su cuenta y largarse.

—Quiero seguir paseando. ¿Te molestaría cenar sola?

—Sí que me molestaría. Me molestaría mucho. Además, me parecerías una mal educada y una mala amiga y pensaría que así te dé un infarto.

Ante estos y otros improperios, Rosa Marconi optó por sentarse de nuevo y, con actitud resignada, preguntó:

—Está bien. ¿De qué quieres que hablemos?

—A mí, así de repente, me parece imprescindible hablar de Bill Clinton.

—¡De Bill Clinton! ¿Desde cuándo te interesas por la política?

246

—Por la política nada de nada, pero Bill Clinton no es político, sino presidente, que es otra cosa como de más alcurnia. A mí es que ese hombre me da la mar de ternura porque se parece a uno de los tres cerditos; todavía no he decidido cuál, pero es un cerdito monísimo, aunque, según como le da la luz, tiene cara de bollo. Tú dirás lo que quieras, pero tanto moflete inspira más confianza que Nancy Reagan, que acuérdate cómo era: medio momia, medio bacalao y con expresión de Cruela de Wille, mismamente. No me digas que no era así porque mentirías y una mujer que tiene un programa como el tuyo no puede mentir más que ante las cámaras. Pero volviendo a Bill Clinton: yo creo que es bueno para los ricos de los United States y que si los socialistas fuesen tan buenos como él para los ricos de España no tendrían que irse como se irán; con los bolsillos llenos, sí, pero odiados a muerte por toda la gente que tiene algo que defender. Por esto te digo que yo, en las próximas elecciones, votaré que venga Clinton a gobernar España. Sobre todo por su mujer, que creo que es simpatiquísima y da unas fiestas de mucho tono.

—Miranda, me parece que no sabes *exactamente* lo que estás diciendo.

—¿Cómo que no? Lo sé de buenísima tinta porque me lo contó una prostituta de las que iban con aquel alto cargo de no sé qué ministerio a quien pescaron con dinero en un aeropuerto y con joyas en otro. Pues bueno, la prostituta, que es santa de altar, me dijo que los sociatas tienen millones colocados en Mongolia Exterior, y yo eché mis cuentas y me salió que por lo menos tienen un cortijo mío, dos visones y las fincas de Gerona; y si a mí, que soy humilde, se me llevan esto, no quiero saber lo que se deben llevar a mis ochenta mejores amigas, que las pobres son millonarias pero no multimillonarias, ¿comprendes? Tú eres la primera que deberías hacerte solidaria con ellas, porque sé de buena tinta (tinta indeleble, vamos) que te llevas cinco o seis millones por programa, porque al producirlo tú y no pagar un duro a los invitados pues son cuentas limpias. Claro que no seré yo quien te lo reproche, porque a las que vais de cara a la vejez os conviene guardar para ese mañana de la senilidad, que ya es hoy mismo.

Rosa Marconi hizo gala de educación al resistirse a recordar a Miranda que era ella quien le llevaba unos diez años por delante. Pensó que no valía la pena, ni los años, ni Miranda, ni todo el discurso que seguía soltando sobre la corrupción política mezclada con el último sombrerito de Pirula Pi. Ante aquel aluvión de palabras sin sentido, Rosa Marconi ya no tenía siquiera fuerzas para maldecir a la cotilla. Se limitaba a sonreír sin ganas, mientras dirigía la mirada a la Acrópolis, que seguía despidiendo su luz tenue y mortecina.

Miranda seguía hablando sin parar. En el constante aleteo que daba a sus manos, se encontró con la esfera del reloj a la altura de la nariz. Interrumpió de golpe su disertación sobre los derechos del contribuyente en Sicilia y, dando un salto, se puso a gritar:

—¡Dios mío! ¡Son las diez! Tengo que volver al barco antes de que cierren la escotilla y bajen el periscopio. No te importará quedarte sola, ¿verdad? Quiero decir si sabrás perdonarme. Vamos, si no me tratarás de borde.

Rosa Marconi emitió un bufido de alivio que la otra no supo notar.

—Te perdono de todo corazón —dijo, con fingida suavidad—. Mira si te perdono que yo misma te depositaré en un taxi para asegurarme de que vas a llegar al Pireo sana y salva.

—¿El «Pirao» no es el aeropuerto?

—No, hija, es el puerto. Pero si quieres te dejo en un avión para que regreses a Madrid tan feliz y contenta.

La natural discreción de Rosa Marconi le impidió desahogarse con un aullido cuando hubo depositado a Miranda en el interior de un taxi cargado, por cierto, de exvotos e iconos. Mientras se alejaba, vio que el taxista y Miranda hablaban sin cesar, pero como lo hacían en idiomas distintos cabía suponer que se estaban dedicando al soliloquio.

Algo a lo que Miranda Boronat estaba perfectamente acostumbrada.

El taxista, tan poco informado como su clienta, la dejó en dieciséis barcos antes de localizar el *King Poseidón*. Bajó ella corriendo antes de que el hombre descubriese que le había dado la propina en calderilla española y vio en cubierta a las de la *jet* barcelonesa, que ya estaban ensayando sevillanas como locas. Por lo demás, reinaba en el barco un gran silencio.

Se acercó a Chupi Montseny, que dirigía los pasos ataviada con unas mallas negras y un pañuelo en la cintura.

—Usted es la presidenta de la *jet* barcelonesa castellanizada, ¿verdad? —preguntó Miranda, sin que la otra dejase de evolucionar.

—Sí, mona. Soy la esposa del fabricante Montseny, jabones reunidos y medias de punto... —Y, volviéndose a las demás, canturreó—: ¡Uno, dos, tres, vamos a la primera vuelta!

—¡La primera por Triana! —corearon todas, con inconfundible acento de Sabadell—. ¡Uno, dos, tres, Torre del Oro!

—Perdone que interrumpa su meneo —insistió Miranda—, pero ¿podría decirme dónde están todas las demás señoras?

—Ha habido un lío con los camarotes, así que se han reunido todas para discernir que si patatín, que si patatán... ¡Niñas! ¡Uno, dos, tres! ¡Vamos a la segunda!

—¡Arenal de Sevilla! —gritaron todas de nuevo.

Estaba Miranda a punto de enseñarles unos pasos muy originales que había aprendido en un Rocío, pero pensó que la raza humana nunca agradece ni una ayuda ni una mano ni un favor y, ante la eventualidad de un chasco, prefirió abstenerse y componer su aspecto para la cena.

Cuál no sería su estupor cuando, al entrar en su camarote, encontró a la marquesa del Pozo del tío Raimundo anegada en llanto.

Había en su rostro tanto dolor petrificado, tanta sorpresa congelada en un rictus de agonía que Miranda se asustó lo indecible. Mucho más cuando la vio caer al suelo, pidiendo a gritos su frasco de sales, como las antiguas.

Como sea que no encontraba sales ni nada parecido, Miranda optó por la solución más inmediata: sacó la petaca de viaje y, abriendo la boca de la marquesa, le echó unos tragos del mejor vodka. Creyéndolo una variante local del Agua del Carmen, la anciana acabó tragándose medio frasco.

Entre el líquido que acababa de ingerir y el disgusto que llevaba, tardó media hora en reaccionar. Fue el tiempo que Miranda aprovechó para husmear en su bolso, en busca de secretillos, pero sólo encontró una polvera y siete modelos distintos de rosarios y crucifijos. Por fin se decidió a zarandearla violentamente.

Cuando la marquesa pudo hablar, lo hizo abriendo un solo ojo.

—¡Ay, Mirandilla! No recomiendo a ninguna madre que sea puntual. Al contrario, que llegue siempre tarde, si no quiere recibir en su corazón las flechas que acaba de recibir el mío.

—Siempre se ha dicho que el corazón de una madre está hecho para sufrir. Por esto, cuando mi ex marido quiso hacerme probar los goces de la maternidad, le dije que si osaba quitarme el diafragma le castraba yo en un santiamén. O sea que yo podré sufrir de colitis, pero de hijo jamás de los jamases.

—No culpes a mi hijo; o, por lo menos, no completamente. La que me ha herido es Perla de Pougy.

—Mire que empiezo a perderme. ¿Es que Perla también es archimandrita y nos lo había ocultado hasta ahora?

Se produjo un denso silencio en cuyo curso la marquesa se vio obligada a reponer fuerzas. Así pues, se aferró a la petaca de Miranda y, tras bendecirse con su contenido, inició su narración:

—Estaba yo entretenida en el American Bar de ese maldito Hilton recordando, como suelo, las alegres chocolaterías del Madrid de mi juventud. Por si tan gratas imágenes no bastasen para aportar a mi espíritu la tranquilidad imprescindible en el momento que me disponía a vivir, un pianista iba tocando con extrema delicadeza algunos bailables, ni muy recientes ni muy lejanos, pero completamente faltos de las estrepitosas cadencias que tanto privan en el mundo de hoy...

—O sea que tocaban *Beguin the Beguin*.

—En efecto. Y *Malagueña* y *La vie en rose* y otras preciadas perlas de la memoria de una... —De pronto se detuvo con auténtico pavor—. ¿He dicho «perlas»? Lo he dicho, ¿verdad? Sin duda es el inconsciente. Es el otro yo, que me devuelve la imagen de esa mujer que aparecía de repente, con su vestido más escotado, el pelo suelto como una furcia y esa inconfundible expresión que tienen las cerdas cuando se han revolcado con su gorrino. No te horrorices. Ella misma confirmó esta impresión cuando, adoptando un aire de superioridad y sin la menor consideración para el arte del pianista, me soltó: «No se lo cuente a nadie, abuela, pero acabo de hacer el amor con un archimandrita auténtico.»

—¡A su edad! —exclamó Miranda.

—Ya ves tú: con lo mayor que es Perla.

—Me refiero al archimandrita. Ése es más mayor que todas.

Abriendo el otro ojo, y acto seguido los dos de par en par, sollozó la marquesa:

—Era mi hijo, Miranda. ¡Mi propio hijo atrapado en las redes de esa indigna!

—Por fuerza tiene que estar equivocada. ¿De qué iba a conocer una atea como Perla a un santo varón de estas inaccesibles latitudes?

—Al parecer tenían contactos por un asuntos de adopciones. He sabido que mi hijo regenta un orfanato en las afueras de Atenas.

Como un relámpago se le aparecieron a Miranda los reputados negocios de Perla de Pougy.

—¡Ay, marquesa, que todo esto me huele a chamusquina!

—Haces mal, pues en esto del orfanato no mintieron. Mi hijo iba acompañado por tres niños que parecían tres querubines.

—¿Niños, dice usted?

—Niños en edad de BUP. Y en esto, ¿ves?, Perla demostró tener muy buen corazón, porque se despidió dándoles tres bolsitas de caramelos.

—Con razón me decía mamá que no aceptase caramelos de los desconocidos.

—Un desconocido ha sido para mí ese hijo.

—Mujer, no esperaría reconocerle si no le ha visto desde mil novecientos veintitrés. ¿Habla español por lo menos?

—Ladino.

—Sí, me lo está pareciendo el archimandrita.

—Me refiero al idioma. Es el que se llevaron los judíos cuando fueron expulsados de España por los Reyes Católicos.

—¡Qué diver! ¡Un hijo que habla como el Quijote!

—Más bien como Dulcinea. Tiene una voz muy aflautada, tipo soprano ligera y, a pesar de la barba típica de los religiosos de aquí, le da un meneo a las manos que me ha recordado a las cupletistas de mi tiempo. A su lado, la Bella Chelito y La Goya eran machos de ley. Por otra parte, cuando dejaba de abanicar el aire, acariciaba a los tres niños de una manera que me dio alipori.

—¿Qué está usted insinuando, marquesa?

—Nada malo, no te asustes. Sólo que no sé si es normal que un archimandrita acaricie el culín a los niños.

—Si tiene un orfanato, estará acostumbrado a cambiarles los dodotis desde muy pequeños.

—Pero es que el camarero tenía treinta y

cinco años y también le hizo lo mismo. Yo es que no me aclaro. Primero Perla y, después, esto. Tú, que entiendes de las cosas del mundo, ¿crees que mi hijo será bi?

—Será *tutifrutti*. Ahora se lleva mucho.

—Ya ves tú que lo mío es desesperación sobre desesperación. Que mi hijo, un servidor de Dios, tenga ciertas deferencias con los niños, pase, porque también Jesús dijo aquello tan bonito de «Dejad que los niños se acerquen a mí»; ahora bien, que salga de una habitación con la ramera número uno de la alta sociedad madrileña, eso, eso... —De repente se detuvo. En su rostro torturado apareció una luz que sólo podía ser debida a una profunda inspiración religiosa—: ¡Espera! ¡También la Magdalena era pendón y, sin embargo, fue perdonada! ¿Y qué me dices de la adúltera? ¿No la perdonó Cristo?

—Porque no estaba en España. Hoy no daría abasto.

—No voy a atender tus sandeces. Escúchame bien: hace pocos días vimos a Perla en el convento de las Arremangadas. Te expresé mi sospecha de que se hallase en pleno proceso de arrepentimiento. ¡Aquella santa madre superiora puede hacer milagros! Quién sabe si Perla, sin saberlo, se ha convertido en instrumento de la Divina Gracia...

—Si ahora las llaman instrumentos...

—Sí, Miranda, sí. ¿Cómo puede escapársete la magnitud de estos sucesos? Todos mis deseos de ver a mi hijo regresando a la verdadera religión pueden verse cumplidos por un camino que no esperaba. ¡Tomando por esposa a esa Perla arrepentida! ¡Ésta es la sabia maniobra de nuestra protectora, la madre reverenda del convento de las Arremangadas! ¡Dios mío! ¡Veré a ese hijo casado, ya que no podré verle diciendo misa en los Jerónimos!

—Sobre todo porque ya no le quedan años de vida. Pero su solución me parece arriesgada, porque si se casase con Perla, además de ser todo lo que usted dice, sería cornudo crónico.

—Es inútil hablar de asuntos morales contigo. Cuando llegue a Madrid, consultaré el caso con la madre superiora.

—Puede aprovechar para subirle la donación.

La cara de la marquesa cambió de color. Se le notó avinagrada.

—De eso ni hablar. Una cosa es la Gracia y otra el dinero. No olvidemos que Cristo era pobre. ¡Que le imiten sus servidoras! ¡Que se mueran de hambre!

—¿Sabe qué le digo? Que habiendo niños de por medio, yo que usted no hablaría con la superiora del convento de las Arremangadas.

—¿Por qué me hablas de esta manera tan misteriosa? ¿Qué tienen que ver los niños con todo esto?

—Yo me entiendo y bailo sola.

Y se puso a bailar unos pasos de charlestón para ver si conseguía entretener a la otra, que continuaba llorando, pero ahora de consuelo.

ACONTECÍA LO ANTERIOR MIENTRAS LAS OTRAS mujeres se repartían los camarotes. No hubo discusión sobre el de la princesa Von Petarden, porque más que un camarote era un apartamento, provisto de dormitorio, dos salitas de estar, una sala de juntas y un baño rosado. Quedaba claro, pues, que en ausencia de una testa coronada sólo ella podía aspirar a aquel privilegio.

Había otros cinco camarotes de lujo que habían quedado repartidos en el siguiente orden: el primero para María Asunción Solivianto, el segundo para la marquesa del Pozo del tío Raimundo y Miranda Boronat, el tercero para Pilar Prima de la Higuera y la marquesa de Vallecasburgo, el cuarto para la ministra y el quinto era el que Televisión había solicitado para las ganadoras del concurso «Hola, Raffaella». Todas las demás señoras estaban instaladas en camarotes que, siendo excelentes, no era considerados de tanta prosapia.

Este último detalle fue el que hizo exclamar a Mariona Finestrell i Palautordera:

—Volvemos a estar en lo mismo. Todo el boato para las madrileñas y la purria para las periféricas.

La princesa Von Petarden temió un nuevo altercado que no estaba dispuesta a tolerar:

—Señora, no busque usted pleitos como antes. Piense que el reparto ha sido sometido a sorteo. Ha sacado las papeletas una mano ingenua, pura y desinteresada.

—¿Y se puede saber de quién es esa mano?

—De una servidora —dijo Beverly con expresión de indómito orgullo.

Decidió intervenir Ruperta Porcina Boys con el carisma de sus reconocidos valores:

—Mire usted: yo soy premio de narrativa corta del certamen de Orihuela y no me quejo.

—Usted vale más que vaya en busca de la peluquería para que le arreglen el bisoñé o de lo contrario se lo llevará el viento...

256

Aparte de la edad, nada mortificaba tanto a Ruperta Porcina Boys como la cuestión de su incipiente calvicie; y cuando estaba a punto de hacérselo entender a la consejera con un empujón, se oyó la voz conciliadora de María Asunción Solivianto. Con los brazos en alto y, con su mejor expresión de iluminada, proclamó:

—No hay que pelearse por los camarotes. De hecho, no hay que pelearse por nada, pero por los camarotes menos. Mire usted, señora consejera: le cedo el mío voluntariamente. Es demasiado ostentoso y muy poco adecuado para el sublime evento que me dispongo a vivir en Patmos... —Y, volviéndose a sus feligresas, sin bajar los brazos un solo instante, añadió—: ¡Amigas! ¡Hermanas! Vamos con flores a María, sí, pero sólo en la ofrenda visible, porque en nuestro interior andamos cargadas de vanidad. Avanzamos con guirnaldas en la cabeza y, sin embargo, llevamos cardos en el alma. Si la Señora nos está esperando, si ha querido hacernos depositarias de su bendición, ¿no deberíamos presentarnos ante ella con el alma libre de ataduras materiales?

Estaba hablando a unas señoras cuyas posesiones en líquido, acciones y fincas rústicas figuraban entre las fortunas más altas de las Españas, pero este punto fue inmediatamente pasado por alto y todas se ciñeron a la cuestión principal, que no era la salud eterna del alma sino su pureza momentánea.

—¡María Asunción está en lo cierto! —exclamó Pilar Prima de la Higuera—. ¡Tanta meditación como deberíamos hacer y estamos perdiendo el tiempo por un camarote!

—¡No ha de ser! —exclamó la condesa de Vallecasburgo—. Que venga el capitán y haga al punto lo que aconseje María Asunción.

—Imposible —dijo la esposa del *conseller*—. Ninguna de nosotras sabe griego.

Beverly Gladys Gutiérrez acudió con su habitual eficacia de perra amaestrada:

—El capitán habla una especie de español. Estuvo trabajando en un barco argentino durante varios años.

—Sería un barco de vapor —comentó Perla de Pougy, todavía resentida por la edad de la tripulación.

Llegó por fin el capitán, cuyo parecido con el marinero Popeye ha sido ya resaltado, pero cuya paciencia nos corresponde verificar. Por fortuna, no dejará mal a su gremio. Acostumbrado a llevar en el barco a los ricos del mundo, había aprendido a soportar estoicamente las impertinencias de sus esposas, la grosería de sus cuñadas y la pésima educación de sus hijos. Con tal de que los lujosos perros no se orinasen en la moqueta de los salones, se conformaba.

Aquellas señoras no llevaban perros, y no parecían de esas *top-models* que defecan en los divanes después de una borrachera en los bares de moda del puerto. Aquellas señoras eran de una *jet* más recatada, como de estar por casa. Se limitaban a pedir unos cambios que iban a mal en lugar de ir a mejor.

—¿Quieren los camarotes de tercera? Los hemos cerrado para no ofender.

—¿De tercera? Demasiado lujosos —dijo Pilar Prima de la Higuera. Meditó un poco. Después preguntó—: ¿No tendrá algo más vil?

—¿Qué tal la bodega? —insinuó el capitán.

—¿Es celda de mortificación?

—No se lo puede imaginar. Precisamente no tenemos ratas a bordo por lo incómodas que estaban en esa bodega.

—Será un buen lecho de espinas para alcanzar, un día, el mullido lecho de la gloria... —recitó María Asunción Solivianto.

—¡El mullido lecho de la gloria! —repitieron sus amigas al unísono.

Y se fueron, cogidas de la mano, hacia aquellas profundidades donde sólo podían estar cómodas las latas de sardinas.

—Bien burras son —dijo Mariona Finestrell i Palautordera—. A nosotras, la Virgen de Montserrat no nos exige tantos sacrificios.

—Porque es más europea —dijo su amiga Núria.

Y aquí aprovechó una andaluza para echar una pulla:

—Pues no será por lo blanca, guapas.

—¡Cállese, charnega, más que charnega!

Y las tres se sacaron la lengua, como indoctas colegialas.

CUANDO EL *KING POSEIDÓN* se detuvo ante una costa desierta de la isla de Kea, las más madrugadoras exhalaron gritos de júbilo y aplausos de admiración. Frente a ellas se abría una cala desierta, presta para ser hollada por las plantas de bañistas exigentes y buceadoras sibaritas.

El capitán echó el ancla a unos quinientos metros de la playa. Dos marineros trasladaron a las bañistas en botes de caucho. No hubo una que no comentase las delicias de la vida salvaje y lo raro que resultaba, en este siglo, encontrar un edén de aquellas características.

Es regla esencial de cualquier viaje armonioso que todos los componentes obren como les dé la gana, de manera que la playa no constituyó para todas la misma tentación: las hubo que prefirieron bañarse cerca del barco, mientras las adeptas a la idea de que no conviene mojarse la barriga a partir de los cuarenta se contentaban tomando el sol en cubierta y mojándose de vez en cuando los pies, cómodamente sentadas en la escalerilla de estribor.

Las de Sevilla se bañaron a gusto mientras las de la *jet* barcelonesa se desplazaban al bar de popa con el propósito de continuar ensayando sevillanas. Otras aristócratas de renombre catalogaban los objetos recogidos para el Rastrillo y, al mismo tiempo, determinaban lo que cada una de ellas cocinaría en el certamen gastronómico Manjar de la Obrera Digna. Y en todos y cada uno de aquellos preparativos mostraban la excelente predisposición que las había hecho imprescindibles en las cachupinadas filantrópicas de Madrid, Barcelona y Sevilla.

Pero incluso esos menesteres de indiscutible mérito aparecían mancillados por una mácula de mundanidad a ojos de María Asunción Solivianto. Tanto ella como sus damas habían elegido un motivo de meditación tan alto que ni siquiera los contactos con la miseria humana podían vulnerarlo. Aunque los problemas de la mujer trabajadora les merecían todos los respetos, ¿cómo podían mezclarlos con la evidencia metafísica de una aparición celestial? O, en otras palabras: cuando la inmediata llegada de María Santísima exigía poner aseo en las cosas del espíritu, ¿cómo podían interesarse por una raza de mujeres a las que sólo preocupaba llegar a final de mes con el sueldo del marido?

Permanecieron, pues, aquellas damas meditando en la bodega durante toda la mañana y, cuando un grumete les anunció que había llegado la hora del almuerzo, subieron a cubierta, donde se encontraron con la tentación en su estado más puro. Las estaba esperando el demonio de la gula.

Para celebrar el primer día de navegación, el capitán y los tripulantes tenían por costumbre montar en cubierta un espléndido *buffet* preparado por los dos cocineros, que posaban a cada extremo de la mesa, con el gorro calado y dos enormes cucharas levantadas a guisa de «¡presenten armas!».

La tripulación tenía de qué enorgullecerse. Habían dispuesto dos enormes tableros, cubiertos a su vez por manteles que representaban al Egeo y todas sus islas. En el centro, un enorme pastel de gelatina en forma de delfín y, a cada lado, no las flores acostumbradas sino macetitas con albahaca, que en esos barcos suelen llevarse siempre para combatir a los mosquitos. Enormes bandejas de cerámica de Lesbos —con sus lindos dibujitos azules— presentaban una espectacular variedad de mariscos y pescado, para quien gustase de ellos, mientras otro servicio de la misma cerámica ofrecía muslos de conejo, alas y pechugas de pollo, así como costillitas de cordero para quien prefiriese la carne. No faltaban las dolmades, el satziki (esa especie de salsa de yogur y pepino), las berenjenas rellenas, distintas pastas —alguna bien indigesta— y otras peculiaridades de varios puertos. Y, por fin, en una punta de la mesa se ofrecían distintos tipos de frutas, exuberantes en sus formas y variopintas en sus colores.

María Asunción Solivianto señaló el *buffet* con un gesto de reprobación, al tiempo que dictaminaba:

—Este ágape es demasiado ostentoso, en absoluto adecuado para el sublime evento que nos disponemos a vivir en la isla del Evangelista. —Y volviéndose a sus feligresas—: Aceptemos ágape en el sentido cristiano, sí, porque es comunicación del alma con Dios, su esposo bienamado, pero nunca...

Prosiguió el sermón Pilar Prima de la Higuera:

—... pero nunca aceptemos un ágape en el sentido de banquete, porque es trampa que la carne emplea para alejarnos del verdadero festín celestial...

No todas las señoras compartían aquellas ideas, de manera que se oyeron voces discordantes y casi insultantes:

—Pero, bueno, ¿es que esas tías nos van a dar el viaje?

—Que les sirvan alfalfa, a ver si están contentas.

La llegada de la princesa Von Petarden fue muy aplaudida. Había dormido durante toda la mañana, de manera que los beneficios del reposo le permitían llevar únicamente tres dedos de maquillaje. Vestía sencilla: un playero en tricot de seda estampada, con escote redondo a ras del cuello y mangas japonesas hasta el codo. El conjunto se remataba con un cinturón bajo en forma de cadena dorada.

Como además se había peinado en simple cola

de caballo, todas la encontraron tan entrañable como Shirley Temple cuando tuvo la primera regla y creyó que se había pinchado con el huso de la Bella Durmiente.

También agradecieron todas que hubiese optado por no destacar en exceso, lo cual les permitía a ellas afrontar el calor sin formalidades. Iban lujosas, pero honradas. Abundaban los conjuntos marineros de bermudas caqui y blusón fantasía. Unas los llevaban sin mangas, otras con mangas hasta el puño. Las más atrevidas, *maillot-pullover* con mangas largas y escote redondo o en pico, dependía del gusto. A las que se habían pasado la mañana ensayando sevillanas, un *foulard* atado a la cintura les servía de falda. Las que no estaban para ofrecer su cuerpo a comentario y vilipendio ajeno, anchas túnicas con dibujos orientales. Fificucha Osváldez Barget, por ser tan jovencita, se permitía una falda pantalón de ante que, al abrirse ella de piernas, parecía unos bombachos de la época de la Sección Femenina. En cuanto a las tres catalanas emparentadas con la Generalitat, traje sastre de lino blanco, con broche de precio y bolso colgado del brazo, a imitación de la reina de Inglaterra.

Ellas y las feligresas de María Asunción Solivianto —de gris y medias negras— eran las únicas que parecían vestidas para una recepción de las ocho de la tarde presidida por su alteza doña Marta Ferrusola.

La Von Petarden tuvo halagos para todas, incluida su secretaria. Y en esto último manifestó la princesa un alto sentido de la caridad, pues Beverly Gladys Gutiérrez llevaba un modelo de bermudas y peto cuyos pernales y tirantes estaban ribeteados con puntas de realce. Sin estar completamente ridícula, parecía un recortable de la Betty Boop.

Entre tantos esplendores visuales, la princesa repartía dosis de vermut y complacencia. Había llegado a tiempo de escuchar la plática de María Asunción Solivianto, pero esto no parecía afectarle demasiado:

—Yo soy piadosa como la que más y devota como ninguna, pero que me sirvan de todo porque no está mi *body* para pasar hambre.

Fue la señal que esperaban todas para arrojarse sobre los manjares sin la menor contemplación. Primero desapareció el salami, después el jamón, acto seguido los cangrejos de río, a toda prisa las langostas, y así sucesivamente. Sólo Beverly Gladys Gutiérrez parecía desganada y acaso ausente. Se limitaba a elegir para su jefa los mariscos y frutas que sabía de su agrado. Y cuando fue a llevarle el plato, la princesa la encontró tan compungida que se vio obligada a preguntar:

—¿Por qué pone usted esa cara, Beverly?

—Porque noto que he perdido su aprecio. Ayer no me dejó probar al piloto del avión.

—Es que estábamos llegando a Atenas.

—Pues haberse salido de la cabina en Nápoles y habría entrado yo.

—Hija, todo no puede ser. En las cabinas no aceptan al primer mindundi que va caliente las veinticuatro horas al día.

—¡No lo dirá por mí! Estoy fría como un témpano.

—Eso no tiene mérito. Está fría porque los miembros de la tripulación son feos y provectos.

—No todos. Hay unos grumetillos muy monos. Bien pudiéramos aprovecharlos, princesa.

—Eso es cosa suya. A mí me gustan los hombres hechos. A los niños, que los críe su madre.

Es lo que estaba haciendo en una zona de popa Perla de Pougy. Envuelta en una túnica malva con motivos florales, acariciaba con habitual complacencia a los tres grumetillos, cuyo encanto acababa de ponderar Beverly. Y, desde luego, no sería Perla quien le llevase la contraria, porque eran lindos como una mala cosa. Sólo presentaban un inconveniente: tendrían ya unos dieciséis años, edad que sus mejores clientes madrileños consideraban excesiva.

De todas maneras, también conocía señoras que necesitaban pimpollos que les recordasen a sus propios hijos. Así pues, decidió ir directa al grano:

—¿A ti no te gustaría trabajar en España? ¡Ay, qué sonrisa más linda tienes! ¡Y tú, qué pelo tan rizadito...! ¿Te gustaría que tía Perla te encontrase un empleo de monaguillo?

Se disponía a pedirles el carnet de identidad cuando percibió un perfume que le resultaba familiar. Era una bien fermentada mezcolanza de chinchón y vodka aderezada con unas gotas de Opium.

Al levantar los ojos, se encontró ante Miranda Boronat, cuyos ojos arrojaban llamaradas de furia por encima de unas gafas de sol que parecían de submarinista.

—No malgastes tus esfuerzos con esos púberes, que no te entienden. ¿No ves que son griegos de aquí?

—Pues no van a ser griegos de allá —repuso Perla, visiblemente incomodada por aquella interrupción.

—Allá tendrías que haberte quedado tú, desvergonzada. ¿Es que no puedes contenerte ni en este respetable viaje? Estás arriesgando el buen nombre de la mujer trabajadora para ganarte cuatro chavos.

—Mira, guapa: tú ocúpate de tus finanzas, que yo me ocupo de las mías.

—Si ya no se trata sólo de finanzas. Si se trata de la marquesa. Has pagado con dolor a una gran señora que siempre se portó bien contigo. ¿Es que no te acuerdas de aquel año en que estuvieron en un tris de morirse tus begonias?

—Me acuerdo perfectamente.

—¿No te prestó esa admirable marquesa su jardinero?

—Me lo prestó admirablemente.

—Entonces ¿por qué le pagas fornicando con su propio hijo?

—Toda mujer ha soñado alguna vez con acostarse con un archimandrita.

—Yo no conozco a ninguna que haya soñado nunca una cosa así. Y si alguna lo soñó era en tiempos de Teodora, emperatriz de Bizancio, cuando Madrid no existía. Ergo: lo has hecho por vicio.

—Muy bien: lo he hecho por vicio. ¿Y qué?

—Que lo reconozcas.

—Pues lo reconozco.

—Di: lo he hecho por vicio-vicio.

—Lo he hecho por vicio-vicio. ¿Qué pasa?

—Nada. Que a mí me gustan las cosas claras.

—Pues más claro el agua.

—Pues vamos a comer, que esas energúmenas se lo tragarán todo.

Se dirigieron a la mesa empujándose mutuamente y dedicándose ordinarieces que, por fortuna para su fama, no llegaron a oídos de una pasajera que las estaba admirando con toda su alma. Era, naturalmente, Emilia de Ruiz-Ruiz, que acababa de irrumpir en cubierta ataviada con su mejor vestido camisero, adornado, eso sí, con varios collares de bisutería fina. A su lado, Margot Sepúlveda intentaba hacer oídos sordos a sus reiteradas disertaciones sobre la buena sociedad. Vestía la pobre huérfana unos *jeans* y un jersey negro, comprado en el Plaka; la cabellera suelta, ondeando a la brisa, le prestaba un aspecto particularmente atractivo.

Era una madurez que se estaba encontrando a sí misma. Sólo que su amiga seguía sin darse cuenta.

—Esa que acabas de ver es Perla de Pougy, que siempre está metida en cosas de obispos. Las revistas aseguran que es muy buena con los huerfanitos. Y la otra es Miranda Boronat. Nadie sabe a qué se dedica, pero siempre sale en todas las fotos de bodas, bautizos, entierros y funerales. Es una gran señora.

—Bueno, vamos a comer de una vez. Con tus historias me tienes hambrienta.

—Es que lo elegante es llegar tarde. Además, ¿tú crees que vamos bien vestidas? No sé si volver al camarote y ponerme alguna alhajita.

—¿Otra? ¡Si pareces la Dama de Elche!

—Voy sencilla comparada con la escritora. ¡Fíjate cómo se ha vestido!

En efecto, Ruperta Porcina Boys acababa de hacer su irrupción en el comedor ataviada con unos *shorts* de exploradora que le llegaban hasta las rodillas y una amplia blusa ilustrada con latas de tomate de Andy Warhol. Para completar tan armoniosos cromatismos, se había colgado del cuello varios collares bereberes y cinco de ámbar.

—Es la escritora más moderna y bien vestida que he visto en mi vida —comentó, embelesada, Emilia de Ruiz-Ruiz.

Margot la miró con desdén.

—Yo le recomendaría que no enseñase esas piernas. Y sobre todo que no fuese tan recargada, porque si tú pareces la Dama de Elche, ella parece el buey Apis.

—¡Qué desdeñosa eres! No se te puede aguantar. ¡Fíjate! La escritora se dirige a la princesa. Eso es que se conocen. Será, pues, una escritora importante.

La princesa había buscado acomodo debajo del toldo que atravesaba la cubierta superior. Se hallaba ensimismada en la contemplación de la isla mientras masticaba su tercera langosta con una discreción que le permitía dirigir continuas sonrisas de un lado a otro, en un simpático intento de hacer que todas las pasajeras se sintiesen halagadas.

No había terminado de sonreír cuando vio aparecer ante sus ojos la mole de Ruperta Porcina Boys, con sus carnes blancuchas y un quilo de crema protectora en sus orondos mofletes.

Beverly se apresuró a acudir en ayuda de su jefa:

—Sin duda conoce usted de nombre a esta señora. Es una escritora no completamente desconocida.

—¿Ha ganado el Nobel? —preguntó la princesa.

—No, que yo sepa... —dijo Beverly.

—Entonces es lógico que no nos conozcamos. Mi marido, el príncipe, suele decirme a menudo que los escritores que no han ganado el Nobel suelen ser unos mangantes. Por tanto deduzco que usted desea pedirme algo.

Como todas las personas serviles, Ruperta Porcina Boys sabía sonreír mejor cuanto más la insultaban:

—Diga lo que diga ahora, en el pasado, usted conoció a muchos escritores que no tenían ni un duro. Me refiero a las noches de la bohemia madrileña, donde usted pescó más de una cogorza... ¿Le suena el nombre de Tom Renom?

La princesa fingió pensar cuando, en realidad, maldecía por dentro.

—Vagamente. Espere... Creo que era un fotógrafo, un *paparazzo*. Hacía las fotos que acompañaban las entrevistas de no sé qué revista, allá por los años setenta...

—Concretamente en mil novecientos setenta y seis, en plena transición. Por supuesto, recordará esa época que llamaron «del destape». Tom Renom fotografió a muchas chicas que iban para actriz. Ya sabe usted: las que decían que sólo se desnudaban si lo exigía el guión. En algunos casos, el desnudo fue mucho más lejos. Para ser exactos, algunas *starlets* de aquel cine español llegaron a hacer pornografía.

—Como podrá comprender, éste es un tipo de material que no necesito. Recuerde que soy una mujer casada; así pues, estoy sexualmente satisfecha. En la cama, mi marido me tiene como una reina.

De haberla oído, su octogenario príncipe habría derramado lágrimas de agradecimiento. Que era por cierto lo que Ruperta esperaba sentir si su maniobra salía como había planeado.

—Sé perfectamente que ya no necesita usted

ese material. ¿Quién lo ignora? Pero resulta que está relacionado con cierto apartamento de Costa Fleming... Tiene que acordarse, señora. Se habló mucho de él al descubrirse una red de prostitución formada por jóvenes figuras de nuestro cine...

—Lo recuerdo perfectamente. Y también recuerdo que se echó tierra sobre el asunto. Nunca se publicaron los nombres de las implicadas.

—Alguien podría recordarlo en un artículo de opinión en el primer periódico de Madrid. Sin ir más lejos, yo tengo muchos datos.

La princesa permitió un respiro a su interlocutora. Tenía el aspecto de una espía que se hubiera equivocado de lugar, aunque creyera haber acertado en la persona. Como chantajista las había conocido peores, pero desde luego no tan chapuceras. En cualquier caso, decidió darle caña:

—Después de cenar, saldré a cubierta para que el aire haga volar mi chal, como en las películas de amor y lujo. Pareceré pensativa, pero no le impediré hablar si usted me aborda.

—Estoy segura de que lo que tengo que decirle conseguirá interesarle.

—Lo dudo, pero traiga su propuesta a punto, por si acaso.

La despidió con una sonrisa tan de compromiso que no parecía sonrisa ni nada. Más bien sentía piedad por ella: cuando una mujer recurre a este tipo de operaciones es que tiene un problema muy gordo en su vida.

—¿Qué quería ésa? —preguntó Beverly Gladys Gutiérrez al regresar a su lado con un dulce tan empalagoso que atraía a todas las moscas.

—Hacerme chantaje. Imagino el propósito. La ministra de las paellas me habló de los intereses de esa bruja.

270

—¿Quiere que la echemos del barco?

—De ningún modo. No olvide que hay prensa. Y ahora, silencio: se acercan dos raras.

En efecto, Emilia de Ruiz-Ruiz no había podido resistir la tentación de cruzar unas palabras con su ídolo y se acercaba tímidamente, arrastrando consigo a su amiga Margot.

—¿Ustedes también son escritoras de medio pelo como esa gorda? —preguntó la princesa Von Petarden con cierta hostilidad.

—No, alteza. Servidora es empleada del hogar. Y aquí, mi amiga Margot (qué nombre tan televisivo, ¿verdad?), pues ella ha sido toda su vida algo así como asistenta social...

—Pero ¿qué estás diciendo? —interrumpió la otra, con visible desagrado—. No le haga caso, princesa, que está tarumba.

—¿Cómo que no? —protestó Emilia—. Se ha pasado veintidós años cuidando de su madre impedida.

—Eso la honra —dijo la princesa con sus acentos más dignos—. Si una madre impedida me hubiese exigido tanto sacrificio, la habría mandado directamente a doña Teresa de Calcuta.

Violenta a causa del papel que se veía obligada a representar, Margot decidió convertirse en el convidado de piedra. No había estado tanto tiempo encerrada para no saber que la estupidez, cuanto más se la obvia, menos dañina resulta.

—Bueno, una vez presentadas las credenciales, ¿en qué puedo servirlas, lindas? —preguntó la princesa, sin el menor interés.

—Pero ¿qué dice? —exclamó, ansiosa, Emilia—. Soy yo quien debe servirla a usted. Servirla, sí, aunque sólo sea para decir cuánto la admiro y la devoción que le tengo. Vamos, que es usted mi modelo y mi todo.

—Es natural, querida, es natural.

Mientras recibía los halagos de Emilia y el silencio malhumorado de Margot, la princesa miraba desesperadamente a su alrededor, en busca de Beverly Gladys Gutiérrez. Era extraño que, siendo tan perfecta secretaria, todavía no hubiese comprendido la necesidad de librarla cuanto antes de aquella admiradora tan pesada.

Sería oscurecer la notoria fama de Beverly Gladys Gutiérrez suponer siquiera que había descuidado por un segundo a su ama. No. Es que se hallaba poniendo orden en otra parcela del gran rebaño: la que formaban las enviadas de los medios de comunicación.

Por fin pudo regresar junto a la princesa para informarle de las últimas novedades.

—Princesa, le recuerdo que prometió a las chicas de la prensa permitirles hacer fotografías a la hora del café.

—Pues claro. También ellas son obreritas. También deben cumplir con su obligación... —Y poniéndose en la actitud de predicadora que solía adoptar María Asunción Solivianto, gritó—: ¿Estamos todas visibles? ¿Estamos todas maquilladas, maravillosas, radiantes, perfectamente *okay*?

—Estamos todas chulis —contestaron algunas damas. Y otras se limitaron a pensar que estaban como buenamente podían.

La eficiente Beverly dispuso en un pequeño grupo a las chicas de los medios. Faltaban los hombres, que también los hay en el menester de la comidilla, pero la princesa y María Asunción Solivianto se habían puesto de acuerdo para respetar la regla básica del crucero: que sólo hubiese mujeres, tanto entre las protagonistas como entre las que debían inmortalizar su protagonismo.

No es que la princesa Von Petarden estuviese completamente de acuerdo. Lo mejor de su imagen dependía del prestigio de extravagante que se había ganado entre la parte gay del cotilleo; así pues, quiso interceder por los miembros que le eran más adictos.

—¿Y algún maricuela no pasaría? Piense que son inofensivos para nosotras y, en cambio, nos hacen lucir mucho.

—También son hombres —contestó la Solivianto—. No como los demás, ni con los mismos derechos, pero hombres de alguna manera. Y vete tú a saber si, viendo tanto mujerío, no les da por convertirse a lo heterosexual y ya la tenemos armada.

Ante aquellas razones, la princesa Von Petarden no tuvo más remedio que admitir sólo a los periodistas hembras, acaso dañinas en sus escritos, pero poco proclives a armar algún escándalo erótico en un crucero de mujeres solas. Precisamente para evitar aquel peligro no había sido invitada Sergia Luzmel, autora del famoso libro de cocina *Ramoncita o la buena tortillera*. Y era mejor para todas, porque tenía rivalidad con Ruperta Porcina Boys desde que le arrebató un premio de novela feminista en el festival de Riberuela del Pisuerga.

Poco dispuesta a que continuasen quitándole cosas, Ruperta Porcina Boys había decidido que nadie le arrebataría el protagonismo que le correspondía por ser la única escritora experimental de aquel crucero. Así pues, se arregló la calva y ocupó su lugar entre las famosas de la prensa rosa. Lamentablemente, la apartó de un empujón la fotógrafa Bría Tupinamba:

—Usted no se ponga en la foto, que no es noticia.

—¿Cómo que no? —exclamó, airada, Ruperta—. Tengo el premio de poesía política del certamen de Torreblanca.

No hubo piedad para la escritora, que fue literalmente avasallada por los empujones de las damas auténticamente noticiables. Las que llevaban en su atuendo el número de marcas requerido para figurar en una crónica de sociedad.

Pero sobre todo había una que llamaba la atención aquel día.

—¡Que se ponga Fificucha, que es noticia! —exclamaron las cuatro reporteras a la vez.

La aludida iba de un lado para otro moviendo las manos en forma de molino y obsequiando con mimos y tonterías al propio cielo, tan alta llevaba la cabeza.

—¡Que os equivocáis, que os equivocáis! ¡Pobrecita de mí! ¿De qué voy a ser yo noticia? Son mis papás los que lo son. Yo, aparte de reina del bakalao y primera en la clase de karaoke, no tengo fama, no tengo nombre, no tengo ná de ná.

Más se resistía ella, más la empujaban las fotógrafas hacia un rincón de la cubierta. Y como sea que continuaba lanzando grititos histéricos y complacientes a la vez, propios de un puedo pero no quiero, Mauricia Resclós se apiadó de ella y comentó:

—Tiene razón esa niña. ¿Por qué va a ser noticia, la pobrecita?

—Porque su padre es Osváldez, el que está en la cárcel.

274

A Mauricia se le encendieron las luces de la oportunidad.

—Si es por eso, mi marido ingresó ayer —exclamó a voz en grito.

—Toma, y el mío —gritó Olivia Sotomayor. Y dirigiéndose a las fotógrafas—: Nosotras también somos noticia. Nuestros maridos también han cometido estafas de órdago. ¡Ya quisiera ese Osváldez haber falsificado tantos cheques como nuestros maridos!

Lucharon ambas para ponerse en primera fila. La princesa las acogió en su seno, aprovechando la oportunidad para mimar a la prensa.

—Pueden titular esta foto: «Las pobres víctimas de la cultura del pelotazo.»

Y se puso más en el centro, con los brazos abiertos en actitud de supremo amparo.

—¡Qué simpática es la princesa! —comentó la reportera Milena Sánchez-Quirk.

—Es la más asequible —dijo la cronista Sara Tonel.

—Muy campechana, sí —remató la comentarista Mirta Limones.

Eblouisante Domínguez, que por ser medio francesa cubría Madrid y Barcelona, fue más lejos que sus colegas al descubrir lo noticiable de dos mujeres que habían quedado arrinconadas, ya por dignidad personal, ya porque, al ser catalanas, no interesaban a escala nacional, según el baremo de esta prensa. De ahí que manifestasen su sorpresa al verse abordadas por otro medio que no fuese la televisión autonómica, dominio del *Presidentíssim* y su corte de lameculos:

—¿Noticia yo? ¿Por qué? —preguntó Mariona Finestrell i Palautordera.

—¿Cómo? —preguntó Eblouisante, extrañada de veras—. ¿No ha leído la prensa de Barcelona? Vienen todas las estafas del día de ayer.

—En Iberia nos dieron la prensa de Madrid. También me quejaré, no crea.

—Señora Finestrell, ¿va a decirme que ignora que su marido, el *conseller*, ha pasado la noche en la comisaría, acusado de desfalco?

La reacción fue típica de una catalana perfectamente organizada:

—¿Lo ves, Nurieta? ¡Es irme yo de casa y que ocurra algo!

—Es bien verdad —dijo su amiga—. A los hombres no se les puede dejar solos. De todas maneras, yo no me preocuparía: ¿tu marido no tiene la protección del *Presidentíssim*?

—¡Es claro! Si el mismo *Presidentíssim* le dijo: «Tú compra, Pau, tú compra que luego apuntamos un precio mucho más alto y no se entera nadie.»

—Es que el *Presidentíssim* es muy desprendido. A mi Narcís le dijo: «Mientras lo de la Banca funcione, no hay que preocuparse por nada. Tú esconde, *noi*, tú esconde, que luego los papeles se los lleva el viento...»

Pero Mariona Finestrell i Palautordera sabía que un *Presidentíssim* es, en el fondo, un ser humano y, por tanto, su palabra de honor tan volátil como el humor de cualquier prójimo.

—Tenemos que llamar a Barcelona ahora mismo. Necesitamos información de primera mano. —Y en voz baja y angustiada—: Este hombre mío es tan distraído que no sé si habrá puesto el dinero a buen recaudo.

—Mientras no lo haya puesto todo a nombre de su querida...

—¡Ah, entonces no habría problema, porque su querida es de toda confianza!

Acudieron con sus problemas a la princesa, que al instante dio pruebas de su reconocido desprendimiento:

—Les permito utilizar mi teléfono particular. Llévelas a mi camarote, Beverly. Ya sabe usted que es el blanco.

—Cierto —dijo una de las reporteras—. Es el blanco de todas las curiosidades. ¡No sabe usted lo que daríamos por hacerle una entrevista a su teléfono privado!

—¡Tontitas, más que tontitas! —exclamó la princesa, en tono jocoso y coqueto a la vez—. Anden, retraten ya y pregunten lo que quieran menos lo que no deben.

Naturalmente, todas preguntaron lo que no debían, pero como nadie contestaba inventaron lo que pudieron, que fue mucho y muy dispar. De todos modos ninguna se atrevió a negar que Fificucha Osváldez había declarado:

—De niña soñaba con ser Diana de Gales. Es por esto que ahora tengo más clase que Madame Curie y Juana de Arco, a la vez las dos y ambas.

Nadie pudo negarlo, en efecto. Y es que determinadas estupideces de las niñas bien no sabría inventarlas ni el periodista más desmadrado.

AL CAER LA NOCHE, las esposas de los *consellers* habían sabido algunas novedades: sus esposos eran estafadores de tomo y lomo, pero el *Presidentíssim* los protegería hasta el final, porque sus declaraciones podrían revelar que más estafador que el *Presidentíssim* no había nadie. Tenía el prohombre muchas cosas que ocultar en su propia familia —algún hijo le había salido aprovechado— y era preferible tapar las estafas ajenas que encontrarse, de repente, con la manta levantada en casa propia.

También es cierto que las estafas a la catalana nunca tendrán la vulgaridad de las madrileñas. Siempre irán revestidas con un toque de diseño que las hará más europeas. Sin contar que en Cataluña, por lo menos, los estafadores hablan un idioma distinto.

A este respecto dijo Núria Sant Celoni i Vertun:

—A mí me hace el efecto que, una vez conocido el estado de las cuestiones, deberíamos volver a Barcelona.

Mariona Finestrell i Palautordera se puso digna:

—¿Y dejar el crucero? ¡Ni hablar! Luego, esas madrileñas dirán que tenemos algo que esconder.

—Con franqueza: hay mucho que esconder. Sin ir más lejos, yo me escondería debajo de la tierra. Pero, en tu perseverancia, tal vez tengas razón. A lo mejor seremos más útiles aquí.

—Es claro, mujer. Así, cuando se aparezca la Virgen podremos pedirle su intercesión por vía directa. ¡Que no tengamos que jugarnos la masía del Ampurdán, los coches y el colegio suizo de los niños!

—Eso, eso. Que la Virgen ilumine al *Presidentíssim* en el idioma de Cataluña.

Prescindiendo de estafas, estafadores e idiomas varios, la princesa Von Petarden había salido a cubierta para afirmar, bajo los mantos de la noche, su imagen de vestal muy dada a la medita-

278

ción. Culta no sería, pero meditabunda más que nadie. Sin estar triste como la princesa del poema, la Von Petarden decidió aparecer ligeramente melancólica para mejor representar su papel. Llegaban hasta ella las luces chisporreteantes de un puerto muy animado. De un yate vecino salía una melodía tenue de violines y piano. La noche era perfectamente negra y las estrellas abundantes. Ella misma sobresalía en encantos. Se había puesto coral en el pelo y, sobre el cuerpo, sin ropa interior, un liviano vestido blanco, de moda ibicenca. Se cubría los hombros con uno de sus deliciosos chales de cachemira; éste con dibujos que semejaban nubes.

Desde aquel estado ideal vio llegar a Ruperta Porcina Boys envuelta en un chal barato, que más bien parecía una mortaja. Decidió que aquella mujer no le gustaba, pese a que su reverencia podía ser gentil y el tono de su voz pretendía parecerse a la simpatía.

—Princesa, quedamos en hablar...

La Von Petarden la distinguió con la cortesía de una sonrisa, pero tan glacial que más bien parecía un marcaje de distancias.

—No exactamente. Quise decir que usted hablaría y yo no la dejaría con la palabra en la boca; lo cual es mérito porque, permítame decírselo, la encuentro gorda, fea y calva.

Ruperta acusó el golpe sin inmutarse. O acaso lo fingió, porque era demasiado susceptible para sentirse entera. Prefirió recurrir a ese retintín que siempre funciona en las intrigas:

—Gordos, feos y calvos eran muchos de los señores a quienes usted frecuentó en tiempos menos boyantes, princesa.

—Tiempos de necesidad, para ser exactos. No

quedaba un momento libre para soñar con Robert Redford. Lo que venía, bienvenido fuese. Por lo que veo usted insiste en hurgar en mi pasado. Queda muy novelesco, pero no sé en qué podría serle útil. Yo no pertenezco al mundo de la literatura.

—No se preocupe. Puede ayudarme, y mucho, en el mundo del teatro. Me ha contado la ministra que ahora tiene usted mucha mano en él.

—Usted cuando habla de teatro se refiere a su mina de oro particular. Vamos, lo que mis criadas dirían el chollo. Sé que le pica, pero tendrá que rascarse. No le oculto que conozco la historia. Yo misma pedí el *dossier* a la ministra por motivos que no vienen al caso. Una persona muy afecta a mis intereses me hizo reparar en algunos detalles: usted entró en el Teatro Experimental como simple asesora del entonces director, hizo todos los posibles para echarle a él e instalarse en su puesto. Una vez acomodada, empezó a amasar dinero.

—¡Alto! Yo no he robado ni un céntimo.

—No ha sido necesario, puesto que la amparaba la legalidad del cargo. Usted decidía estrenar tres obras propias y se traía a directores extranjeros que cobraban un sueldo millonario. Esto le permitía tener acceso a festivales internacionales a los que nunca habría podido acceder por sus propios méritos.

—¡Qué infamia! ¿Cómo puede pensar esto de mí, una intelectual honesta y coherente, con toda una trayectoria que arranca del mayo francés?

—Yo no pienso. Afirmo. He visto los resultados de su gestión durante los últimos años. De otras quince obras elegidas, hay diez traducciones suyas. La persona que me informa me ha contado algo que yo, pobrecita de mí, desconocía: usted siempre traduce a autores que fallecieron hace más de ochenta años y que, por tanto, son de derecho público. El feliz resultado es que usted se lleva el tanto por ciento íntegro. Así no me extraña que quiera permanecer en ese teatro a título vitalicio.

—La persona que le informa (por usar un eufemismo refiriéndose a un vulgar chulo) le ha dado una ciencia insospechada. Nunca la creí tan entendida.

—Es que el teatro me ha entrado por el coño. Y así me va de bien, preciosa.

—No lo dudo. Sus devaneos con los jóvenes creadores son de sobra conocidos.

—También podríamos hablar de los suyos. Vamos, vamos: todo el mundo la ha visto en los ensayos de cierta compañía de ballet, comiéndose con los ojos a los jóvenes bailarines desde el patio de butacas. Y hasta me han contado que no pierde ocasión de pasarse por los vestuarios con el pretexto de saludar al director o al coreógrafo. Como puede ver, todas tenemos algo que esconder, gordita.

—De acuerdo. Me gustan los jovencitos, tanto o más que a usted, pero hay una diferencia...

—Claro que la hay. Yo puedo tener todos los que quiero, porque soy divina, y usted tiene que contentarse mirándolos en los vestuarios, porque es horrenda.

—La diferencia a que me refiero es más importante que todo esto: yo no despierto el menor interés en la prensa. Mi nombre no vende en ese submundo de la noticia amarilla. En cambio, su historia puede llenar muchas portadas. O sea que el chollo que puede arruinarse es el suyo. Para decirlo de una vez: tengo a las chicas de los medios advertidas. Una negativa a mis reivindicaciones y las llamo.

—No se atreverá.

—¡No me tiente, que las llamo!

—Pues bien: llámelas de una vez.

Aquí Ruperta tuvo un instante de vacilación. Nunca esperó que la otra llegase tan lejos.

—¿Está segura de lo que va a hacer? —preguntó, tartamudeando.

—¡Llámelas de una vez, gorda sebosa!

No fue necesario. Atraídas por los gritos, acababan de aparecer las cuatro periodistas oficiales acompañadas por sus fotógrafas.

—¿Molestamos, princesa? —preguntó tímidamente Milena Sánchez-Quirk.

—De ningún modo, querida. Ustedes, las de los medios, no molestan nunca a quienes no tenemos nada que esconder.

En este punto, la princesa saltó sobre la mesa con una pirueta fenomenal, que todas aplaudieron. Aquella agilidad respondía a los reportajes que todas ellas le habían hecho para demostrar su perfecto estado de conservación: *footing, jogging*, bicicleta, natación... todo cuanto podía acreditar a la española de los años noventa como la quintaesencia de la modernidad.

Desde lo alto de la mesa, la Von Petarden señaló a Ruperta:

—Aquí, esta escritora de medio pelo (o, mejor aún, de ninguno), quiere informarles que yo, al comienzo de los años setenta, hice la carrera.

Se creó un silencio denso, violento, casi agobiante. Lo rompió Eblouisante Domínguez para decir, en tono perfectamente casual:

—¿Era eso? ¿Sólo eso?

—¡Si lo sabe todo el mundo! —exclamó, divertida, Choni Beltrán.

—Es verdad —aclaró Mirta Limones—. ¡Qué antigua es esa escritora anónima!

Sara Tonel, decana del cotilleo, sonrió con nostalgia por lo que ella consideraba tiempos mejores:

—Yo conocí a Fifí la Tomate en aquella época. Era la *call girl* más simpática de Costa Fleming, del mismo modo que ahora es la princesa más simpática de la *jet* internacional.

Ruperta no podía dar crédito a sus oídos, y lo expresaba con todo tipo de aspavientos:

—Pero ¿estáis locas? ¡No sabéis lo que decís!

La princesa continuaba sonriendo, solemne y triunfal sobre la mesa:

—Espere y lo entenderá. Vamos a ver, chicas: ¿qué es más noticia para vosotras, publicar la historia de mi pasado o que la semana próxima os permita fotografiar mi nueva casa de Roma?

—¿Se dejará retratar también el príncipe? —preguntó con enorme ilusión Bría Tupinamba.

—Claro que sí. Pero tendréis que ayudarme a mantenerle en pie. Ya sabéis cómo le da al trago.

Todas rieron de buena gana y con mucha salud interior.

—Es usted divina, princesa.

—¡Siempre tan atenta con la prensa!

—¡Son ustedes unas inmorales! —gritaba Ruperta, fuera de sí—. ¡Están legalizando la ilegalidad!

Al verla tan desmoronada, Choni Beltrán la cogió aparte:

—Mire usted, gorda: nos va el pan a todas en que la princesa siga siendo digna y respetada. Parece mentira que escriba usted en los periódicos y no sepa de qué va el tinglado. Todos los archivos están llenos de fotos de Fifí la Tomate posando desnuda o en situaciones comprometidas, pero esto sólo interesa a las revistas de hombres, que, además, venden poco. A las lectoras de los ecos de sociedad, que cada vez abundan más, les gusta que la princesa sea tal como nosotros se la ofrecemos cada semana: el ejemplo de la española que, saliendo de la nada, ha llegado a los puestos más altos de la escala social. Como es lógico, no vamos a matar a la gallina de los huevos de oro.

—Pero ¿es que la verdad ya no tiene ningún valor?

—La verdad ya no interesa ni a los que la dicen. Así que otra vez, antes de hablar, cuélguese.

La dejaron sola, porque la princesa acababa de anunciar barra libre y esto es algo que un periodista sabe apreciar más que cualquier verdad potencial.

Convertida en una sombra de su propia agresividad, Ruperta Porcina Boys fue a encerrarse en su camarote para consultar la guía de Grecia. Quería averiguar urgentemente cuál de las próximas escalas tenía un aeropuerto que le permitiera llegar a Atenas cuanto antes para enlazar con un vuelo para Madrid y encontrar, en los bares de chicos teatreros, un consuelo en forma de ginn-fizz. Y es que era así de antigua, la moderna aquella.

CAPÍTULO NOVENO

LA RUTA DEL MITO

SI LAS CHICAS DE LOS MEDIOS hubieran dado un
brazo por intervenir el teléfono privado de la
princesa Von Petarden, darían el otro sin vacilar
por la posibilidad de fotografiar el yate de Victoria Barget o, para ser más exactos, el que había
sido honor y loa del banquero Osváldez (decían
que hasta el rey había cenado a bordo, en las doradas noches de Mallorca).

Lo importante es que, a fuerza de dar brazos
a cambio de noticias, se habría quedado como la
Venus del Milo más de una cronista social.

En el yate *Artá* Victoria y Elena habían tenido
una travesía placentera, que les permitió deter-
nerse en una isla para tomar un baño y obse-
quiarse, después, con almuerzo ligero a base de
ensaladas y pollo frío. Todo perfecto. Pero
cuando ya se divisaban las primeras rocas de
Creta, Victoria Barget manifestó signos de preocupación.

—Estoy a punto de hacerle confidencias...

—¡Bravo! —exclamó Elena Arquer—. Por fin
hablaremos de su marido.

—No sea pesada. Se trata de otro hombre.

En realidad, necesito algún consejo. Por ejemplo: si tuviese usted que sacrificar a alguien muy joven...

—Supongo que se trata de Borja. —Victoria asintió con un ligero movimiento de cabeza—. Francamente: es usted incomprensible. Tiene el marido con el que sueñan las mujeres de media España y lo abandona cuando está en la cárcel. Le quita a su hija el novio ideal, con *master* incluido, y ahora está pensando en dejarle en la cuneta. ¿Qué pretende con todo esto?

Pero Victoria Barget parecía obstinada en una sola respuesta para una única pregunta:

—Insisto: ¿si tuviese que sacrificarle?

—Por lógica y por humanidad pensaría dónde está la culpa. Si en él o en mí. Me preguntaría si no le he pedido cosas que están fuera de su alcance.

—¿A qué se refiere?

—A que pudiera no ser como usted le ve. ¿No se le ha ocurrido pensar que ese chico maravilloso a quien tanto ponderaba usted la otra noche, puede ser un joven vulgar y corriente? Después de todo, un *master* mejor o peor aprendido no le convierte a uno en el geniecillo de la lámpara.

La expresión de Victoria cambió radicalmente. Pasó de cómplice a hostil en un breve instante.

—Éste es un aspecto de la cuestión que no pienso tocar.

—¿Por qué? ¿Le da miedo reconocer que se ha equivocado? ¿Tanto pierde en la intimidad el niño maravilloso?

—Insisto en que quiero evitar este tema. Volvamos al principio: ¿debo sacrificarle?

—Yo lo haría sin la menor vacilación... antes de que lo hiciera él.

—¿Así de tajante?

—Tal cual. Es ley de vida que los jóvenes acaben sacrificándonos, pero no debemos ponérselo tan fácil.

—Parece hablar por experiencia. ¿Ha tenido algún amante de esa edad?

—Ni de ésa ni de ninguna. Todas mis infidelidades han sido pasajeras. Pero tengo dos hijos que saben llevar el sacrificio a sus últimas consecuencias. En lo que se refiere a su relación conmigo han convertido el asesinato espiritual en una de las bellas artes.

—¿Los dos? ¡Ah, claro! Ya me dijo usted que todo lo hacen juntos.

—Todo. Hasta odiarme y conseguir que los odie yo. Y para complicar la situación no tengo la suerte que tiene usted con su hija. No, no se ría. Su niña es mema, luego resulta fácil menospreciarla. Mis hijos son brillantes, cultos y más listos que el hambre; así pues, duele mucho reconocer que sólo los quiero cuando están lejos.

—Usted siempre pide perdón cuando va a preguntar algo. Ahora se lo pediré yo para preguntarle cuántos reproches guarda en su alma.

—Como no soy en absoluto animista, los guardo en el cerebro.

—¿Cuántos reproches, en cualquier caso?

—Un montón. Pero es fácil rechazarlos porque son completamente irracionales.

—No lo serán tanto si le torturan.

—¿Me ve usted torturada?

—La veo luchando para que no se le note. O, acaso, para no notarlo usted misma.

Elena dejó de lado su bebida.

—Me rindo ante su perspicacia. No crea que es mucha, de todos modos. Mi situación no es nada original. Por decirlo de alguna manera, me encuentro sobrepasada por las circunstancias. Igual que muchas mujeres de mi generación y de lo que podríamos llamar mi entorno cultural.

—Universitaria de los años sesenta, imagino.

—Exacto. Y de las más avanzadas. No sólo en los estudios, que lo fui mucho, sino también en el terreno de las costumbres. La época lo propiciaba, pero muchas no supieron captar el mensaje. Yo lo oí y lo acaté sin rechistar. Le conté que mi marido y yo educamos a nuestros hijos de forma muy liberal, pero es que, para empezar, los tuvimos así. Por cierto, quiero aclararle que cuando me refiero a mi marido es una forma de hablar. En realidad, no estamos casados.

—Entiendo. Y sus hijos se lo reprochan.

—Por supuesto que no. Ya le he dicho que recibieron una educación muy liberal. Tanto que la que queda carca, antigua y retrógrada soy yo. Por decirlo de algún modo: estoy pasando la vergüenza de quedarme atrás en muchas cosas, cuando siempre creí estar por delante en todo. Y pasar de la vanguardia a la tercera línea no es consolador, se lo aseguro. Por lo menos cuando una todavía se siente joven para batallar.

—¿Su marido es de la misma opinión?

—Guillermo, que cuenta en muy pocas cosas, tiene mucho que decir en esta cuestión. Verá, a fuerza de liberalidad se ha convertido en un progre envejecido. Son personajes muy tristes. No hay hijo que lo respete.

—Conozco montones de casos así. A padres que fueron revolucionarios les han salido hijos puritanos y derechistas. Yo no tengo ese problema. En casa siempre fuimos conservadores; resultado: mi hija no es nada. Por lo menos sus hijos tienen carácter. Ya es algo.

—No sé qué diría usted, si supiera que se aman.

—Como buenos hermanos. Eso está muy bien.

—Como buenos amantes. ¿Sigue estando muy bien?

Victoria tuvo que recurrir a un trago para guardar su compostura.

—¿Estoy entendiendo lo que debo entender?

—Entiende usted perfectamente —dijo Elena, con otro trago—. Ya le dije que mis hijos todo lo hacen juntos, empezando por el amor. Un buen día decidieron que eran demasiado guapos, demasiado inteligentes, demasiado idénticos, en resumen, para compartir sus dones con el prójimo vulgar. Ni hombres ni mujeres. Ellos dos. La unidad absoluta. O así fue como lo racionalizaron. A mi marido se le derrumbó todo su edificio teórico. A mí todavía me está tambaleando.

—Nadie podría reprochárselo.

—Se equivoca. Yo debo reprochármelo. Porque después de tantos años esbozando teorías, defendiendo libertades individuales y atacando lo reaccionario, me encuentro incapaz de comprender lo que sucede bajo mi propio techo.

Ya vestidas de manera ligera pero impecable —de blanco la una, de beige la otra— subieron a la torreta para contemplar a placer la llegada a Heraklion. Victoria se dejó caer en una tumbona, pero Elena, más pendiente de su pasado, se acodó en la baranda y recobró lejanas instantáneas del tráfico del puerto, que se iba convirtiendo en barullo a medida que se acercaban a él.

—Era exactamente así cuando vine por primera vez. Fue en un barco de línea regular y el billete sólo nos daba derecho a dormir en cubierta. Entonces no teníamos dinero para más. Desde luego, no para el avión. Pero daba igual. La llegada a este puerto, a la luz del amanecer, era una experiencia maravillosa. Ningún aeropuerto podría superarla.

—¿Le hace daño recordarlo?

—En absoluto. Es como una película que no hubiera merecido el honor de una reposición.

—¿Cuántos años tenía entonces?

—Tan pocos que me hace daño recordarlos.

—Si es así se contradice.

—En absoluto. Lo que duele no es Heraklion. Son los años.

—Creí que eran los kilos, como en los anuncios.

—Jamás. Tengo la suerte de no aumentar un gramo comiendo de todo. Y los anuncios siempre despistan. Nada hay que pese tanto como el tiempo. Todo lo demás son buñuelos de aire. —Calló un instante, como quien prepara una nueva sorpresa. Y, por supuesto, la dio—: Olvidaba decirle que mis hijos fueron engendrados en esta isla.

—No me asuste al decir por quién...

—No hay necesidad. Fue Guillermo. No hubo otro durante muchos años.

Victoria se echó a reír.

—¿Cómo puede estar tan segura de que fue aquella vez?

—Es que nunca volví a sentir otra tan intensa. Ni siquiera con el propio Guillermo.

Apareció el viejo fortín veneciano, con sus piedras teñidas de piel pardusca. Más allá, las murallas, oscurecidas por los primeros tonos del crepúsculo. En una de las dársenas, las aparatosas moles de los barcos de línea; en otra, la zona reservada a las embarcaciones de placer.

En la rada destacaba un viejo Studebaker cuyo desusado brillo demostraba que a sus dueños les interesaba mantenerlo siempre joven. De hecho era un hermoso ejemplar, que destacaba con categoría de clásico frente a la tosquedad de las murallas.

Victoria señaló a un curioso personaje que daba vueltas alrededor del vehículo. Era una mujer de porte ciclópeo; no gordinflona como Ruperta Porcina Boys, sino sencillamente grandiosa. Tan alta y cuadrada era que parecía una de las torres del fortín veneciano.

—¿Ve a esa mujer que está junto a ese automóvil tan aparatoso?

—Eso no es una mujer. Es una pamela con patas.

—Es Minifac Steiman.

—¿Cómo no se ha puesto un parasol en la cabeza? Encajaría con su estilo.

—Siempre dice que odia el sol, porque tiene la piel muy sensible.

—Leí en una revista femenina que había elegido pasar su vida en el Mediterráneo. ¿Quién mentía? ¿La periodista o ella?

—Ninguna de las dos. Minifac vive en Mallorca durante el invierno y en Creta durante el verano. En ocasiones hace escapadas a la Costa Esmeralda, y sólo pone los pies en Londres para firmar contratos.

—Está haciendo señales con los brazos. ¿Pretende dirigir el tráfico?

—Mientras no sean insultos porque llegamos

con retraso... Tantas vueltas alrededor del coche significan que está un poco nerviosa. No debe usted extrañarse de nada. Minifac puede ser la mejor anfitriona del mundo y al mismo tiempo la harpía más odiosa. Depende del humor. Con ella nunca se sabe.

AUNQUE SIEMPRE QUE TRATAMOS de Minifac Steiman apetece hablar sobre las trampas implícitas en cierta literatura de consumo que pretende sublimarse con disfraces de osadía, es más conveniente destacar esa mañana su gentileza al recorrer cuarenta kilómetros en un estado, si no decididamente lamentable, sí compadecible. Y es que la resaca de una madrugada con sesión de espiritismo y whisky a porrillo colocaba sobre su espalda una joroba comprometedora; y en la frente, justo donde terminaban las gafas de sol se acumulaban varias arrugas delatoras. Era el proceso de acartonamiento propio de las mañanas que siguen a la bebida. Por lo menos en el caso de la aparatosa momia de Minifac Steiman.

Al principio se manifestó descontenta e irascible: se había calentado una cosa mala escuchando las voces de Marco Antonio y Lord Byron a través de una médium de Canea, pero tuvo que contentarse haciendo el amor con un notorio macarra de Mikonos en un rincón de la cocina. El equívoco era tan grave que se vio obligada a aclarar su posición:

—Es fácil entender que no me quejo por el dinero. ¡*Noblesse oblige*, señoras! Pero eso de encenderse con machos de prestigio y terminar la noche debajo de un sin nombre, eso tiene muy poca gracia.

La aclaración y la voluntad de estar de vuelta eran típicos del *savoir faire* de la Inefable, especialmente cuando se trataba de disculpar, sin necesidad de citarlo, un orgasmo fallido. Su espíritu de amazona sofisticada se levantó en más de una ocasión contra el egoísmo de los machos que la poseían y, después de disfrutar ellos, dejaban su placer femenino como colgado de un hilo muy tenue, que no tuvieron el detalle de romper. Su sentido práctico, propio de mujer acostumbrada al éxito, la había llevado a guardar experiencias de ese tipo en la despensa creacional, y fue trascendiéndolas continuamente por la comunicación con los lectores..., aun cuando los malintencionados siempre pudieron decir que, en lugar de establecer una comunicación, se trataba de entretenerlos a cualquier precio, incluso el de la falta de exigencias literarias. La despensa de los orgasmos frustrados de Minifac Steiman nunca llegó a vaciarse del todo, y alguien añadió que no habría tenido tantos como quería hacer creer, pero que en cualquier caso constituían un material dramático de primera calidad; por lo menos para un tipo de lectora anglosajona que encontraba aleccionador el ejemplo de heroínas de su estólida raza que descubrían cuán engañosa puede llegar a ser la agresiva masculinidad de los machos mediterráneos. Los orgasmos imposibles de las selectas heroínas de Minifac Steiman escondían, sin embargo, una verdad última, que no se sabe demasiado qué cosas pretendía justificar. Llegaban al Mediterráneo desde la insipidez de un verano británico, desilusionadas por un matrimonio que ya duraba demasiados años, y que en algunos casos había sido absolutamente blanco. Como una mezcla de Constance Chaterley y heroína de Antonioni, esas damas ofrecían el aspecto de lunática propio del estado que Minifac Steiman, demasiado pomposamente, llamaba «incomunicación». Paseaban su tediovital por decorados que variaban entre la sofisticación de los hoteles más exclusivos (era impensable que una heroína Steiman sospechase siquiera en qué consistía una pensión) o paisajes de una naturaleza apasionada, acantilados tumultuosos ante cuya violencia la hembra incomunicada iba descubriendo las potencias de todas las diosas madres del Mediterráneo, y acababa por encarnarlas. Lejos de su sociedad superdesarrollada, sentíanse, de repente, símbolo de fecundidad de la tierra, y reclamaban que la fuerza erótica que las agredía fuese, como mínimo, tan poderosa como las rocas de Sunion. Las descripciones de machos «de piedra» (una especialidad Steiman) respondían a esa pretensión de las Bovary viajeras, y más de una lectora provinciana, al devolver la novela a la biblioteca popular o intercambiarla en los *drugstores* de inmaculados pueblecitos ingleses, sentía en su interior la necesidad de ahorrar para lanzarse a un viaje inmediato; pero no deslumbrada por los monumentos que la cultura mediterránea pudiese proponerle, sino ansiosa del estremecimiento que pueden producir determinadas rocas peludas, de nombre Gino o de nombre Antonio, cuando se refriegan contra un pezón ansioso que llegó del frío.

No obstante, Minifac Steiman, o acaso sus editores, había previsto el peligro de los malos ejemplos, y ofrecía, siempre a punto, una moraleja final: la felicidad que se basa en el erotismo sólo dura un verano (título revelador de su novela *Passion is just a summer*). Gracias a las reminiscencias de una perfecta educación anglosajona, la Diosa Madre convertida en turista comprende que malgasta sus capacidades ofreciéndolas a machos que, culturalmente, suelen serle inferiores. Cuando Pamela Malcolm, heroína de la novela *The Magnificent Matador*, descubre que el torero que en la cama le hace aullar de placer no ha leído jamás a Simone de Beauvoir, recapacita sobre la inferioridad del macho y hace las maletas a toda prisa, los ojos llenos de lágrimas, mientras Minifac se acoge a la tercera persona (siempre tan cómoda) para contarnos el trauma de ese abandono provocado por la lucidez:

«... con los senos aplastados bajo la coraza de la autodeterminación, Pamela miró por última vez el sol que tostaba los tejados salvajes de Torremolinos. Jamás olvidaría aquellas dos semanas de pasión y fe, pero las guitarras habían enmudecido, la sangría tenía ahora un sabor de ceniza, y la cama, antes vega fértil, se convertía en un yermo sin mañana. Y el nombre de Roberto Cruz, a quien tanto llegó a amar, parecíale ahora el sinónimo de todo lo bárbaro, de todo lo brutal. ¡Ah! ¡Ah! Aún agradecería, a pesar de todo, aquel dolor de la renuncia, aquella decisión que la devolvía a sus esencias. Y, con la renuncia, sintió que se engrandecía. Ahora sentíase... ¡por fin mujer! Ahora, Pamela echaba al vuelo las británicas campanas de su albedrío.»

Cualquiera que fuese el grado de pasión y calentura que las heroínas anglosajonas llegasen a sentir en brazos del robusto representante de la mediterraneidad, salían completamente decepcionadas al final de las cuestiones. La única ventaja de que aquellos machos les dejaban recuerdo eran las excepcionales medidas de su miembro viril, pero sin otros atributos que pudiesen evitar el desenlace fatal, predestinado por la falta de cultura. En la vida real, una Minifac Steiman sumamente práctica habría considerado que la eficacia de un tamaño fuera de lo corriente bastaba e incluso sobraba. Pero, en sus creaciones literarias, las protagonistas se daban cuenta de que la adoración de aquellos tamaños las alejaba del imperio de una razón consagrada históricamente. Regresaban siempre a esa razón anglosajona, aunque su madre literaria eligiese vivir en el Mediterráneo durante todas las estaciones del año, aferrada a los tamaños más excepcionales de cada costa, y burlándose de la razón y el prestigio racial en su propio terreno.

Era fácil comprender que Minifac Steiman, especialista en orgasmos fallidos, mentía cuando fallaba y mentía cuando escribía. Pero sus hijas literarias eran sinceras cada vez que, después de algún intento de suicidio bajo los olivos de Pollensa, regresaban al hogar nativo, a aquel imperio de la razón en el que, desde niñas, habían aprendido que lo único que las razas bárbaras pueden aportar es la pasión y nunca la inteligencia; los penes descomunales, jamás la medida justa, equilibrada, civilizada en resumen.

La continuidad de esa moral variaba muy poco, y una simbología basada en una terapéutica de los senos aplastados por pechos más poderosos (y, además, peludos) fue, para las lectoras de Minifac Steiman, la metáfora de realización erótica más fácilmente reconocible. No es broma, aunque lo parezca. Imbuida por una trivialización de los símbolos eróticos-poéticos de un García Lorca, destilados por el estilo de la página literaria del *Times*, Minifac Steiman encontró definiciones que la crítica inglesa, incluso la más conspicua, llegó a considerar «originales, ardientes y provocativas». Efebos de Sierra Morena con cintura de junco; hombres maduros de Capri, con la chispa de un sexo de fauno brillando en el volcán de sus ojos color de noche; camareros griegos con la altivez de un Alcibíades destilando en sus labios de manzana madura; marineros turcos con bigote frondoso y criminal como las noches de Estambul; y, en fin, atletas negros con todo el sol de África tostando la dureza incontaminada de su miembro viril, fueron imágenes que Minifac Steiman se dedicó a prodigar en sus novelas, acaso con la intención de valorar extraordinariamente unas virtudes físicas que, sacrificadas en nombre de la razón anglosajona, hacían todavía más admirable la renuncia de las protagonistas.

Sin embargo, la metáfora de los senos tenía aplicaciones de una complejidad mucho más elevada. Las protagonistas solían empezar su periplo con los senos duros, secos, estériles como «un manantial al que durante años no había regado lluvia alguna» *(sic)*, pero al terminar la novela, los pezones se habían convertido en «fuente de miel, caricia de dalia y espuma de aquella playa entre cuyas olas fueron a disolverse los testículos de Urano».

Lo milagroso de tales metamorfosis hizo que la contribución de las novelas de Minifac Steiman al turismo femenino de habla inglesa fuese mucho más importante que la publicidad de las grandes agencias turísticas. Las metáforas poéticas a cuenta de los senos que se secan o endulzan según la frecuencia de machos con piel de roca que los lamían, gozó de tanta aceptación que las lectoras de Minifac Steiman hicieron cola en los locales que proyectaban las versiones cinematográficas de aquel gran fenómeno literario; y cuando la productora convocó una encuesta para elegir a la protagonista de *Las guitarras del pecado*, las lectoras de Minifac opinaron que las únicas actrices capacitadas para dar vida a Merle La Brune eran Jeanne Moreau, Glenda Jackson o Liv Ullman; es decir, mujeres no precisamente jóvenes, no exactamente bellas, pero dotadas de una aureola de inteligencia, autoridad y determinación que les permitía caer en los desmanes de una voluptuosidad de verano para, acto seguido, resurgir triunfantes de entre sus excesos, por los caminos de la Razón. Las frases publicitarias hacían el resto:

«Le quedaban pocos años para gozar del sexo, pero su cuerpo se abrió a él por entero.»
o bien:

«En la ardiente Sevilla, el torero Roberto significaba la vergüenza, pero ELLA la asumió, sin mirar atrás.»

Tales frases eran reclamos perfectos para acompañar a un dibujo de la primera actriz, ojerosa, en combinación, las mejillas aplastadas contra el pecho de un serrano que evocaba el estilo del joven Alain Delon. Pero la asiduidad de semejantes reclamos no engañaron jamás a las seguidoras oficiales de Minifac Steiman, quienes conocían la capaciad de la autora para redimir a sus heroínas al final de cualquier calvario pasional. Y si nunca hubo menopáusicas más atractivas y elegantes que las de Minifac Steiman, también es cierto que jamás se escribió tanta retórica sobre la inteligencia superior de la mujer, especialmente a la hora de descubrir que el macho la ha estafado en algún orgasmo. Así pues, el proceso de identificación con la lectora resultaba infalible: amas de casa, taquimecas y telefonistas sentíanse de repente vengativas, y tomaban conciencia de todas las estafas sexuales a que habían sido sometidas.

En las peripecias eróticas inventadas por Minifac Steiman, los protagonistas masculinos quedaban tan minimizados como la raza latina. Ya fuesen camioneros, boxeadores o príncipes italianos, resultaban egoístas desde un punto de vista erótico y casi deficientes en el aspecto mental. Tanto en las novelas como en sus adaptaciones cinematográficas, los atletas debían ser más hermosos que la mujer para que ésta tuviese a honor el poderlos comprar (era impensable que una heroína de Minifac Steiman comprase algo feo). Tenían que ser bellos y, además, callarse. El hombre era sólo objeto, pero lo era de lujo y, a veces, monumento nacional como la Fontana de Trevi o la Mezquita de Córdoba. Y si en alguna ocasión, como hiciese Lord Elgin con los mármoles del Partenón, una heroína de Minifac Steiman se llevaba a Londres algún macho latino, sólo era para establecer una nueva moraleja, que los editores encontraron prudente y el público admirable. La moraleja consistía en insinuar que las fuerzas de la naturaleza, trasplantadas de su ambiente, pierden mucho. Cuando alguna heroína de Minifac Steiman trasladó a Londres a alguno de sus machos de verano, ningún Byron femenino compuso una *Maldición de Minerva* contra la hembra que se había atrevido a robar al monumento físico; pero la lógica narrativa —o acaso la moraleja—

decretó que aquel joven pescador que resultaba una bestia tan magnífica cuando se bañaba desnudo en el agua opalina de una cala de Haghia Gallini, se convirtiese en una especie de títere impersonal, no bien quedaba encerrado en el apartamento de Elm Park Mansions, esperando que volviese del trabajo aquella Caroline Douglas que, bajo el sol del estío, fue tierna, volcánica y «con los pechos surcados de anémonas» *(sic)*.

¡Y pensar que el regreso a la vida profesional de Londres la convertía en una mujer dominante, seca, pendiente sólo de su trabajo y una vida social activa y brillante!

La inversión de valores, o el mero cambio de estación, daba escenas tan propias del estilo Steiman como aquella en que Juan Enrique, prisionero en el pisito de un Londres hostil, ve transcurrir las horas sin que Caroline Douglas regrese de la redacción de la revista de economía que dirige; y, cuando regresa, es para comunicar a su machito que esa noche no podrá llevarle a cenar, porque le toca corregir las galeradas de su artículo sobre Locke. Histérico, el Tarzán trasplantado sabe exclamar: «¿Y para esto me he vestido? ¿Para no salir de casa he pasado toda la tarde arreglándome?» Ella sigue corrigiendo, impasible. Él protesta. Gritos. Histeria. La mujer le echa en cara que es ella quien mantiene la casa. El atleta le reprocha su abandono, su pensar sólo en el trabajo. Un acto sexual furioso, un conato de reconciliación sólo servirá para que Caroline comprenda que las cosas ya no son lo que eran. Tiempo de incomunicación. Ligeros toques del más añejo Ingmar Bergman. Sentada en la cama, Caroline fuma un cigarrillo y juega, distraída, con las gafas mientras dirige una mirada de desprecio a la espalda musculosa del macho, que duerme como un bendito. Es esencial para el estilo Steiman que la mujer no derrame ni una sola lágrima («no podría llorar, no le quedaban sentimientos, sólo un pozo muy profundo, allá donde antes hubo una alma...»). Es esencial que sea ella quien domine la situación, ella quien decrete el final, la necesidad de una separación que el hombre no tiene siquiera el valor de asumir. Y, en última instancia, los editores de Minifac Steiman también encuentran importante que, pasado algún tiempo, cuando Caroline Douglas entra en un restaurante de Chelsea, seguida de algunos compañeros periodistas con los que discute sobre la crisis del papel, finja no conocer a aquel camarero tan desmejorado, huérfano del sol de la Costa Brava, que le sirve un Chateaubriand y la mira con expresión bovina, a punto de llorar. (Recordemos que, para tales ocasiones, las heroínas de Minifac Steiman suelen vestir traje sastre, que siempre fue la indumentaria de la autodeterminación femenina.)

Tal vez a causa de su extremada fe en el ejemplo de las mujeres superiores, Minifac Steiman, la embustera, no se arriesga a trasladar a Inglaterra sus conquistas de una noche o de unos meses, y prefiere vivir todo el año en la cantera de la que puede arrancar directamente penes de mármol, sin problemas de aduana ni maldiciones de Minerva. Ninguno de sus amigos se engañó jamás en esa predilección de Minifac por los países subdesarrollados, aunque sea a riesgo de orgasmos fallidos; los cuales, por otro lado, han cimentado una parte tan importante de su fortuna literaria. Además, nadie cree que esos orgasmos sean tantos como sus heroínas hacen suponer.

Tampoco podía creerla Victoria Barget, aquella mañana, mientras el coche daba saltos por la imposible carretera de los montes. Conociendo a Minifac, estaba segura de que, si no hubiese habido un orgasmo medianamente satisfactorio, el macarra de Mikonos no habría recibido ni un penique.

Y Minifac, en plena resaca, no paraba de quejarse:

—¡Santo cielo! Los penes griegos se están llevando más de la mitad de mis derechos de autor.

ANTES DE QUE MINIFAC avanzase hasta la pasarela del yate para darles la bienvenida, Victoria se había dedicado a instruir adecuadamente a Elena:

—Cuando le pregunte si ha leído alguno de sus libros, diga por lo menos que conoce *Las guitarras del pecado*.

Elena Arquer se encogió de hombros, mientras se ponía unas gotas de Opium detrás de la oreja:

—¿Si no he leído nada de ella por qué voy a mentir?

—Minifac es eso que llaman una *best-seller* mundial. Puede molestarle que, en España, donde reside, una mujer inteligente no sea una de sus devotas. Olvidaba decirle que ella es un poco... extravagante. Con razón la llaman la Inefable.

La llegada de Minifac Steiman fue espectacular. Aunque estaban delante de ella, fingió no percibirlas. Cuando lo hizo fue para soltar un grito fenomenal. Estuvo a punto de herir a Victoria con la pamela a causa de un beso que, pre-

302

tendiendo ser cortés, resultó un estropicio. Esto permitió a Elena Arquer hacer un retrato robot en pocos segundos.

Seguía pareciéndole tan aparatosa como su pamela. «No se llevan esas monstruosidades por casualidad. Hay que nacer de una determinada manera», pensó Elena. Y en efecto, mujeres tan descomunales como la Steiman no se hacen con los años. Al nacer, ya debía de presentar el aspecto de un paquidermito.

Miranda Boronat habría decidido sin la menor vacilación: «Al ser tan superior se sentiría inferior y entonces se hizo escritora para compensarlo.» Cualquier psicoanalista le daría la razón. A condición, claro está, de que fuese un psicoanalista argentino.

Victoria Barget prescindió de las razones que llevaron a Minifac a dedicarse a la literatura: una infancia pasada en la India y un padre coronel serían explicaciones satisfactorias si a Minifac le hubiese dado por ser Rudyard Kipling. Ya se ha visto que no fue así, luego sería lícito buscar sus antecedentes literarios en una madre de la rancia nobleza británica que, aburrida de ser coronela en Nueva Delhi, acabó en brazos de un mayordomo hindú y, posteriormente, en un manicomio de Exeter.

Prescindiendo de antecedentes, Victoria Barget hizo las presentaciones. Fueron muy casuales. Como de paso, que es lo *chic*.

—Ésta es Elena Arquer. Y es una mujer feliz.

—Interesante —dijo Minifac—. Tendré que escribir algo sobre el caso.

—Siempre puede usted mandarlo al Guinness de los récords —bromeó Elena.

—¿Tanto hace que es usted feliz?

—Desde que llegué a Grecia, hace exactamente diez días.

Victoria Barget, que conocía a la perfección las reglas del juego, sacó a la palestra la obra literaria de Minifac encajándola a los gustos de Elena Arquer. Minifac sintióse extraordinariamente gratificada al saber cuál de sus novelas prefería aquella mujer tan distinguida.

—Me halaga que sea usted *fan* mía, pero no quiero creérmelo. ¡Con la de buenos escritores que hay por el mundo!

—¿Como cuáles?

—No lo sé, pero alguno hay. Lo leí en un titular de no sé qué revista francesa.

—En cualquier caso aprecié sobremanera *Las guitarras del pecado*. Creo que es... una gran novela.

—*Really?* Casualmente le gusta a usted la que es mi preferida. Y me halaga doblemente que lo diga una española. Me siento orgullosa de haber podido captar la excitación, el romance, la íntima alegría de vivir de su ardiente país... He querido demostrar a mis compatriotas que España no es sólo unas bonitas playas y un vaso de sangría.

—Menos mal que alguien lo ha notado en Inglaterra.

—He querido demostrar que España también es el flamenco, las noches de Sevilla, las serranas con la navaja en la liga y muchos claveles reventones en todas las ventanas...

—Yo que usted pondría también una muñeira. Verá qué variado le sale.

Se dirigieron al Studebaker, precedidas por Stavros y otros tres marineros, que transportaban el equipaje.

Mientras la escritora daba órdenes a los marineros, tratándolos de acémilas, Victoria tuvo tiempo de coger a Elena aparte:

—Casi ha estado usted desagradable.

—Me falta la virtud del patriotismo, pero empiezo a estar hasta las narices de que cualquier inglesa pedorra nos confunda con una obra de los Quintero.

—No continúe así, por favor. Minifac es mi única oportunidad de pasar inadvertida.

—Seré amable si usted me promete que hablaremos por fin de su marido.

—Le sugiero algo mejor: pasamos por cualquier videoclub y compramos una película de gángsters. Me ahorraré muchas explicaciones. Si no entiende usted eso, es inútil que hablemos.

Una vez al volante, Minifac advirtió:

—Conduzco divinamente, nunca he tenido un percance, jamás una multa, pero eso no significa que no podamos despeñarnos por un acantilado, porque el destino de una mujer está escrito en un libro que ninguna de nosotras ha leído.

Tardaron en salir de Heraklion porque, en el cuarto de siglo transcurrido desde la famosa visita de Elena Arquer, la pequeña ciudad se había convertido en un imprevisible caos circulatorio. Era espantoso comprobar que, también aquí, el tráfico ya no permitía ver las bellezas de la ciudad antigua, y Elena Arquer cerró los ojos y aspiró profundamente para imaginarse en otro tiempo, incluso anterior al suyo propio. Poéticamente anterior, para ser exactos.

Por fin se encontraron lejos de la ciudad, en la carretera que, apartándose de las nuevas autopistas, remonta las montañas del interior, sin pretensiones en el asfaltado, antes bien, con las deficiencias de épocas ancestrales. En este punto, el viaje ofrecía su primera recompensa en forma de una naturaleza libre y exultante, que aprovechaba las postrimerías de la primavera sin someterse todavía a los rigores del estío.

Minifac Steiman quiso revelar a Elena su más acreditada vena lírica:

—Querida, está usted en la tierra de los mitos. Aquí, todo es posible.

—Muchas cosas lo fueron para mí en otro tiempo... —contestó Elena—. Me gustaría creer que sigue siendo igual.

Ante la mirada de extrañeza de Minifac, Victoria aclaró:

—Elena estuvo en Creta en los años sesenta.

—Todas estuvimos en algún lugar maravilloso en los años sesenta —dijo Minifac, con un suspiro—. A mí ya me cogieron mayor y, sin embargo, supe vibrar. Pero me refería a otros mitos.

Detuvo el coche a la entrada de una aldea, poniendo en peligro la vida de un anciano que estaba paseando a su cerdo *Pascalis*. Prescindiendo del incidente, Minifac señaló hacia un monte de tamaño gigantesco, que se erguía por encima de valles y bosques.

—¿Se acuerda usted de esa montaña?

—Me acuerdo perfectamente —dijo Elena—. Es el monte Ida. Es lo primero que vi cuando el barco entraba en el puerto de Heraklion. Había una leyenda que he olvidado.

—No debe olvidar las leyendas. La Historia sí; las leyendas nunca. Sobre todo ésta. En una cueva del monte Ida nació Zeus y allí fue alimentado por la divina cabra Amaltea. Recuerde que es la bestia de la fortuna.... —Y volviéndose a Victoria con sonrisa picarona—: Seguro que Amaltea se portó muy bien con usted, pero no es bueno que abuse.

—No abuso. Me defiendo, que es distinto. Como hace usted con las leyendas. Seguro que las utiliza para su defensa.

—En efecto, ciertos lugares me protegen. Donde sucedió algo cósmico ha de repetirse un prodigio de igual magnitud. Por eso vengo a Creta todos los veranos. Para esperarlo.

Arrancó de nuevo, no sin pedir a Victoria que le encendiera un cigarrillo. Y antes de recibirlo entre los labios, añadió:

—Pero resulta que el prodigio se renueva a diario, porque en verdad les digo que esta isla fue soñada por un dios.

Más allá de ese sueño divino, el hogar cretense de Minifac Steiman parecía construido por las musas de Apolo. Era un viejo palacete de gusto veneciano que ocupaba el punto más alto de un pequeño valle de olivos colindante con una pequeña playa. Había otras mansiones —«todas de gente selecta», se apresuró a aclarar Minifac—, pero ninguna interfería en la intimidad de las otras gracias a los inmensos jardines que las separaban.

La primera impresión que recibieron al entrar en Villa Arcadia fue una sensación de inmensidad. Era enorme el zaguán y también las diversas salas casi desnudas que atravesaron hasta llegar al salón, de techo muy alto y vigas muy pronunciadas.

No habían tenido tiempo de dejar su equipaje en manos de una sirvienta, cuando Minifac les anunció en tono pomposo:

—Les tengo reservada una sorpresa. Una huéspeda excepcional. Una muy querida colega de este país.

Apareció una mujer de mediana edad, completamente vestida de rojo. Un perfecto ejemplar de potra rural, alta, enjuta, muy bronceada y cuya principal característica era un frondoso bigote lucido con gran orgullo.

Tanto Victoria como Elena decidieron que la invitada merecía ser estudiada con detenimiento. Era como una reencarnación de las antiguas cariátides, con esa belleza que ya no se estila y que, al no estilarse, no nos parece belleza. Pero presentaba y resumía lo que más amamos en el alma griega: algo telúrico y celeste a la vez, patético pero también desenfrenado; algo que combina la inspiración festiva y el rigor religioso. El altercado entre lo apolíneo y lo dionisiaco en una mezcla que recordaba lo que un crítico dijo en cierta ocasión de la actriz Irene Papas: «Nunca hasta ahora creí que llegaría a ver el perfil del Apolo de Olimpia tomando vida.»

—Tengo el honor de presentarles a Edipa Katastrós —anunció Minifac. Y añadió en tono no menos pomposo—: Edipa la grande. ¿Qué digo la grande? La única.

Era, en efecto, la virginal Edipa en persona. Sólo que presentaba un detalle no especificado por ninguno de sus exegetas. Tenía un cuerpo de atleta consumado y una musculatura parecida a los Hércules de los museos.

—No se asombren —comentó Minifac, por lo bajo—. Practica la halterofilia y las artes marciales. Las pesas, combinadas con la poesía, dan esos resultados tan excitantes.

Como ni Victoria ni Elena habían oído hablar de ella, sólo pudieron interesarse por los hechos que, en su nombre, iba contando Minifac Steiman. Supieron así que Edipa mantenía línea directa con una virgen de Patmos, pero ella no le daba mayor importancia que la que se da a una conferencia internacional. Lo que en Madrid llenaba de admiración a María Asunción Solivianto, en aquellas islas pasaba por una cosa más. Al fin y al cabo se sabía con certeza que unas mil trescientas campesinas charlaban amigablemente con otras tantas vírgenes cada tarde, al ponerse el sol.

Edipa gesticulaba muy a la brava, pero si se detenía para meditar su rostro adquiría una robustez clásica rota al punto por una broma abrupta, formulada en una divertida mezcolanza de idiomas —del español al inglés pasando por el italiano— que la desnudaba de su refulgente coraza de hija del Sol para mostrarla atemorizada por preocupaciones como la que sigue: estaba indignada con una traducción de Kavafis aparecida en el mercado francés y que, a su juicio, traicionaba la ambigüedad lingüística del escritor alejandrino.

—Conociendo la petulancia de los franceses, ¿cómo se pondrían si los griegos obrásemos del mismo modo con Verlaine, Valéry o Apollinaire?

Aunque Minifac Steiman se aburrió de lo lindo —ella era seguidora de Somerset Maugham—, las dos amigas siguieron con interés una disertación mucho más inteligente de lo habitual en aquella casa.

Elena Arquer sintióse ligeramente incómoda cuando Edipa le acarició las nalgas a guisa de despedida. Pese a todo, encontró gentil el ofrecimiento que les hizo a continuación:

—Si les apetece, les enseñaré el pueblecito donde vivió Damaskinós, el maestro del Greco. Está en las montañas y, desde allí, se divisa toda la isla.

Quedaron en levantarse temprano. Y mientras avanzaban por un largo pasillo sobrecargado de cuadros naïf y alfombrillas de confección isleña, Elena Arquer decidió ser sincera con su acompañante:

—Quiero decirle algo: anoche hice el amor con Stavros.

—Me extrañaba que esperase tanto. ¿Ha sido satisfactorio?

—Igual que tomarse una aspirina. Es un hermoso ejemplar de macho, pero contemplándole se obtiene el mismo placer que siendo suya.

—La experiencia me dice que siempre sucede así. A los demasiado guapos les falta técnica.

—Y a los que tienen técnica les falta belleza. O sea que no hay solución. Por cierto, ¿se fijó en el bigote de la griega?

—Cómo no iba fijarme. Esa Edipa se parece a Clark Gable en sus mejores tiempos.

Demostró en esto su bisoñez, si no su provincianismo. Al fin y al cabo, Rhett Butler nunca llegó a tener un bigote tan frondoso como el de las mujeres enlutadas que hacen guardia a la puerta de las casas, en los villorrios de la montaña cretense.

Capítulo décimo

APOCALIPSIS

Mientras el bigote de Edipa Katastrós triunfaba en Creta, la noche desplegaba sobre Patmos mantos amorosos. Algo irreal flotaba en el cielo. Como un cortejo de fantasmas nunca identificados por mujeres modernas.

Dos representantes de este espécimen buscaban afanosamente a Edipa en su isla natal. Eran Tina Vélez y Visnú De Meller, dispuestas a llegar antes que las demás españolas y, por supuesto, antes de que la aparición de la Virgen tuviese a la escritora demasiado ocupada o acaso borracha de misticismo, luego incapacitada para estudiar las ventajas de un contrato con la agencia Vélez, de fama internacional.

De momento, la casa de Edipa Katastrós estaba cerrada a cal y canto, inconveniente que no podía arredrar a dos mujeres de empuje. Al contrario, buscaron a la interfecta durante seis horas, sin reparar en fuerzas y, más aún, en desgaste.

Patmos es una pequeña isla perdida entre las doce que forman el Dodecaneso, un cúmulo de rocas a donde fue a perderse Juan el Evangelista, en época inmemorial, aunque no tanto para que no quedase memoria de sus manías. Aseguran que en una humilde cueva dictó el Apocalipsis a un discípulo llamado Prochoros, a quien le dio un pasmo ante tan tremebundas revelaciones. El pobre joven nunca volvió a ser el mismo desde que se le abrió el séptimo sello.

Pero la Bestia del Apocalipsis no dejó huellas evidentes en aquella isla idílica, que la Vélez y Visnú habían recorrido con admirable paciencia. Al anochecer ya estaban de regreso a la diminuta localidad de Skala, típico conjunto de casitas escalonadas en torno a una potente fortaleza.

Ese subir y bajar por callejas empinadas podrá tener encanto para un turista, pero una mujer de mundo, adepta a los zapatos de tacón de aguja, acaba viendo las estrellas aun de día. Y éste era precisamente el caso de Visnú De Meller, insólita andariega como jamás la viesen los habitantes de Patmos.

—Yo, francamente, no puedo más —exclamó de pronto, con un desgarro—. Estoy extenuada de tanto buscar. Desde que hemos llegado a esta isla sólo hemos visto iglesias.

—Se me ocurre que es el sitio lógico para encontrar a esa Edipa, ya que no está en su casa. ¿Dónde demonios se habrá metido? Si la Virgen tiene que aparecerse aquí, ella no puede andar muy lejos.

De pronto, Tina Vélez se asustó. Visnú se había dejado caer en el suelo. Parecía más destrozada de lo que ella misma decía. ¿Y si fuese un soponcio? Por suerte, sólo era una maniobra para quitarse los zapatos; pero, por desgracia, no cesaba en sus lamentaciones.

—¡No te quejes! —gritó Tina Vélez—. Haberte puesto zapatos planos. Ya te dije que iríamos por

ambientes rústicos. Pero tú dale con la sofisticación. Pues ahora te fastidias. Te comprometiste a
acompañarme en mis pesquisas, así que aguanta
el tipo.

—Tú me diste a entender otra cosa. Pensé que
todo serían fiestas, como las que sueles organizar
a tus escritores internacionales; y, en cambio, lo
más internacional que he visto es aquel borracho
sueco que vomitaba junto a una higuera.

Cierto articulista publicó que incluso los em-
presarios más bordes conocen en alguna ocasión
los beneficios de la piedad, y Tina Vélez confirmó
este axioma invitando a su acompañante a un co-
petín y cuatro tapas. Sólo se trataba de localizar
el lugar adecuado, y lo encontraron en un pequeño restaurante situado en el interior de un
viejo molino de aceite.

Era un patio encantador, con los muros forra-
dos por plantas trepadoras, entre las cuales una
glicinia en plena floración. Como techo, el cielo
increíblemente negro y perforado en sus mil rincones por tribus de estrellas tintineantes.

El ambiente era tan familiar como las cons-
telaciones; la comida sencilla; la decoración escueta. Todos los excesos quedaban reservados a
los aportes de la naturaleza. Además de las plantas y el cielo había unas cuantas mesas cubiertas
con tapetes de hule y manteles a cuadros. Tina
Vélez lo celebró por recordarle algunos locales de
la Costa Brava, cuando todavía no estaba contaminada por el turismo. Pero Visnú seguía quejándose sin parar.

—¿Para eso necesitabas una mujer de mundo?
¡Si por lo menos hubiésemos ido, qué sé yo, a un
bataclán, a un casino!... ¡Pero esto es una isla tan
seria, tan mística! Y no te digo la que visitamos

ayer, ¿cómo se llamaba...? ¡Tinos! ¡Eso era el Lourdes de los griegos!

—La verdad es que había muchos tullidos.

—¿Muchos? ¡Era la tullidez misma! ¡Todos esos enfermos incurables subiendo de rodillas las escaleras de la basílica! Y los exvotos colgando del santo: bracitos, piernecitas, corazones, pulmones... ¡Por Dios, qué depresión me ha entrado después de ver tantas calamidades! Ni mi Prozac podrá salvarme de ésta.

—Recuerda que en el episcopado nos dijeron que Edipa pasó por Tinos para hablar de la Virgen a un grupo de leprosillos paquistaníes.

—A lo mejor pasaría, pero no se quedó. Quiere decir que será santa, pero de tonta no tiene un pelo.

—Esas rústicas ya se sabe: tienen una inteligencia natural que puede con todo. Precisamente es este aspecto el que quiero explotar. El mercado está harto de intelectuales pretenciosas, como Ruperta Porcina Boys. Se necesitan almas nobles, cándidas, tirando a burras, que escriban con la misma simplicidad que el papa Woytila. Y sobre todo que no sean agresivas. El mercado está saturadísimo de agresividad, palabras gruesas, ataques y contraataques...

—Yo creo que el mercado está saturado de todo. Por no ser, ya no es ni mercado. Figúrate que en la editorial hemos sacado a Herodoto en bolsillo y no ha salido ni la mitad de la edición.

—Porque Herodoto es tonto. Si me dejase llevar sus asuntos, otro gallo le cantara. Por cierto, ¿no estás bebiendo demasiado?

—Nunca en toda mi vida bebí demasiado. Soy una mujer New Age, no lo olvides.

314

—Mucho New Age y mucha espiritualidad, pero te has tragado tres whiskies. No lo niegues, que lo he visto. Si continúas así acabarás como esa piojosa.

En efecto, acababa de hacer su entrada una joven de larga melena, tejanos raídos y mochila al hombro. Era el típico ejemplar de vagabunda de las islas, oficio que sólo la extremada juventud permite ejercer impunemente. ¿Sería este pequeño detalle el que motivó la inmediata repulsa de Tina Vélez?

—Fíjate qué facha —exclamó, agriando aún más su tono—. Si a la edad de esa golfa hubiese ido yo tan desharrapada, mis padres me matan... ¡Dios mío! ¿Tendrá el valor de acercarse?

En efecto, la muchacha se les acercó con una sonrisa que pretendía ser cómplice:

—¿Ustedes son españolas?

—¿Se nos nota, monina?

—Más que nada en el hablar.

—A usted también —comentó Visnú, con voz cantarina—. Y diga, linda: ¿qué se le ha perdido por este Patmos de Dios?

—Hago Grecia.

—Grecia acaso; gracia ni pizca —dijo Tina Vélez, insistiendo en su desagrado.

—Es monísima —dijo Visnú—. Es como los hippies de antes.

—Eso me temo. Seguro que nos pedirá dinero para un trago.

La muchacha exhaló la humareda de cigarrillo que apestaba a baratura. A no dudarlo eran Papastratos.

—Para un trago no —dijo—. Para un bocadillo. No he comido desde que dejé la isla de Kios, por la mañana.

Sin darse cuenta, la muchacha acababa de incurrir en la fobia predilecta de Tina Vélez:

—¡Muy bonito! —gruñó—. Grecia arriba y Grecia abajo, gorreando a la gente honrada. Así también viajaría yo. Así también sería yo bohemia. Pero yo no puedo perder el tiempo haciendo turismo porque tengo que trabajar... ¿Sabe usted lo que significa esa palabra? ¡Trabajar, mona, trabajar!

Visnú De Meller empezaba a sentir vergüenza ajena:

—Mujer, por darle unos dracmas que, al cambio, son quince pesetitas...

—Si no son las quince pesetas. Si es la desvergüenza que hay por el mundo. Si es que a esta juventud hay que educarla, que sepan lo que vale un bocadillo, y aprendan a ganarlo con el sudor de su frente y no la de sus mayores...

—Y no la de Mérimée... —dijo Visnú, por decir algo.

—Tú eres tan tonta como esa guarra —gritó la Vélez.

La muchacha estuvo a punto de darle con la mochila, pero, temiendo que se estropeasen los escudos de las islas que llevaba recorridas, optó por mandarla a la mierda. Y como sea que nadie se había atrevido a tanto desde que la agencia Vélez empezó a prosperar, Tina conoció la deliciosa sensación de vérselas con un contrincante a su altura.

—Espere. Le doy el equivalente de veinte pesetas. Las cinco que sobran no se las gaste en vino.

—Las acepto porque no tengo otro remedio, pero conste que continúo mandándola a la mierda.

—Pues entonces tome dos duritos más para un libro de urbanidad. —Y mientras la otra se alejaba, iba diciendo—: ¡Qué juventud, Dios mío! ¡Qué juventud! Si llego a tener un hijo lo hubiese estrangulado para que no me saliese así...

—Pero nunca lo tuviste... —dijo Visnú, ya obnubilada.

—¡Cállate, estúpida! —Y comprendiendo que estaba golpeando donde no correspondía cambió rápidamente de tono—: Perdóname. Sé que estoy a punto de sacarte de tus casillas. Y de las mías saldré yo si no encuentro pronto a esa beata. ¡Ya hemos descansado bastante! Tina Vélez no se rinde hasta que el autor está muerto a sus pies. Haré guardia a la puerta de la casa, por si las moscas. Igual Edipa tenía pendiente una aparición por las montañas y regresa de madrugada. O sea que vamos ya.

—¿Y cómo? ¿Sin una copichuela? ¿Sin darnos una vuelta por algún baile típico?

—No estoy yo para bailongos. Me juego un negocio que puede dar muchos duros. Además, tengo que amortizar tu billete y el mío, que, según decíamos, no está la industria editorial para dispendios. De todos modos, no puedo exigirte que me sigas. Es cierto que llevamos siete horas subiendo cuestas. Anda, ve y diviértete un poco. Lo tienes bien ganado.

Era uno de aquellos momentos en que Tina Vélez podía parecer casi humana. Momentos que la hacían acreedora a un poco de afecto. Si los demás no se lo concedían era por miedo a sentirse rechazados, o simplemente porque no tenían que sacarle nada, destino este de las personas que anteponen su importancia a su humanidad.

Ésta es la impresión que recibió Visnú De

Meller, abandonada a su suerte en una isla que se le antojaba cercana a Australia. No por lo remota sino por lo inconcebible en su código de valores.

—¡Qué tristeza! ¡Una relaciones públicas sin compañía es lo más aburrido del mundo! ¿Con quién voy a conversar?

—Con nadie, guapa. Todo eso que ganamos los demás.

Visnú la vio alejarse, con la expresión avinagrada que era habitual en los últimos tiempos. No parecía una mujer feliz. No podía serlo. Además, por mucho que fingiese dinamismo, se la veía en exceso fatigada. Y no era extraño. Todo el mundo sabía que Tina Vélez vivía demasiado absorbida por su trabajo; es decir, se había convertido en la sombra de su trabajo. Ya no era una mujer. Era una agencia literaria que desparramaba por el mundo focos de irradiación inhumana.

Llevada por las lecciones de la nueva espiritualidad, Visnú De Meller le hubiera aconsejado: «Rompe con tus ataduras en este mundo vil. Haz como san Pablo: vete al desierto a meditar, después de haber abandonado la esclavitud de las cosas materiales. Quema tus archivos, fusila a tus autores, y vive sólo para ti. Que, además, ya empiezas a ser muy mayor, preciosa.»

Le hubiera aconsejado todo esto, pero ¿qué consejos se habría dado a sí misma? Dejada de la mano de Dios en una isla insulsa —¡ni siquiera una isla a la moda, ni siquiera un Mikonos!— vagabundeaba entre callejas blancas que, de puro típicas, empezaban a asquearla. Ésas, son las trampas que se tienden a sí mismas las mujeres New Age: añoran el campo, la vida libre, las noches solitarias, la verdurita sin aceite ni sal, pero enfrentadas al retorno a los orígenes se aburren mortalmente, descubren que el campo sólo es bueno para las vacas, que la vida libre no tiene sentido cuando no hay miles de cosas donde elegir, y que la verdura sólo es buena cuando una quiere recuperar aquella cintura de avispa que tuvo en su juventud.

Así ocurre con el tipismo. Visnú soñaba con él cuando se hallaba encerrada en las cuatro paredes de su despacho coquetón, pero en la alevosa nocturnidad de aquella isla conseguía agobiarle. Cierto que no faltaban colorines y formas pintorescas, todo apto para complacer a los amantes del exotismo. Cierto que había, además, hermosura. Paredes color añil intenso que permitían destacar las puertas verde esmeralda y, en las ventanas, el apasionado bermellón de algunas ristras de tomates o el rosa agresivo de una mata de geranios. Más allá, balcones de madera pintada de rosa, paredes lila, ventanas amarillo cobre. Ante las puertas azules, tinajas pintadas de todos los colores de las cuales surgían aguerridas buganvillas que se emparraban por otras paredes blancas como la nieve. Y a todo esto, volúmenes cóncavos, líneas quebradas, curvas que se interrumpían para dar nacimiento a otras, deformes tal vez.

Era el sueño de un esteta desaprovechado por una relaciones públicas que, tras muchos años de soñar con estar a solas consigo misma, descubría que, como compañía, no era tan divertida como le hacían creer los demás.

Subiendo y bajando callejas entró en una taberna con la pretensión de que le sirviesen champán. La tabernera, una viejuca enlutada y con el primer premio en el concurso de arrugas faciales, le enseñó lo más parecido al champán que supo encontrar: un aguardiante de moras hecho con las manos de su vecina, la mismísima señora Teodorika Kalapoulos.

No había ningún problema para que aquel bar de mala muerte se pareciese a Maxim's; así pues, Visnú De Meller tomó asiento en una mesa de pata coja y decidió que era Cléo de Mérode esperando la llegada de su capitán de húsares favorito. Vio pasar un burro cargado de alfalfa, cosa insólita a aquellas horas de la madrugada, y todavía le pareció más insólito cuando al burro le salieron alas y echó a volar. Fue entonces cuando Visnú se dijo para sus adentros: «Cuidado, reina, que te estás poniendo piripi.» Y al ver a tres musas del Parnaso orinando en una fuente pública comprendió que la amenaza se estaba cumpliendo inexorablemente.

El aguardiente estaba rico, pero en la mesa reinaba el aburrimiento. Cuando una mujer no sabe estar consigo misma, lo mejor que puede hacer es pensar en los demás, imaginando que están peor que ella. Así, para matar su aburrimiento, decidió compadecerse otra vez de Tina Vélez. Esa mujer forrada de dinero e incapaz de disfrutarlo porque sólo pensaba en ganar un poco más. Esa mujer que había ahogado el drama de su viudez bajo un alud de papeles, contratos, cheques, comidas de negocios, reuniones incesantes y viajes a capitales que nunca llegó a conocer porque debía pasar todo el tiempo soportando la tabarra de autores ilustres —o que creían serlo— y las exigencias de editores prepotentes.

Cierto que aquella actividad le había permitido dominar un terreno muy vasto, donde incluso podía permitirse ser dictadora. Cierto que en muchas ocasiones sus drásticas exigencias mantenían a los editores atados de pies y manos, pero ¿valía la pena gozar de tanta autoridad? ¿Había alguien que sintiese verdadero afecto por Tina Vélez cuando ésta salía de los estrechos muros de su agencia?

Y en este punto, Visnú De Meller le dijo a la pared:

—Por lo menos una viuda ha conocido a un marido. Otras, ni eso. Pero ¿de qué me lamento? Una profesional de éxito nunca debe echar de menos lo que cualquier maruja puede conseguir.

La soledad de la taberna la devolvió a Madrid, a su apartamento, a sus domingos viendo película tras película en compañía de *Valmont*. Lindo acompañante, el lorito. Pero ¿bastaba? Guapo animal, simpática bestia, entrañable, cariñoso, dulce elemento, pero loro al fin. Bueno para hablarle, mas no para esperar el consuelo de sus respuestas. Excelente para contarle sus penas, pero no para esperar que la consolase. Todo lo más las cuatro palabras que Visnú le había enseñado —«cherie», «Romeo», «precioso»—. El momento para sentirse querida por algún ser vivo o levantarse en busca de pipas mientras el animal meneaba la cola, llevado por la excitación o la gula.

A falta de loros isleños, vio gatos noctámbulos haciendo equilibrios sobre los muros encalados. Su mirada, fija en aquellos paseos parsimoniosos, se fue prolongando hasta dar con el puerto, muy empequeñecido al fondo del paisaje. Y allí, relucientes y opíparos, los yates de los ricos, distinguidas moles que pregonaban en su mera apariencia todo el hechizo del lujo.

Fue entonces cuando Visnú De Meller sintióse más desamparada que nunca. Se levantó con un gesto brusco y avanzó hacia la puerta, dando traspiés para asombro de la tabernera negruzca, que sólo había visto piripis a los pastores y los carreteros.

Visnú empezó a caminar por las mismas calles serpenteantes, bajando ahora la colina que antes escalara. Sintióse otra mujer. ¿Tal vez una oronda campesina que iba a buscar agua a la fuente pública? ¡De ninguna manera! Estaba en la cubierta de un lujoso transatlántico, bajo una luna absolutamente mágica. ¿Pues no sonaba una música? Cierto: llegaba del fondo de la noche, como reclamo de mil fantasías. Era *El humo ciega tus ojos*, seguramente. Nada más apropiado para la ensoñación de un instante. Ella iba vestida como Ginger Rogers. Sí, el vestido de gasa siempre fue ideal para efectuar unos pasos de baile. ¡Qué vuelo el de las faldas, tan airosas! Sentíase bellísima, sofisticada, evanescente. Burbujas en su copa de champán. Burbujas en su mirada. Estaba rodeada de galanes. Había un maharajá, un vizconde, un multimillonario. Jugaba con sus sentimientos.

—Soy una mujer misteriosa. No, señor maharajá, es imposible que me conozca: yo nunca ha estado en Ranchipur. Seguro que su alteza me confunde con otra. ¿Yo en el casino de Montecarlo? —Ríe con frivolidad exagerada—: ¡Ja, ja, ja! No, no, insisto: debía ser otra. Yo sólo sé jugar a la brisca. ¡Oh, no, señor Rockefeller, si nos hubiesemos visto antes me acordaría! ¿Yo cruel? No, no. Es sencillamente que nunca he esquiado en Cortina d'Ampezzo. En efecto, todas las mujeres somos iguales, no me lo reproche. ¡Ja, ja, ja!

Dios mío: ¿este brazalete es para mí? No, no puedo aceptarlo. Sí, claro que tengo precio, pero es un precio muy elevado, de española honrada. Usted nunca podría pagarlo, ni siquiera todo su dinero podría comprar mi afecto... ¡Ja, ja! ¡Champán, champán! Me encanta el *champagne rosé*, y nunca el cava. ¿No teme usted que se entere madame la baronesa? ¿Yo, coqueta? ¡Ay, otra vez lo de la crueldad! No, no: nada de despótica. Soy, simplemente, una mujer de mundo. Le advierto que soy peligrosa. Los hombres sólo son kilómetros en mi camino. Los voy dejando atrás, según la marcha de mi Bugatti dorado. No, no soy bailarina. ¿Soprano griega? ¡Ja, ja, ja! ¿Princesa repudiada? ¡Chicas, chicas: me ha confundido con Soraya! ¿Hollywood, Cinecittà? No: calle Ventura de la Vega. ¿Quién puede saber quién soy, de dónde vengo, adónde iré? Sufran, caballeros, sufran. Sólo les diré que no soy la que parezco. ¡Ja, ja, ja! ¡Oh, frivolidad, don de los dioses de Maxim's, ofrenda de los dionisos de Biarritz, néctar de las *cocottes* de Baden-Baden! Estoy ebria de sensaciones sofisticadas, borracha de sueños de plata que se hacen realidad... Soy la Viuda Alegre o la Viuda Clicquot, ¿qué más da una que otra? Soy burbuja que huye de la copa y se derrama, soy espuma de oro que se desliza por las salas de juego y los hoteles de moda... Soy, finalmente, una mujer realizada... Escuchadme, muchachas del mundo: ¿cuál sería el destino último de una mujer, si no gustar? Me han llamado enigmática. ¡Qué estremecimiento! Me dicen que tengo carisma. ¡Oh, nunca me sentí tan feliz! No mantengo otra llama que no sea la de mi realización. ¡Gustar, gustar, gustar! Tener en la mano la autoridad de decidir en el amor, aun en los fugaces galanteos. ¡Ah, los hechizos del *flirt*! Conceder, mostrarme despótica, aceptar, rechazar... ¡Lujo, lujo, lujo no más!

Giraba sobre sí misma, como una peonza enloquecida. El vuelo del vestido creaba un punto de magia en el limitado espacio que dominaba. Era el momento para dejarse caer en brazos de uno de sus galanes.

Estaba a punto de darse de espaldas en el suelo, pero unos brazos la sostuvieron. Y ella supo que eran brazos surgidos del ensueño.

—¡Oh, *monsieur l'ambassadeur*! Diga: «*Je suis a votre disposition...*»

—Debería usted vomitar. Le haría bien.

Se deshizo del abrazo con tan mala fortuna que fue a dar contra el tronco de un tilo:

—¡Vomite usted, imbécil, más que imbécil! ¡No, no, espere...! Es usted muy guapo... Parece un galán de película...

—Pareceré un galán, pero me llamo Merche y soy asturiana.

Los vapores de la borrachera no permitían distinguir entre una asturiana con tejanos y Tyrone Power vestido con esmoquin de chaquetilla blanca. No permitían distinguir que se trataba de la vagabunda española, que había dejado la mochila en el suelo para sostener a una beoda.

—¡No me contradiga! —gritó Visnú—. Póngase unos pasos más atrás, que le dé la luna. ¡Ay, galán, galán! ¡Columpiada por sus brazos, como si estuviese en una góndola veneciana!... Deme más *champagne rosé*... Y ahora diga: «Mañana, cuando lleguemos a Shanghai, te entregaré a la policía, muñeca...»

—Antes de llegar a Shanghai la abofetearé por gilipollas.

—¡Qué mal tratas a las mujeres, bruto...! —La abrazó, frenética; cogió su rostro con las manos crispadas, estuvo a punto de besarlo y, de pronto, se apartó con un grito de horror—. ¡No, no, eso no! ¡Que aparten los focos! ¡Fuera el tecnicolor! No estoy necesitada. No soy una buscona, señor vizconde...

Se desprendió del abrazo de la muchacha y empezó a caminar hacia un arco que separaba dos callejas más estrechas. Sus pasos perdidos le llevaban por caminos donde había estado horas antes, pero no podía reconocerlos siquiera para evitar tropezones. Afortunadamente, la muchacha la seguía de cerca, con los brazos extendidos para evitar que cayese en el vacío.

Sin darse cuenta, se encontró de nuevo ante la casa de Edipa Katastrós. Sentada en un pedernal, bajo una farola, estaba Tina Vélez, con su expresión de vinagre acentuada por el tiempo de la espera. Dejaba pasar el tiempo manipulando una calculadora que le permitía dirimir lo que había ganado con el último libro del colombiano Fulánez Valdivieso.

Al ver llegar a Visnú De Meller preguntó en tono seco:

—¿Te has divertido? Seguro que sí, porque tienes hipo.

—Me he sentido Viuda Alegre... No, no, perdona, no quería mentar la viudez. Quise decir que me he sentido burbujeante. ¡Sí, sí! Soy una burbujita loca, loquísima...

—Muchas burbujitas, diría yo. Estás borracha como una cuba. —Al descubrir a la muchacha preguntó—: ¿Usted no es la de antes? —Mientras la otra asentía, Tina Vélez añadió con voz ruda—: Es cierto que la española, cuando sigue, es que

325

sigue de verdad. ¿Piensa usted pegarse a nosotras como una lapa?

—A mí, señora, me la trae floja usted y esa borracha. Si la he seguido es para que no se dé de narices contra un muro.

Comprendiendo que se había equivocado en su apreciación, Tina Vélez se apresuró a decir:

—Espere. Ayúdeme a transportarla y le daré unas perras para otro bocadillo...

—Con lo que pesa, tendría que pagarme una cena en el Ritz.

—Es verdad que pesa, la condenada. Y eso que es anoréxica.

La agarraron las dos con mano férrea, y la otra se dejó caer, larga cual era, de manera que parecía una heroína antigua a la cual transportaban a la pira. Sólo desmentía esa trágica condición la romanza que iba cantando a todo pulmón:

> *No sé lo que sentí,*
> *no sé lo que pasó,*
> *no hay vino para mí*
> *como el Château Margaux.*

De pronto la asturiana se detuvo, mirando a Tina con expresión admirada:

—Por cierto: ¿usted no es la famosa Tina Vélez?

—¿Yo, famosa? Ni hablar. Los famosos son mis representados. Además ¿por qué me lo pregunta? ¿Qué quiere sacarme?

—Es que hace poco vi su foto en un suplemento literario.

—¿Lee usted suplementos literarios? ¡Albricias! Escríbales una carta. Estarán contentos al ver que no están solos.

—Es que soy escritora.

Tina Vélez oyó sonar la señal de alarma. Y además muy fuerte.

—¡No jorobe! ¡Una escritora del demonio!

—Bueno, novelista novel. He mandado un original a varias editoriales sin obtener respuesta...

—¿Novelista dice? ¡Lagarto, lagarto! —La apartó de un empujón, quedándose ella con el cuerpo casi yacente de Visnú—. Deje, ya la llevaré yo sola. Sí, sí, váyase. Tengo fuerzas para cargar con este trasto y más... ¡No nos siga, eh! ¡No nos siga, que puedo con ella!...

Cantaba un gallo en una casa de puertas verdes cuya fachada recorría, altiva, una parra de hojas mustias. Y Tina Vélez iba diciendo para sus adentros:

—¡Sólo me faltaría otra novelista, maldita sea!

—No, no soy castellana...

Una Vilea ове ssont la señal de algun el ellezian muy licen.

—... pronte tua reçuon... Hemosho ...
—Pero no recuerdo más? He muchalm un ...
posible? Pero, echaando, sin casa la sarquexa, de
—Now cite afer? Listri sin la señal —dijo—
... Y... se un ballou, me dió lera, sus, yon ere
cuerpo mustis suis pronto... Pera, re se luva ...
la sen és ... vesio. Como dierza pdr, menes
con palo terror, una, menque cha, del suy nos
... dique quenemon dlfe ...

Cuando un palo claman rasa de mujer, la
des cura laur ton recorta, allise, uns card de
pova mulibna y Una Vea, the dusenda seguira
sacudio...

—Sóte me absolvatur novablos pora din, seí.

Capítulo undécimo

ABORTILLOS

Ajeno a los devaneos de Visnú De Meller en Patmos, el *King Poseidón* hacía escala en la isla de Sifnos, la tercera de las islas Cícladas según se tuerce por el cabo Sunion.

Todas se pusieron sus mejores modelos y complementos para bajar a recorrer tiendas. Buscaban oro y plata a buen precio y, las más resabidas, algún icono para el vestíbulo. Pero ninguna descartaba las espectaculares esponjas que tanto lucen colocadas en un cestito de mimbre, en los cuartos de baño de mármol rosáceo.

Se habían formado distintos grupos que cenaron en los restaurantes del puerto, a entera satisfacción porque unos guitarristas les rindieron homenaje cantándoles *Que viva España* y *Arrivederci Roma*. Otras, más exigentes con el color local, pidieron que las obsequiasen con un sirtaki, pero los mozos griegos estaban en la discoteca bailando músicas del último aullido y ellas se quedaron con la fiebre puesta.

Regresaron después al barco para hacer un poco de tertulia en cubierta, pero como el fresco de la noche era traidor decidieron trasladarse al salón, donde, pese a todo, el aire acondicionado estaba puesto a temperatura polar.

Se hallaba Miranda Boronat meditando sobre el funcionamiento del alma humana en momentos extremos —por ejemplo: ¿qué hace el alma humana si debe elegir entre un bolso de Prada y otro de Hermes?— cuando llegó Fificucha Osváldez con el rostro compungido y la chaquetilla de vinilo rojo anegada en lágrimas.

—¿Puedo hacerte una hiper-pregunta superconfidencial? —dijo, sin dejar de sollozar.

Miranda se puso en guardia.

—No tengo un duro.

—No, si duros ya tengo yo.

—No lo digas dos veces. A saber si tu madre se habrá pulido toda tu herencia por las tabernas de esas islas. ¿Es esto lo que te preocupa? ¿O es que el horóscopo te ha anunciado horas negras? Si es así, no le hagas caso. Ponemos una conferencia a mi vidente Satanasa Berzal y te anunciará días maravillosos sólo con que le pagues el doble.

—Si no es eso, Miranda, si no es eso. Es que creo que estoy encinta.

—¡Cielos! ¿Del novio de tu madre?

—¡Calla! Borja es mi noviete. De mi madre, como mucho, es amante ilegítimo y espurio.

—Eso ya lo discutiréis las dos, que para eso están las madres y las hijas: para coserse a puñaladas traperas. Pasemos a lo que más me apasiona: ¿tienes motivos para sentirte encinta?

—Me parece que sí, porque una vez hice el amor con Borja y desde entonces tengo almorranas.

—¿No será que algo te ha sentado mal? El año

330

pasado vi cómo te comías unas ostras que parecían tísicas.

—No, Miranda, no. Siento latir en lo más interno de mi propio interior un feto que es el vivo retrato de Borja. Por eso me repugna traerlo al mundo: porque será la viva imagen del engaño, la traición y el timo sentimental.

—Pero ¿qué estas diciendo? ¿No te sientes iluminada y extasiada?

—Todo lo contrario. A mí me gustaría abortar. Pero dicen que es muy problemático...

—¡Qué va! Si tienes dinero hay en Londres una clínica divina, con vídeo en las habitaciones. Es donde abortan las despistadillas de algunas casas reales europeas. O sea que problema ninguno. Lo sería si fueses pobre, porque tienes que abortar sin comodidades ni nada, pero pagando a toca teja abortas como Dios de bien.

Fificucha se lanzó a una profunda meditación:

—Bueno, si eres pobre todo debe de ser problemático. Son tantos que no sé cómo alcanzan a repartírselo todo.

—Yo siempre que hablo de pobres me pongo de mal humor, porque pienso que nosotras tenemos tanto y ellos tan poco. O sea que es mejor hablar de nosotras, las que tenemos de todo, y así, por lo menos, no nos deprimimos.

Acertó a pasar Mauricia Resclós, con una copa de coñac en la mano.

—¿De qué estáis hablando, niñas?

—De abortos —dijo Miranda.

—Entonces me voy. No me gusta hablar de política.

—No, si la que quiere abortar es la niña.

—¡Ah, yo que tú no lo haría! No se lleva en absoluto.

—Entre las del rojerío, sí.

—Porque ellas no tienen nada que perder. Una roja no tiene honra. En cambio tú te expones a que un día llegues al Club de Polo y todo el mundo diga: «Mira, es la asesina de su pobre hijo.» Si lo que te apetece es entrar en el quirófano para ser noticia, hazte una liposucción, que siempre va bien.

—¿Cómo va a hacerse la liposucción, si no tiene barriga? —protestó Miranda—. ¡Fíjate qué cinturita!

—Pues que se haga las caderas. ¿No ves cómo las tiene?

—Es verdad. Las tiene feísimas.

—Pero ¿qué están diciendo? —exclamó Fificucha, ya desbordada.

—Vamos, asquerosas. Fificucha, hija, yo no sé cómo, a tu edad, puedes ir con esa caderas por el mundo.

—¡Yo quiero hablar de mi aborto, no de mis caderas, que son divinas! Borja Luis siempre me decía: tienes caderas de yegua.

—¿Lo ves? Tú misma te delatas. En una yegua, esas caderas quedarían finísimas, pero en una chica quedan caballunas.

La dulce Fificucha se fue con la depresión puesta y prometiéndose que en la primera escala entraría en una farmacia y se compraría la prueba de la ranita.

A Miranda la decepcionó la interrupción de Mauricia. Acababa de malograr una de sus ocupaciones preferidas, que consistía en sentirse útil a los demás mediante sanos y eficaces consejos, ya fuese sobre un aborto, ya sobre las cortinas del saloncito. Además, al espantar a Fificucha, la Resclós la dejaba sumida en el aburrimiento, y en parecido trance podía llegar al extremo de hojear un libro: lo peor para la belleza de los ojos, pues se fatigan.

Se puso a vagabundear de nuevo hasta que dio con el grupo formado por las amigas de la Solivianto.

Presidía la conversación Pilar Prima de la Higuera:

—Últimamente me están entrando mis dudas sobre este viaje. ¿Y si nuestra María Asunción estuviese un poco locandis? ¿Y si la tal Edipa fuese una impostora?

—Es verdad —dijo Olivia Sotomayor—. Tampoco la Virgen se aparece así como así.

Intervino Sensita, la esposa del banquero Zarrúllez:

—Depende. A veces se ha aparecido sin que viniese a cuento. Sin ir más lejos, mi hija Covadonga vio a la Virgen en cierta ocasión.

—Es que su hija, desde que le da a la bebida... —comentó Olivia Sotomayor, con retintín.

—Oiga, señora, eso su hijo de usted, que le llaman Míster Litrona. De mi niña, si la sacas de sus fiebres del sábado noche, nadie puede decir ni tanto así... Además, soy testigo de que vio a la Virgen porque yo iba su lado.

—No sé si emocionarme o mandarla a la porra.

—Le digo que vimos a la Virgen como la estoy viendo a usted, sólo que era ella más guapa. Y debo confesar que, al principio, también yo desconfié una pizca.

—¿Estaban ustedes en la iglesia? —preguntó la Prima de la Higuera.

—Salíamos de la modista, porque me había llamado el encargado diciéndome que les quedaban unas piezas de giepur del de antes, y como le estoy haciendo un *evasée* a la niña, y el imbécil de mi marido tenía reunión de «bisnis», pues me dije: «Vamos a elegir el giepur con Covadonga y después nos tomamos un piscolabis en la granja y aprovechamos para hablar de cosas de mujeres.» Y estábamos ya bajando por Velázquez (a plena luz del día, no piense usted) y de repente a la niña le da como una basca y empieza a gritar: «¡La *Madonna*, la *Madonna*!» Y yo estuve a punto de darle cuatro bofetadas porque creía que iba a pedirme un disco y eso, en plena cuesta de marzo, no es nada adecuado... Pero, a medida que hablaba, su rostro iba empalideciendo, hasta que le quedó blanco como la nieve. Señalaba hacia un cubo de basuras en cuya cima se hallaba, efectivamente, la Virgen en persona...

—¿Cómo iba vestida? —preguntó Miranda.

—Monísima. Un conjunto sastre morado y un broche de precio.

—Ya. Estilo duquesa de Feria.

—No. La trenza era más bien Koplowicz.

—¿La Virgen con trenza? —exclamó, airada, Solá—. ¡Eso no se había visto nunca!

—Vamos a ver: ¿es algún pecado llevar trenza? ¿O es que tenemos que volver a la Edad Media, con esas vírgenes tan pavisositas que salen en las tallas?

—Para mí que era una diablesa encubierta. Por esto se le apareció a su hija.

—No sé en qué se basa para decir esas cosas de una niña que estudió en las Dominicas.

—No tiene nada que ver. Mi cuñada fue a las Damas Negras y es adúltera.

Viendo que la pía charla amenazaba con derivar hacia una grosera discusión sobre las taras de las familias respectivas de Petrita y Sensita —taras que todo el mundo sabía de memoria—, Miranda se dirigió hacia otro grupo. Estaban las catalanas de la Generalitat hablando de las finanzas de sus maridos los *consellers*, pero salían en la conversación tantos números, nombres raros y teléfonos secretos que Miranda se alejó en busca de otro grupo más ameno. Pensó que acaso las amigas de la princesa estarían un poco más divertidas, pero cuando oyó que estaban organizando los actos para el gran día de la mujer trabajadora, se escabulló rápidamente en el temor de que le encargasen algún trabajito.

Tampoco quedaba el recurso de las de la *jet* barcelonesa porque seguían ensayando sevillanas con incansable fervor.

Por fin descubrió en una mesa del rincón a dos señoras que no recordaba haber visto en ningún festorro. Le atrajo lo enfrascada que estaba una y lo aburrida que parecía la otra. Le atrajo también la acumulación de marcas que llevaban encima. Entre ambas sumaban más que todas las del crucero juntas.

La aburrida se limitaba a maldecir su suerte. La atareada le iba diciendo:

—Pues sí, hija, la manzana tiene muchas virtudes: las fibras que contiene regulan el tránsito intestinal y, además, su pectina impide al colesterol pasar a la sangre y, por si fuese poco, es rica en vitamina C.

—¡Pues caray con las manzanitas! —refunfuñó Margot.

—De todos modos, lo más milagroso es el efecto que la leche hervida produce en las grietas que afean algunas tazas o platos de nuestras vajillas preferidas. El resultado es espectacular. Mira: se sumerge el objeto en un recipiente con leche. Después lo pones a hervir hasta la ebullición y dejas que cueza por espacio de una hora aproximadamente...

Intrigada por aquellas fórmulas tan alejadas de su órbita, Miranda se les acercó con un gesto que, queriendo ser simpático, derribó una botella de agua mineral y dos vasos:

—Perdonen, bonitas, ¿a ustedes quién las envía?

Visiblemente nerviosa, Emilia de Ruiz-Ruiz contestó:

—«Hola, Raffaella.»

—No. Me llamo Miranda Boronat.

—Ya lo sé, señora. Siempre la veo en las revistas, y la admiro un no va más por estar en ellas. Pero «Hola, Raffaela» es el nombre del concurso más providencial que se ha inventado desde el «Un, Dos, Tres».

—Nunca veo concursos. Siempre me pescan en horas de póker.

—Pues hace usted mal, porque un concurso bien ganado te cambia la vida completamente.

—Pero, en fin, ¿ustedes qué son? ¿Locutoras, presentadoras, taquilleras?

—Servidora es empleada del hogar y mi amiga es...

—¡No vuelvas a decirlo! —exclamó Margot, de muy mala gaita—. ¡No se te ocurra siquiera!

Pero Miranda Boronat había captado la onda, y era evidente que le apasionaba:

—¡Son dos marujas! —exclamó a voz en grito—. ¡Qué maravilla! ¡Fificucha, Perla, Olivia! ¡Venid, venid! ¡Dos marujas auténticas!

Llegó corriendo Fificucha, todavía entre lágrimas pero no por ello desinteresada de los asuntos sociales:

—¿Cómo son? ¿Cómo son?

Perla de Pougy llegó más relajada y desprendiendo un aura de superioridad destinada a molestar.

—Mira, Perla, qué marujas tan monas y tan puestas...

Incluso Emilia, en su inocencia, estaba a punto de indignarse:

—Oigan, guapas, que vamos vestidas de marcas como ustedes.

—Sí, pero no les sientan como a nosotras... —dijo Fififucha.

Aquí intervino Margot, dando un golpe en la mesa:

—Nos sienta mucho mejor, porque al menos nosotras no tenemos esas caderas horrendas.

—Pues mi novio, que estudia un *master* y algo sabrá, me dijo que son caderas de yegua de raza, para que se entere.

—Pues son de vaca y de burra. Luego de vacaburra.

Miranda Boronat estaba en plan conciliador, y así lo demostró cogiendo tiernamente la mano de Emilia:

—Me hace mucha «ilu» conocerlas porque, ¿saben?, yo siempre me he sentido como ustedes. En realidad, soy como ustedes. Soy una viva representación de la clase media.

—Pero si dicen que usted es muy rica —protestó Emilia.

—No, corazón. La rica es la princesa Von Petarden. Ella tiene cinco coches. Yo sólo tres. Ella tiene quince personas fijas de servicio. Yo sólo tres. Ella tiene veinte fincas. Yo sólo tres, porque los cortijos no se cuentan.

—Usted todo lo tiene de tres en tres. Yo, en este plan de trío, sólo tengo a mis hijos.

—¡Ah, porque son ustedes madres...!

—Ella sí. Yo no —se apresuró a decir Margot.

—¿Ni siquiera madre soltera?

—Ni eso. Ni me queda la madre que me parió. ¿Qué le parece a usted el panorama?

—Desolador. Porque si no es usted maruja, ni madre, ni hija, ¿qué leche es usted, bonita?

—Persona.

—Es lo más original que he oído en mi vida. ¡Persona! Últimamente no he conocido ninguna...

—Ni creo que la haya conocido usted en toda su vida. Y, desde luego, no se le ocurra mirarse al espejo porque no la encontrará.

—Es verdad —gimió Miranda—. Acaba usted de tocar mi punto débil. Yo siempre he querido ser persona, pero después me da pereza. Es mucho esfuerzo y, al final, quedas menos divertida que antes. ¡Sniff! Me ha hecho usted daño, marujona, porque me ha revelado de la manera más brutal el espantoso vacío de mi vida. Debo olvidar ya mismo. ¿Me dejan que me emborrache con ustedes?

—Para esto falta que nos emborrachemos —dijo Margot—. Y no entra en nuestros planes.

En este punto, Emilia de Ruiz-Ruiz hizo una declaración sorprendente:

—Bueno, yo a veces me he emborrachado sin querer.

—¡Angelito! —exclamó Miranda—. ¿Usted también tiene penas en el alma que no las mata el alcohol y en cambio ellas sí la matan cuando más borracha está?

338

—Yo no tengo penas. Soy muy feliz, pero que mucho. No me falta de nada. Quiero a mi marido. Tengo unos hijos preciosos Los tres son oxigenaditos. Parecen niños rubios de la tele.

—¡Alma noble! —exclamó Miranda, admirada—. Si tan feliz es, ¿por qué se emborracha?

—Habrá sido en algún banquete —dijo Margot, en un intento de disculpar a su amiga.

—Eso es comprensible —dijo Miranda—. Yo, en algún banquete, he saltado encima de la mesa y me he cantado todos los boleros de María Callas.

—Yo a tanto no he llegado, pero he contado chistes verdes... —confesó Emilia, con una risita traviesa—. A veces puedo ser muy picarona, ¿sabe usted? Pero beber, beber, lo que se dice beber, siempre lo hago a solas. Más que nada para distraerme. Entre que plancho, entre que ayudo a la asistenta, entre que hago la comida..., ¿qué voy a hacer? Pues un traguito aquí y otro traguito allá.

—A mí me pasa exactamente igual —exclamó Miranda—. Yo también bebo para encontrar en la botella una comadre de batalla. ¿Lo ven? Yo soy como ustedes. Sí, amigas, sí, las diferencias sociales no existen. —Y volviéndose a los distintos grupos, gritó como enloquecida—: ¡Niñas! Soy de clase media y no me había dado cuenta. ¡Pobrecita de mí! Soy más normal de lo que nunca pensé.

Todas aplaudieron, francamente admiradas de que Miranda Boronat pudiese ser algo. Y ella, para celebrarlo, pellizcó con cariño las mejillas de Emilia de Ruiz-Ruiz:

—¡Insisto, insisto, insisto! Soy una perra esclavizada, como ustedes.

—¡Alto, señora! —gritó Margot—. Hasta aquí

podríamos llegar. Nosotras seremos esclavas, pero aquí la única perra es usted y todas sus amigas.

Emilia de Ruiz-Ruiz estuvo a punto de desmayarse.

—¡Margot! ¿Cómo te atreves a hablarle así a madame Boronat? ¿Ves cómo no sabes comportarte? Estoy perdiendo el tiempo contigo.

Margot le dirigió una mirada furiosa. Una de esas miradas que esconden a una asesina en potencia.

—Escúchame bien: estoy harta de tanto sermón, tanta urbanidad y tantos consejos para deslumbrar a esas pijas. Si quieres saberlo de una vez, estás haciendo el ridículo.

—¡No sabes comportarte! —gemía la otra—. ¡No sabes comportarte!

—¿Conque no? Pues mira, ya que te gustan los chistes te voy a contar uno muy gracioso. Además, te juro que no lo han dado por televisión. Consiste en lo que sigue: que estoy hasta las narices de que recuerdes a cada momento lo que es fino y lo que es vulgar, lo que queda bien y lo que queda fatal. Y que me he soltado el pelo para gozar de la vida y desde que salimos de Madrid me estas agarrotando con tu cursilería. ¡Así que abur, guapa! Tú te quedas con esas cretinas y yo me voy de parranda, que se me acaba el tiempo... ¡Bastantes años he estado haciendo el primo!

Emilia recibió cada una de aquellas palabras como saetas en su corazón de amiga desprendida. Y cuando ya estaba toda atravesadita, todavía tuvo que soportar que Margot se levantase bruscamente, sin dignarse siquiera a hacer una reverencia a Miranda Boronat. Y ésta, como reacción, increpaba vivamente a la descarada, que ya se alejaba hacia una de las puertas de cubierta:

—¡Bruja! ¡Víbora! ¡Mire qué daño le ha hecho a su amiga! ¡La ha herido en lo mas hondo! ¡Escorpiona, más que escorpiona!

La violencia de aquellos gritos, así como los aspavientos y bufidos que los acompañaban, atrajo la atención de la princesa Von Petarden.

—¿Qué le pasa a Mirandilla?

—¿Qué quieres que le pase? Que ya está borracha.

—Protesto —dijo la marquesa del Pozo del tío Raimundo—. Yo no la he visto beber en ningún momento.

—Ni falta que le hace. Subiría borracha al avión y todavía le dura.

Por la misma puerta que acababa de salir Margot, entró a toda prisa Beverly Gladys Gutiérrez. Llegaba con expresión agitada y un brillo muy intenso en sus ojillos parduscos. La princesa no necesitó más para comprender que había en el aire un recado o, mejor aún, secretillos. Con el fin de recibirlos en plena intimidad, se dirigió a su secretaria y se la llevó aparte.

Como el lector recordará, la princesa Von Petarden había enviado una nota al piloto que tuvo el detalle de mostrarle el Peloponeso desde la cabina de vuelo. Y si toda mujer sabe que, en un viaje, no es bueno dejar teléfonos al marido, tampoco ninguna mujer ignora que siempre conviene dejar una lista de las escalas a cualquier hombre más apetecible de lo que el marido fue jamás.

Y Beverly, siempre servicial, se congratulaba de que el truco hubiese surtido efecto.

—Princesa..., ¡ha llegado el piloto. ¡Su piloto! Le he hecho pasar a su camarote.

—¡Ese centauro del aire! ¡Dios mío! ¡Y nosotras con estos pelos!

—Los llevamos divinos.

—No, si me refiero a los de otro sitio.

—Pasaré por mi camarote y les daré un cepillado, ya que no hay tiempo para un champú. Y usted corra, vuele, que el galán está esperando. Yo la excusaré ante esas cotillas.

La princesa corrió a su camarote y, en efecto, allí estaba él, notablemente mejorado, además. Llevaba una camisa azul, muy ceñida y revelaba hombros de gimnasta y cintura de nadador. Diríase que en los tres últimos días se había dado rayos ultravioleta, porque estaba más moreno que en el avión. Lo cierto es que parecía un gitanazo, y ante semejante evidencia, ¿qué mujer pierde el tiempo analizando artificios?

—¡Ramiro! —exclamó Celeste Angélica von Petarden. Y después de repetir varias veces el nombre del macho, se puso melosa y añadió—: Sin uniforme todavía está usted más guapo. ¡Qué audaz ha sido, Ramiro! ¿Le importaría, además, ser comprensivo? Claro que lo será. Escúcheme bien: está esperando fuera mi secretaria. La pobrecita no es exactamente fea. Le prometo que no le repugnará. Y esto es importante porque quiero pedirle, dulce Ramiro, que le permita acompañarnos. Piense que donde comen dos, comen tres.

El piloto Ramiro se encogió de hombros, completamente indefenso, pero no desconcertado. Al fin y al cabo siempre había oído contar que las princesas no hacen nada sin su séquito.

Y, sin embargo, no era la única sorpresa que le deparaba el incierto destino de la carne...

LA SORPRESA SE PRESENTÓ por medio de un intercambio no precisamente favorecedor. Don Ramiro del Aire quedó anonadado al ver que la princesa no aprovechaba su viril poderío y, en cambio, tenía que entregarlo con creces a una secretaria que, en pleno éxtasis, volvíase a su jefa para preguntarle con ansias de complacer:

—¿Va bien, princesa? ¿Lo estamos haciendo como Dios manda?

—No sé cómo lo manda Dios, querida, pero lo hacen ustedes muy fino.

La princesa se había puesto las gafas para mejorar su visión de la escena. Con ligeros movimientos de cabeza iba indicando que el ritmo de la pareja era muy de su agrado y el físico del macho seguía correspondiendo a sus apetencias. Para mejor distraerse sacó su labor de *petit-point* y empezó a bordar la falda de una campesina dieciochesca que recibía las galanterías de un petimetre junto a un molino encantador.

Cuando la pareja llegó a un clímax perfectamente interpretado, la bordadora dijo con singular dulzura:

—Me gusta que se lo pase bien, Beverly. Que le dé al cuerpo lo que el cuerpo merece después del trabajo que le da a la mente.

Tanto gozó su Barbie particular que don Ramiro del Aire acabó extenuado en una butaca. Y Beverly, siempre pendiente del bienestar de su jefa, comentó:

—Pues usted, aunque no pegue golpe en todo el día, también merece darle al cuerpo un gustirrinín. Sobre todo, que el señor se lo merece.

Mire cómo es, observe qué cosucha tiene, el muy canalla...

Es fácil comprender que las calidades y medidas del varón no cogían de nuevas a la Von Petarden. Pero acaso por esa excesiva prudencia de que se revisten las princesas de nuevo cuño, decidió mostrarse más distante de lo que correspondía:

—El hombre tiene que ser espectáculo, pero no debo darlo yo ofreciéndome al descontrol. Me gusta que se exciten conmigo, porque es una forma de halago personal y la autoestima se pone a cien, que es mucho. Pero, después, cada uno en su casa y Dios en la de todos. Bastante sexo tuve cuando tenerlo era un *modus vivendi* de lo más enojoso. En esa etapa de mi vida me prometí que acabaría contemplando a los que tanto me hacían currar. Hágase cargo, linda Barbie: ese oficio que yo tuve es muy esclavo. Cuando ya eres liberta no te quedan más ganas de practicar, ni siquiera *pour le plaisir.*

Considerando, pues, que la faena ya estaba hecha —y muy bien hecha, además—, Beverly se apresuró a despedir al galán, no sin antes recordarle la próxima escala del *King Poseidón:* la isla de Mikonos, que también tiene aeropuerto.

Ya puesta su brillante camisa azul, tan ancha y ceñida, el héroe manifestó un pequeño capricho que ha de resultar conmovedor a quienes siempre desconfían de la capacidad de ternura del macho ibérico.

¡Ramiro sólo pedía la merced de depositar un tierno beso en la mejilla de Angélica von Petarden! Y ella le dio satisfacción otorgándole, además, la mano.

—¡Ay, dulce sabor de un besito al pasar!

—Suspiró, cuando él ya hubo salido—. Es bueno, muy bueno que los humanos nos demos ternura de vez en cuando. Y, ¿sabe una cosa, dilecta mía? En momentos así es cuando echo de menos a mi Ludovico. Cuando comprendo que le quiero, porque es cierto que ningún ser humano se ha portado con otro como él conmigo.

Beverly se dedicaba a elegir para la princesa un vestido de noche. Tendría que ser, como siempre, un color llamativo combinado con otro cauto. La mejor manera de alternar la elegancia con la horterez.

De igual modo combinaba Beverly el trabajo con su papel de consejera:

—Cuidado, princesa, cuidado. ¿No confundirá sus sentimientos con la gratitud?

—¿Y estar agradecida no es una forma de amor? Alcánceme el hilo azul, por favor. Le estoy haciendo a mi príncipe una almohada para que pueda recostar la cabeza cada vez que se emborracha... ¡Y con cuánto placer coso y coso y más cosería para complacerle! Lo que él ha hecho por mí no se paga con un polvo salvaje, ni siquiera con un polvo reposado.

—En el caso del príncipe sería el polvo de los siglos, si me permite decirlo. Porque, se ponga usted como se ponga, tendrá usted afecto, besitos al pasar y algún pellizco, pero ¡lo que es sexo, hija mía!... Claro que, si bien se mira, está usted en situación de darse un reposo. ¡Curró tanto en las cosas de la carne!...

—Y a este paso podrá decirlo usted, Beverly. Porque hay que ver la racha que lleva. Espero que, después, no se le ocurrirá pedirme aumento de sueldo.

Comprendió Beverly que nadie da un favor sin

pedir algo a cambio, pero no le importó porque lo que los Von Petarden le escamoteaban en el jornal se lo compensaba con creces la princesa cediéndole varones que en cuaquier agencia cuestan carísimos, como saben muchas señoras principales de Madrid, que los usan a discreción y sin secreto.

¿Era posible mantener discreción y secreto en aquel barco? Beverly lo puso en duda cuando sonaron en la puerta tres rotundos golpes acompañados por una voz melosa y relamida:

—¡Ah del castillo! ¿Puede entrar una humilde servidora sin causar molestia?

Reconocieron el inconfundible tono pajaril de María Asunción Solivianto.

—Pues molesta, la muy pelmaza —exclamó la princesa de mala gana. Pero supo sobreponerse y, en voz alta y sumamente dulce, canturreó—: Pase, reina, pase. Estamos abiertas para las santas mujeres, que no molestan nunca.

María Asunción Solivianto entró en el camarote agitando un telegrama que parecía presagiar tormentas.

—No me atrevería a interrumpir su intimidad de no ser por una noticia que nos cambia la vida... Por cierto: he visto salir a un hombre de este camarote.

—Sería un camarero —dijo la princesa, sin dejar de coser.

—¿Tan guapo? ¿Pues no quedamos...?

—Quedamos divinamente —cortó la princesa—. No se preocupe más. Cuénteme lo del telegrama. No serán malas noticias... ¿Se le ha muerto alguien en Puerta de Hierro?

—El telegrama es de la casta Edipa.

—Yo creí que ustedes se comunicaban por la mente o así.

346

—No diga usted frivolidades, Angélica, que no está el horno para *croissants*. Sepa que Edipa, esa santa, me comunica que Nuestra Señora ha decidido no aparecerse en Patmos.

—¡Anda! Pues menudo chasco. ¿Y qué va a decirles usted a sus compañeras, con toda la que han armado?

—No me interpreta usted bien. La Señora no se aparece en Patmos porque quiere aparecer en Creta.

—Pues lo encuentro de una frivolidad alarmante para una Virgen. «Hoy me aparezco aquí, mañana allá...» ¡Qué caprichosa!

—Las Vírgenes siempre saben lo que se hacen. Al parecer, en las montañas de Creta hay una gruta más presentable que la de Patmos. La elección de la Señora me consuela, en cierto modo. Si no quiere aparecerse en el lugar donde se hicieron las tremebundas revelaciones del Apocalipsis es que viene en son de paz. O sea, que nos anunciará horas prósperas.

—Entiendo que usted me pide cambiar el rumbo.

—Claro. ¿A usted qué más le da celebrar su fiesta frente a unas costas u otras?

—La verdad es que nada. Tampoco creo que haya mucha diferencia entre Patmos y Creta. Todas esas islas son calcaditas. Sólo hay un problema. Algunas de mis invitadas (vamos, las afectadas por el caso Osváldez, que son casi todas) querían aprovechar este viaje para detenerse en la isla de Victoria Barget y entrevistarse con ella.

—Tampoco hay problema. Me ha dicho ese capitán tan consoladoramente feo que la isla está cerca de Creta. Una vez aparecida la Virgen podemos visitar a Victoria. Incluso le llevaremos una bendición, a ver si así se decide a volver al recto camino.

—Pues no se hable más. En cuanto recojamos a Rosa Marconi y a la ministra de las paellas diré al capitán Popeye que desvíe el rumbo y santas pascuas.

—Bueno, la santa pascua ortodoxa ya pasó. Pero podemos hacer la vista gorda, hacerla coincidir con la aparición de la Virgen y comernos el huevo ritual como si tal cosa.

—Sí, reina, sí. Por huevos que no quede.

Y cortando el hilillo con los dientes, dio por terminada su labor de aquel crepúsculo.

Capítulo duodécimo

BAGATELAS CRETENSES

Mientras el *King Poseidón* llevaba su cargamento de sinrazones de isla en isla, Victoria Barget y Elena Arquer descubrían los placeres de la
exploración en las partes de Creta menos conta-
minadas por los tumultuosos viajeros del siglo.
Las montañas, turnándose en curiosa multiplici-
dad, iban revelando contrastes entre la placidez y
la brutalidad; confabulaban enormes lienzos en
cuyos trazos parecía posible el regreso al origen
que Elena pretendía descubrir.

Sin darse cuenta, cruzaban el río que conduce
al otro lado de los mitos; a la Grecia áspera y violenta que yace escondida tras los aspectos clásicos. Se exaltaban continuamente. Improvisaban
comentarios apasionados de cada paisaje que, en
sus variantes y alteraciones, exigía todos los excesos, aun los más profundos. Ni por un momento incurrían en el pintoresquismo falsificado
de una postalita. Todo lo contrario. El aspecto
idílico de un valle al que miles de girasoles otor-
gaban los colores del oro, cedía bajo el impacto
de los riscos, ásperos, intrincados, que cabalgaba
en roquedales más clamorosos hasta alcanzar

una altura tan gigantesca que el paisaje parecía las simas del mundo.

Elena conducía y, en un momento determinado, Victoria observó que no se dejaba guiar por el menor sentido de la precaución. Por el contrario, movía el volante con inercia, con bruscos intervalos, y apretaba el acelerador con una violencia peligrosa.

—No me gustaría matarme aquí. Recuerde que dejo un hijo-amante en mi isla.

Elena Arquer efectuó un brusco desvío. Se encontraron así en un descampado abierto entre las últimas casas de un pueblo y los viñedos. Elena dejó caer la cabeza sobre el volante. Tras unos instantes de meditación, dijo:

—No le ocultaré que desde anoche estoy inquieta.

—Pues no se le notaba. Pero, ya que lo dice, es cierto que la he encontrado rara en la comida. ¿Le ha ocurrido algo con Minifac?

—Todo lo contrario. Es de una pesadez encantadora. Se ha pasado dos horas hablándome de su nueva novela. Me sorprende su capacidad de improvisación. Resulta que la protagonista es una mujer de nuestra edad.

—No me extraña —dijo Victoria, sin inmutarse—. Últimamente las mujeres de nuestra edad se llevan mucho en literatura. Los autores acabarán convirtiendo a las hermanas de *Mujercitas* en cuatro menopáusicas.

—¿Sabe adónde viaja esa mujer como nosotras que se ha inventado Minifac?

—A Creta, naturalmente.

—Veo que conoce la obra de su amiga. ¿Sabe qué problema se encuentra esa mujer como nosotras al llegar a Creta?

—Lo más probable es que tenga que enfrentarse a un aborto. A Minifac le encantan. Le hecen parecer progresista.

—Conoce a otra mujer, extranjera como ella y también en la edad difícil.

—Es muy de Minifac. Cada tres novelas saca a dos mujeres que empiezan haciéndose confidencias y, poco a poco, se atraen.

—En esta igual. ¿Y sabe qué le ocurre a una de ellas?

—Que vivió en Creta en otro tiempo, rodeada de hippies. En cuanto a la otra, no me lo diga: ¿dejó acaso a su marido en la cárcel y anda por esos mares con un jovencito?

—Exactamente. Un jovencito que quiere ser pintor.

—Minifac lo considerará más decorativo que un vulgar *master*. En fin, esta historieta no me sorprende en absoluto. En las últimas novelas de Minifac me he reconocido en por lo menos dos personajes.

—Debiera reaccionar como usted, pero cuando ella me lo contaba, en lugar de echarme a reír, sentí un malestar que no me ha abandonado.

—¿Porque la historia se refiere a algo que ocurre entre usted y yo? También es una moda reciente: las pobres mujeres, ante la inutilidad de los hombres, acaban confortándose entre ellas. ¿Le ha dicho Minifac si acabamos liadas?

—Esta posibilidad queda completamente fuera de mi alcance y supongo que también del suyo. Lo que me angustia es algo más lejano en el tiempo. Esa experiencia de juventud de la que usted se burla a veces, esos días que viví en Creta, se abren ahora ante mí como un abismo. Es como si se me exigiera una repetición.

—¿Pues no quedamos en que no había venido a recobrar su juventud?

—No se quede con lo superfluo, por favor. Mi zozobra nada tiene que ver con la juventud. Si se perdió sería en buena hora. Es que en esta isla, de alguna manera, tuve el valor de hacer algo que cambió mi vida. Algo que, además, me anticipó a mi tiempo. En mil novecientos setenta y tres ese tipo de rupturas todavía tenían algún valor. Pero ¿qué me ofrece la vida ahora mismo? ¿Qué me exige? No sé si debería pensar en un cambio tan vertiginoso como el de entonces.

—¿Cómo es posible que usted, una mujer tan feliz, necesite ahora dar la campanada?

Era evidente que Victoria acababa de recurrir al sarcasmo. Pero Elena fue completamente sincera al decir:

—Se está acabando el cachondeo, Victoria. Se está acabando.

Aquella noche, de regreso a Villa Arcadia, Minifac Steiman les propuso cenar en la menos griega de todas las ciudades del mundo. En Jania, la Canea de los conquistadores venecianos.

Elena destacó como un detalle de exquisito gusto que Edipa se hubiese afeitado para la cena. No era tan retrógrada para prohibir a las mujeres llevar bigote, y hasta barba si gustaban, pero ciertas tradiciones culturales obligan siempre y, en la suya, españolísima, una dama con bigote le recordaba directamente a su abuelo Román, notario de pro.

También le recordó a uno de sus primos más corridos la caricia que Edipa depositó en sus nalgas. Una caricia que derivó hacia el apretón, como la noche anterior.

No pudo evitar comentárselo a Victoria, con notoria incomodidad.

—Será una costumbre de aquí —dijo la Barget, en tono ligero—. Esas mujeres viven tan marginadas del mundo de los hombres que se ven obligadas a montar cofradías. Algo parecido a un serrallo. Influencia de la dominación turca, sin duda.

—Más que serrallos, diría gimnasios. Hoy he visto a Edipa en traje de baño y parecía un campeón de lucha libre.

—No debe extrañarle. Esas griegas acostumbran hacer trabajos muy pesados. Las he visto, en mi isla, arrastrando sacos de escombros o soportando sobre sus espaldas montones de leña.

—Usted parece dispuesta a encontrarlo todo normal —protestó Elena.

—Naturalmente. Para anormalidades ya tengo las que me he traído de España. Entre ellas yo misma.

Después de un baño con sales de romero, se pusieron muy femeninas para la cena: vestido negro, de tirantes, y collar de perlas, que funciona con todo. En cuanto a Minifac Steiman, llevaba un modelo ibicenco que, al ondear sobre su opulenta mole, parecía un toldo. La más discreta era Edipa: tejanos y blusa blanca y un jersey verde oliva anudado a la cintura. Sólo unas botas altas hasta la rodilla denotaban que podía ser guerrera.

Como cada noche en cualquier isla cenaron en uno de los animados restaurantes del puerto. El de Jania estaba presidido por un fortín que se introducía en el mar. Se imponía, una vez más, el recuerdo de sucesivas invasiones: un eco de belicosidad que realzaba el aspecto dominante de Edipa Katastrós. Como si acabase de llegar a la ciudad para defender sus murallas contra un enemigo que, a lo mejor, se encontraba en aquella misma mesa.

Minifac Steiman no dejaba de ponderar las secretas vibraciones de la isla. Edipa Katastrós asentía con una sonrisa siempre ambigua. Elena Arquer sentíase estudiada y, en un momento concreto, decidió estudiar a su vez.

—¿De verdad cree usted que se aparecerá la Virgen? —preguntó con cierta coquetería, impropia para su pregunta.

—Siempre ha cumplido su palabra... —contestó Edipa.

Y Elena Arquer notó en su voz un deje de burla que la intrigó vivamente, como si hablase con una creyente incrédula o una fanática cínica.

—Perdone, pero a la luz de los comentarios del otro día, no consigo entender cómo puede usted combinar las poesías de Cavafis y Valéry con esas supersticiones.

Edipa le dedicó una sonrisa que quiso parecer enigmática. Se salió con la suya, pues lo era.

—¿Y quién le dice usted que la poesía no es una superstición y acaso la mayor de todas? ¡El misterio de un poema y el misterio de una epifanía! Cosas que se realizan más allá de la razón.

—¿Qué Virgen es la que se va a aparecer? —preguntó Victoria.

—No puedo precisarlo con exactitud. Sus mensajes van y vienen de una manera muy imprecisa. Sólo sé de su predilección por las grutas. Antes tenía que ser la del Apocalipsis; ahora, las de esa isla... casualmente, una de las que se encuentran en la ladera del monte Ida.

—¿Dónde dijo usted que nació Zeus?

Intervino Minifac Steiman, acariciando con dulzura sus seis anillos mágicos:

—No tiene por qué ser necesariamente la misma. Existen infinidad de grutas mágicas en Creta. Mi mejor amiga en el condado de Exeter, lady Sofre Lamertume, pasó varios años investigándolas. Llegó a catalogar más de trescientas.

—Yo viví en cierta ocasión en unas grutas de esta isla... —recordó Elena con lánguido acento.

—¿Grutas de culto? —preguntó Edipa, sin dejar de mirarla fijamente.

—Las tumbas romanas de Matala.

—Ésas no cuentan. En la época romana el sentido de la magia se había perdido en provecho de las supersticiones, y aun de la especulación mercantil más descarada. Yo me refiero a una época muy anterior: algo que se pierde en la noche de los tiempos. Cuando los propios dioses estaban aún por definir.

Minifac levantó los ojos a la luna, en señal de invocación. ¡Apetecía, sí, acogerse a los decretos de la Casta Diva!

—Pidámosle un deseo. Su halo ilumina los más inesperados caminos. Recuerden lo que les dije ayer: donde ocurrió un prodigio tiene que volver a ocurrir. Y no son prodigios lo que faltó nunca en esta isla.

Edipa encendió un cigarro turco de proporciones considerables. Después de succionarlo ávidamente, preguntó a Victoria:

—Hablemos de cosa más divertidas. ¿Ustedes dos son amantes?

—¿Por qué habíamos de serlo? —contestó Victoria, asombrada.

No se asombró Elena Arquer, aunque no sabemos explicar la razón de su pasmosa tranquilidad.

—¿Por qué se le ha ocurrido semejante disparate? —insistió Victoria, optando ahora por divertirse.

—Porque encajan —dijo la griega—. Claro que esto podría ser también la razón de que no lo fuesen. Al fin y al cabo ningún amante encajó nunca con otro.

Es posible que si María Asunción Solivianto hubiese oído hablar a su rústica favorita en aquellos términos se hubiese desmayado. Y Elena Arquer pensó que si Edipa seguía con aquellos discursos, en lugar de la Virgen podría aparecerse Virginia Woolf.

De pronto sintióse incómoda. Necesitaba una huida hacia algún lugar o alguna cosa no prevista en aquella cena, pero que sin duda estaba en la noche de Candia.

—Me gustaría pasear un rato a solas... —dijo bruscamente.

—No se lo aconsejo —dijo Edipa—: Los paseos solitarios conducen a la depresión.

—No, si son para recordar.

—Precisamente cuando son para recordar. El recuerdo más consolador siempre es el olvido.

Elena la miró a los ojos: tenían algo mágico, en efecto. Como dos piedras encastradas o, mejor aún, dos pedazos arrancados del onfalo, ombligo del mundo. Pero ese artilugio del destino estaba en Delfos y ninguna de sus grandes sibilas podía haber viajado hasta tan lejos. A no ser que el propio Apolo le prestase su delfín alífero. A no ser que todo se estuviese desarrollando en las entrañas del mito, como ella misma quería creer sin saberlo.

Elena cerró con un golpe seco su bolso de noche y dijo en tono decidido:

—Acompáñeme usted, Edipa. Así dejamos solas a esas dos mujeres. No lo han estado desde que llegamos, y sin duda tendrán muchas cosas que contarse.

No dio tiempo a respuesta alguna. Se levantó y, en un arrebato, cogió a Edipa de la mano, arrastrándola tras de sí.

No se dijeron nada durante un buen rato. Paseaban por callejas oscuras donde destacaban portales señoriales que recordaban la época de la dominación veneciana. De vez en cuando, balcones y celosías delicadamente labradas recordaban la ocupación de los turcos. Más allá, Elena creyó percibir la sombra de un minarete. Todo parecía calculado para crear una escenografía donde la historia demostraba su afición al desatino. Dominada por esta percepción, Elena se detuvo contra un muro y estalló:

—Edipa, creo que ha llegado el momento de quitarnos la máscara...

Edipa la miró con expresión dominadora.

—Quítesela usted. Yo no uso.

—No la creo. Usted me desea.

—Eso no es usar máscara, puesto que usted lo ha notado.

Elena la miró con ojos de leona. Pero era una leona acobardada.

—Nunca ha entrado en mis planes amar a una mujer.

—El amor nunca entra en los planes de nadie. Sucede y basta.

—No me ha entendido. Quiero decir que no me atrae el sexo femenino... —De pronto se interrumpió. El brazo de Edipa, apoyado en la pared, le rozaba la mejilla. Notó que había bastante músculo para desplomarla de un sopapo. En tono balbuceante musitó—: Y, sin embargo, usted tiene algo que no es femenino en absoluto...

—Será la halterofilia. Ninguna mujer se pasa el día haciendo pesas para quedar, después, como una ninfa.

—Es algo parecido a una doblez. Más aún: como varias cosas al mismo tiempo. Me repugna, pero también me fascina.

—Usted dijo que vivió en esta isla algo muy intenso. Tuvo que serlo para que el recuerdo haya durado tantos años. Y lo está siendo ahora; pues, aunque no quiera reconocerlo, Creta puede con su voluntad.

—Será Creta, pero nunca usted.

—Yo soy algo que usted vivió en Creta. No debería olvidarlo tan aprisa.

—Tengo miedo de usted, Edipa. No me había ocurrido nunca. Esos ojos me causan pavor.

—Cuidado. No confunda el pavor con el deseo.

—Confundo lo que me da la gana. Y le aseguro que mis problemas, si los tengo, no tienen nada ver con mi sexualidad.

—¿Está segura? Recuerde que en otro tiempo, muy, muy lejano, regía los caminos del sexo un dios/diosa abierto a todas las sorpresas. Lo masculino y lo femenino unidos en una divinidad que exigía, como culto, la transgresión.

Elena se notaba torpe. La insolencia de aquella mirada pétrea la taladraba. Era como si, de repente, se encontrase viviendo una novela de Minifac Steiman, a quien, no obstante, nunca había leído.

Entendía que algo profundamente falso se estaba introduciendo en su vida. Algo imprevisto, un juego de artificio para el que no estaba preparada. En su decisión de combatirlo, apartó a Edipa de un empujón y echó a correr por una de las callejas.

—¡Déjeme en paz! —gritaba—. ¡Lo que tenga que recordar de Creta lo recordaré sola!

Edipa optó por no seguirla. Fue una decisión acertada. Al fin y al cabo, una vidente profesional debe saber a qué insondables visiones suele arrojarse el alma humana.

¿Lo sabría también Minifac Steiman, que era en cierto modo vidente de las letras? Cuando menos, éste era el cargo que parecía ejercer en su conversación con Victoria Barget. Una plática que, pretendiendo ser relajada, escondía, sin embargo, recovecos nerviosos.

Dejadas a su intimidad, en la terraza del restaurante, habían permanecido en silencio durante un buen rato. Saboreaban sin demasiado interés un granizado de café. Victoria no podía disimular un deje de incomodidad, que acabó por manifestar:

—Usted me conoce, Minifac. Si no digo lo que pienso, reviento.

—No reviente, por Dios. Hable de una vez y se ahorra el trance.

—Elena me ha contado el plan de su nueva novela. Francamente, encuentro insólito que haya podido trazarlo en una sola noche.

—No la comprendo.

—Fue llegar Elena y yo a su casa y poner en marcha su imaginación. Las indirectas de esa Edipa me lo confirman. ¿No podría dejar de tomar a sus invitados como conejillos de Indias?

Minifac la miró de hito en hito. Su asombro parecía sincero.

—No sé de qué me está usted hablando. Tengo planeada esta historia desde la pasada Navidad. De hecho, la tenía muy avanzada cuando usted llamó. Sólo me falta el final.

—¿Y cuál será?

—No lo sé. Ya le he dicho que me falta.

Victoria guardó silencio, obligada por la duda y la desconfianza, en una mezcla que le producía un desconcierto que no tenía por costumbre acatar. Al cabo de la larga pausa, preguntó tímidamente:

—¿Debo creerla?

—Se lo aconsejo. Piense que, después de todo, yo sé muy poco de usted.

—¡Cómo! ¿Después de las largas conversaciones que sosteníamos en Mallorca?

—No conviene elogiar en exceso aquellas noches. Recuerdo que eran sumamente plácidas: horas y horas conversando en la cubierta de su yate. Pero nunca hablamos de usted. Nos limitábamos a cantar las gracias de su marido.

—Es cierto. Y, la verdad, tampoco tenía tantas.

—Tardó usted mucho en descubrirlo.

—Se equivoca. Lo sabía mientras le elogiaba. Lo sabía mientras imaginaba que le quería. Siempre he pensado que las mujeres no somos tan tontas como parecemos. Damos nuestro amor, nos entregamos a él, pero nunca a ciegas. Eso creía, por lo menos, hasta ahora.

—Usted no es feliz.

—Estoy a punto de serlo. Sólo que sé que debo tomar una decisión directamente emparentada con la crueldad.

—¿Una decisión para anular cegueras de amor?

La confianza de Victoria Barget retrocedió ante aquella pregunta. Algo le decía que es peligroso confiarse a un autor que tiene una historia sin final, pero al mismo tiempo necesitaba contar lo que se sentía incapaz de confesarse a sí misma en soledad. Su propia vacilación le hizo estallar:

—¡Oh Dios! ¿Por qué tenemos que ser tan sinceras las mujeres? Nunca deberíamos tomarnos como confidentes, nunca. ¡Cuánto mejor no es contar las penas a un hombre! Ellos no se atreven a llegar al fondo de la herida. Se contentan, a lo sumo, con ser cómplices.

—Pero usted va dejando a los hombres atrás. Señal que esta complicidad tampoco le compensa.

—Yo no he tenido hombres cómplices, Minifac. He tenido un marido omnipotente que se proyectaba sobre mí como una sombra. Ahora tengo un niño delicioso y me proyecto sobre él, como una sombra más gigantesca todavía.

Y se dijo para sí misma: «Te estoy ofreciendo en bandeja un buen capítulo para tu novela. Sólo espero que dejes a mi niño bien parado.»

Como atendiendo a aquellos pensamientos, Minifac advirtió:

—No tenga miedo de una indiscreción. Además, no habrá motivo: la última vez que hablamos me dijo que su niño era prodigioso.

—Seguramente lo es. La que no soy prodigiosa soy yo. Él se ha entregado al amor de una manera que me complace y, al mismo tiempo, me horroriza. Comprenda que todo es demasiado excepcional. Pero ¿qué ocurrirá cuando deje de serlo?

—¿Quiere un consejo? Rompa.

—Es que le quiero. Y, además, mucho.

—Más motivo para romper. Se sentirá mejor siendo renunciadora que esclava de un cariño desorbitado.

Eran ya las últimas en la terraza. Los bares y restaurantes vecinos estaban recogiendo sus mesas. La luna abría en el mar rutas demasiado oscuras para tanta claridad. Era como si las olas y la luna se hubiesen divorciado.

A las dos les extrañó que Edipa volviese sin Elena Arquer. Tuvieron que contentarse con una respuesta escueta: tenía ganas de pasear a solas. Y Edipa se consideraba demasiado discreta para atosigarla como una hambrienta catadora de clítoris.

Aquí se produjo una pausa incómoda. Victoria necesitó un buen rato para romperla, mirando directamente a Edipa:

—¿Se puede saber por qué me hizo antes una pregunta tan absurda?

—Muy sencillo. Porque tuve celos de usted.

Era evidente que si Victoria buscaba una aclaración, no la obtendría por aquellos medios. Y esta dificultad contribuía a aumentar su nerviosismo. Nada censurable si se piensa que Edipa continuaba hostigándola con su sonrisa más sarcástica:

—Pero ¿qué pretende, Edipa? ¿Quién es usted?

—Soy esta isla —dijo Edipa, tranquilamente.

—¡Basta ya de tonterías! De la isla donde vivo dicen que es la hermana de Alejandro. De otras aseguran que son hijas de Poseidón. Ahora resulta que usted es Creta, como yo podría ser Calatayud. ¡Estoy harta de símiles absurdos! ¡Denme de una vez una isla que se limite a ser un vulgar terruño en un mar todavía más vulgar!

—Tanta vulgaridad es indigna de usted —dijo Minifac—. Nunca hay que desearla. Ni en islas, ni en mares, ni en personas. ¡Mucho más atractiva ha de ser la anormalidad que nos asalta desde cualquier frente! Así nosotras. Edipa y yo. Sí. Estamos aquí desde hace miles de años. Y los hemos dedicado todos a ayudar a pobres tontas como usted y su amiga del alma.

Victoria se incorporó, impulsada por un resorte de indignación. No había nada racional en su actitud, pero la explotó hasta las últimas consecuencias.

—No es mi amiga —exclamó—. Apenas hace dos semanas que la conozco. Es una pesada que se me ha pegado como una lapa. Estoy harta de que me asocien con ella. ¡Harta!

La vieron alejarse con paso rápido, por un camino opuesto al que antes tomase Elena. La mejor opción para perderse por una ciudad desconocida.

—¡Qué mujeres! —comentó Edipa—, con una risotada llena de tabaco duro—. Ahora nos tocará esperar a que se desahoguen. Y de aquí están a punto de echarnos.

En efecto, el camarero imitaba a los de los restaurantes vecinos levantando las mesas, mientras dos compañeros plegaban las sillas y las iban amontonando bajo un cobertizo de uralita.

—Esperémoslas en el coche. No serán tan tontas como para no reconocer un Studebaker.

—Excelente idea —dijo Edipa—. Mientras ellas se buscan a sí mismas, nosotras podríamos aprovechar para rezarle a la luna.

—Pues recémosle. Que Lilith, su halo perverso, no llegue a dañarnos.

Pero el halo de la luna ya extendía sobre Creta un manto, si no perverso, sí, cuando menos, travieso y juguetón.

ENCENDÍANSE LOS HORNOS DEL MEDIODÍA sobre el cielo de Patmos cuando Tina Vélez entró en la habitación de Visnú De Meller, sin molestarse en llamar y rompiendo un florero a su paso. No lamentó su exceso de descortesía, antes bien lo consideraba la mejor manera de despertar a alguien que era víctima de una cogorza descomunal.

Visnú De Meller estaba impresentable: tendida de bruces, con la mitad del cuerpo colgando de la cama y una pierna sobre una mesita de noche de aspecto rústico. Con una sábana se había confeccionado un turbante y la otra aparecía cerca del lavabo, indicando que se había levantado durante la noche para algún vómito de urgencia. Como sea que en la frente lucía un chichón del tamaño de una nuez, cabía suponer que el viaje había sido accidentado.

—¡Arriba, gandula, beoda! ¡Despierta ya, informal!

Creyendo que aquella voz era la de su amado loro, Visnú correspondió con la más dulce de sus sonrisas, pero al reconocer el rostro avinagrado de Tina Vélez, dio un salto fácilmente confundible con el terror. Máxime cuando la otra seguía instándola con palabras severas:

—Levántate de una vez. Tienes que utilizar tu

lamentable inglés para ayudarme a encontrar un barco ahora mismo.

—Pero ¿qué dices? ¿Es que no quieres localizar a Edipa?

—Calla, no me hables de ese asunto porque estoy que trino. Pero, ahora que caigo, tienes que hablarme para que yo pueda contártelo. ¡No te imaginas lo que he averiguado! Sólo te diré que por fin he entrado en casa de esa mujer. Me ha costado un soborno de mil pesetitas, que no es moco de pavo.

—Deja de pensar en el vil dinero. Lo importante es que has hablado con la santa.

—Con ella no. Con su criada.

—¿Cómo? ¿Una pobre rústica tiene criada?

—Tiene dos filipinas.

—¿Hasta aquí llegan esas siervas?

—Inclusive. Pero es más: el interior de esa casa es un palacio. ¡No sabes tú qué mobiliario! Yo misma no podría permitírmelo a menos que obtuviese la representación de un García Márquez. Y aun así lo pongo en duda. Al parecer, esa Edipa es hija de la principal familia de la isla. Fueron ricos en otro tiempo, vinieron a menos, pero ella mantiene su prosapia. ¡Si vieras qué lujo!

—¡Lujo! ¡Quiero verlo! Yo nací para el lujo y, ya ves, tengo que conformarme con el de un cine de estreno preferente. ¡Llévame, por favor! ¡Déjame sentir suntuosa!

—La resaca te hace ser insensatona. No tenemos tiempo para turismo; ni de lujo ni de alpargata. Es necesario que tomemos el primer barco para Creta.

—¡Creta! Me suena que es una isla, pero, aparte de esto, ¿qué es?

—El nuevo punto de aparición. Me han contado las filipinas que la Virgen ha cambiado de idea y se aparece allí. En consecuencia, Edipa se ha ido a Creta, y nosotras deberemos ir detrás, como burras. Yo es que tengo la sensación de estar haciendo el primo. Este desplazamiento implica un nuevo gasto. Aunque consiga que Edipa me firme el contrato, nunca conseguiré amortizarlo. Me está saliendo la torta un pan. Además, todos los datos que me proporcionó Ruperta Porcina Boys están equivocados. ¡Tanto presumir de influencias y amistades y no sabe que esa Edipa, aunque santa, cohabita con un hombre!

—¿Qué me estás contando?

—Lo que oyes. En la planta baja tiene instalado un gimnasio en toda regla, con unas pesas que sólo las levanta un Rambo. Y, por si fuese poco, la casa huele a macho por todas partes. Te lo digo yo que, en cierta ocasión, olí a mi difunto marido. ¡Esa Ruperta!... ¿Cómo no me avisó? Porque yo tengo formada una imagen del producto que quiero vender; porque sé que en España está volviendo la seriedad y el decoro; porque es como si, de repente, el Papa escribiese un libro aconsejando la masturbación a las viudas.

—A lo mejor esa Edipa acepta silenciar lo de su macho. Piensa que hoy en día, en nombre de la imagen, todo el mundo las hace de todos los colores. Yo misma me llamo Pepita, pero no hubiese llegado a nada sin llamarme Visnú.

Tina Vélez —que se llamaba así y sin remedio— no quiso ser caritativa con Visnú. Así que se limitó a decir:

—Para llegar donde tú no hacían falta tantos cambios. Ahora, que la que va a necesitar árnica es Ruperta Porcina Boys. Cuando me la encuentre en el barco la voy a poner de vuelta y media. Y, desde luego, no va a sacarme lo que esperaba. Te aseguro que no venderé su novela a Bulgaria ni al Kurdistán.

—Pues es lástima, porque allí la entenderían. Yo siempre he dicho que Ruperta escribe en kurdistano y por eso no la entendemos las pobres cristianas.

RUPERTA PORCINA BOYS SE HUBIERA consolado al saber que ocupaba una conversación en algún lugar del mundo, sólo que en aquellos momentos sus pensamientos estaban muy lejos de la isla de Patmos, de Tina Vélez y aun de una posible traducción al kurdistano, a la que por otro lado se hubiera acogido como un clavo ardiendo, ya que para una lamentable ocasión en que la tradujeron fue al valenciano sólo se enteró una vecina de una aldea perdida en las soledades del Maestrazgo.

Decidida a esfumarse de un crucero donde sus tejemanejes ya no tenían razón de ser, había pedido a un par de marineros que le llevasen el equipaje. Éste, que al llegar a Atenas era exiguo, ahora estaba a rebosar de platos robados en las comidas del barco y libros chorizados en las librerías de tres islas consecutivas.

Partía con la desagradable sensación de que, después de su escena con la princesa, tendría que renunciar a su teatro y demás prebendas y acostumbrarse a vivir con el triste estipendio de las escritoras sin chollo.

Quiso hacer una salida en *beauté*, de manera que se mojó el flequillo con saliva para medio disimular la calva y se dirigió a cubierta golpeando el suelo con un paraguas arrebatado a la marquesa del Pozo del tío Raimundo.

La decisión de la escritora experimental había pasado completamente inadvertida en todos los camerinos menos en el de la princesa Von Petarden. Acababa de irrumpir Beverly, dando saltitos de ardilla:

—Princesa, princesa, una buena noticia: la maligna Ruperta se va.

—¿Al otro mundo? —preguntó la Von Petarden, sin disimular su ilusión—. Por mí, que se pudra... —De repente se detuvo, esbozando una sonrisa que no carecía de perversidad—: Claro que, siendo yo anfitriona de ley, es mi deber despedirla convenientemente.

—¿Después de lo que le ha hecho?

—Pues por esto. No olvide que el máximo placer de cualquier chantajeada es la posibilidad de devolver el golpe. Y yo puedo permitírmelo, no por ser princesa, sino porque soy hembra bravía.

—Así me gusta oírle hablar —exclamó Beverly Gladys—. Que sepa el mundo que desciende usted de un dogo de Venecia.

—Ése es mi marido, querida. No nos pasemos. Pero mi abuela, que era planchadora en la plaza de Cascorro, sabía darle buenos mamporros a las vecinas que se le insolentaban a la hora de soltar los cuartos.

Envuelta en un suntuoso kimono de satén rojo con dragones dorados y el nombre de los Von Petarden en letras góticas salió como una exhalación, mientras su secretaria celebraba que por un momento reapareciese Fifí la Tomate para invocar los derechos de las pobres mujeres ultrajadas.

Sin embargo, en la cubierta los ultrajes los recibían los hombres. En efecto, Ruperta Porcina Boys agredía con un paraguas a dos marineros que, a su juicio, no trataban con suficiente delicadeza sus maletas Louis Vuitton. (Sabemos que eran falsas, naturalmente. Son las que los negros venden, junto a otras marcas falsificadas, en las aceras de la Quinta Avenida. Y es que todos los artículos que distinguían a Ruperta eran de esas características. Igual los polos Lacoste que había comprado, a seiscientas pesetas la pieza, en las calles de Estambul.)

Beverly Gladys deseó que la pescasen en una aduana por viajar con tantas marcas falsificadas con pretensiones de sofisticación. La princesa, cuyo buen corazón era proverbial, se inclinó por una venganza inmediata. Una flagelación verbal era más que suficiente.

—No lamento que se largue —dijo, con altivez—. Y la culpa es suya, no lo dude. Podría haberme ganado por el afecto, pero es usted antipática, grosera y burra. Que Dios la tenga en su gloria.

—Esto no va a quedar así —exclamó Ruperta Porcina Boys con un bufido bovino—. No olvide que tengo una tribuna pública en el periódico más influyente de España.

—Sí, guapa, pero recuerde que mi marido es uno de los principales accionistas de ese periódico donde usted hace las veces de asistenta. Porque ¡hay que ver lo que le sale, linda!

—Hay otros periódicos. Por suerte vivimos en un país libre.

—¡Ingenua! Vivimos en un país libre, pero el director de cualquier medio se pirra para que yo le invite a cenar una noche. O sea que si tienen que elegir entre usted y servidora, ya puede adivinar el resultado...

—¡No puedo seguir escuchando esas afirmaciones de poder propias de la vieja guardia! ¡Yo soy la modernidad, señora!

—Pues ha chupado usted más que las antiguas —dijo Beverly Gladys, mientras Ruperta bajaba por la pasarela, dando patadas y empujones a los marineros que pretendían ayudarla.

Su aparatosa salida coincidió con la llegada de una mujer que parecía un anuncio de la Semana Santa sevillana. Llevaba un vestido de raso negro, con gran lazada en el costado, y una elevada peineta de la que colgaba, majestuosa, una mantilla de blonda. En todo ello se entendía que Amparo Risotto se había pasado sus dos días de Atenas dejando bien alto el pabellón español, tal como se espera en el mundo.

Al revés de Ruperta Porcina Boys, la ministra se dirigía a los porteadores con singular gentileza, tratándolos de camaradas. La seguía a distancia prudencial Rosa Marconi, ataviada con un vestido caqui salteado aquí y allá con un verde camuflaje. Nadie podía dudar que era una exploradora de la noticia, pero su aspecto hosco y su andar violento indicaban que en aquel viaje no había cruzado un mal Rubicón.

Antes de efectuar las presentaciones pertinentes, la ministra reparó en el alboroto que se había formado alrededor de Ruperta Porcina Boys.

—¿Dónde vas con esas maletas? —preguntó Amparo, con sincera extrañeza.

—Primero a Atenas y, desde allí, a Madrid.

Algo huele a podrido en este barco, ministra. Y no sé si es la entrepierna de la princesa o el alma de todas ustedes. ¡Están perdidas para la democracia! ¡Perdidas!

Aquella Atenea furiosa prosiguió su camino, tambaleante, cojeando a causa de un tacón roto y sin que nadie se preocupase por su destino.

Pero la ministra, considerándose responsable de todas las ovejas que integraban el rebaño de su ministerio, preguntó a la princesa:

—¿Han tenido palabras?

—Y palabrotas, querida.

—Mal asunto. Se nos irá a las derechas.

—No la querrán. ¡Pobrecita! Ella ignora que las derechas buscan triunfadoras, no fracasadas. —Y, al reparar en la acompañante de la ministra, comentó—: Por cierto, no me dijo que llegaba usted tan bien escoltada.

—¿Se refiere a la Marconi? Cenamos juntas la otra noche. La pobrecita estaba a punto de arrojarse al Nilo, y yo le dije que se había equivocado de país. Porque, vamos, una que se arroja desde una ventana del Meridien no da en las aguas del río sagrado, sino en el perro suelo de la plaza de la Constitución, que además está en obras. ¿Por qué digo eso? ¡Ah, sí: para explicarme! Bueno, pues la Marconi (muy deprimida por su programa de televisión) tenía que reunirse con ustedes y, como sea que el ministerio griego había puesto un helicóptero a mi disposición, me dije: «Ampariues, *xiqueta*, esa compatriota se dedica a la cultura»... Y aunque yo no sé si la televisión tendrá algún día algo que ver con la cultura, pero como de todos modos ella es española, grité: «¡Damas a bordo!» Y aquí estamos, divinas las dos.

Nadie se había esforzado lo más mínimo en seguir tales razonamientos. La princesa se limitó a celebrarlos a ciegas, mientras decía:

—Bueno, pues sean bienvenidas y, sobre todo, sean felices.

—Yo tengo una depresión de caballo y un mal humor de perros —anunció la Marconi—. Ya lo saben: la que avisa no es traidora.

Al verla alejarse, mascullando desgracias, la princesa no pudo por menos que exclamar:

—¡Por Dios, qué panorama! Ésa nos va a dar el viaje.

La ministra de cultura se quitó por fin la mantilla, luego las horquillas y por fin el moño postizo, hasta que volvió a lucir su famosa melena negro azabache.

—Pues yo vengo rebelada. Esos griegos son intratables.

—¿Es que no le prestan el Partenón?

—No quieren ni oír hablar del asunto. ¡No sé qué se han creído que tienen! Vi ayer el edificio y está muy deteriorado. Con decirle que ni techo hay. No quiero pensar lo que diría en España la oposición si el gobierno socialista tuviese un monumento en semejante estado. Fíjese usted el zipizape que me armaron por los destrozos de no sé qué catedral. Y le aseguro que está mucho más nueva que el Partenón.

—En realidad, esos griegos tienen las ruinas en un estado deplorable.

—¡Ay, sí! No les han pasado una triste bayeta desde los tiempos de Guzmán el Bueno.

—Dejemos el Partenón de lado. ¿Ha sabido algo de España?

—Un desastre, querida. Están saliendo estafas hasta debajo de los hongos. Francamente, estoy

372

anonadada. Nunca pensé que pudiesen ocurrir tantas atrocidades.

—No me dirá que era confiada hasta este punto.

—¡Mujer! Una había oído contar que fulano, mengano y zutano se llevaban un pellizquito de aquí y otro de allá, pero poca cosa: quince millones, veinte a lo sumo. Esas cantidades que se barajan ahora resultan sorprendentes. Y además se las llevan con muy mal estilo. Yo lo encuentro todo como muy de chapuza. En confianza, ayer, un ministro griego me contó cómo evaden ellos los capitales y, la verdad, tenemos mucho que aprender.

—Me encantará escucharla. ¿Querrá usted compartir mi mesa para la cena?

—No sólo querré, sino que me corresponde. ¿O es que vamos a pasar del protocolo, guapa?

Y se fue con la cabeza muy alta y arrastrando mantilla y peineta.

—¡Toma castaña! —exclamó la princesa. Y volviéndose a Beverly—: Ya ve usted cómo son los altos cargos, querida. ¡Y pensar que dentro de diez meses puede estar remendando calcetines en su casa!

A la hora de la cena, la ministra se presentó despampanante como solía. Es decir, cargada con todo el lujo desaconsejado para producir una impresión de seriedad. No vamos a censurarla. A fin de cuentas, lo más serio que había en aquel crucero era un grumetillo que estaba aprendiendo electrónica por correspondencia.

Ante aquella y otras muestras de exhibicionismo, Angélica von Petarden pensó con ternura en su príncipe octogenario. Recordó cómo la había educado en muchas facetas de la vida mun-

dana, no para adquirir un refinamiento nato
—¿quién puede hacerlo a los cuarenta y tantos?—, pero sí, cuando menos, para presentar la
agradable prudencia de quien sabe aprender. Y
decidió una vez más que el agradecimiento también podía ser amor y que, si no lo era, peor para
el amor.

Pero había otras cosas de gran utilidad que su
príncipe le había enseñado, especialmente los mil
variados empleos que puede darse al dinero. Así
que preguntó ávidamente a la ministra sobre las
últimas estafas.

Salieron ministros, secretarios y subsecreta-
rios de ministros, jefes de la Policía, abogados,
curas, amantes de los curas, banqueros, queridas
de los banqueros, y así una interminable retahíla
que convertía a la antigua picaresca en un cuento
para niños.

La princesa, que tenía alma de niña, se apresuró a felicitar a su invitada por un motivo singular:

—¡Qué satisfecha ha de estar usted al ver que
en esta lista no ha salido ni un nombre de su ministerio!

—No le extrañe —dijo Amparo Risotto, con
amargura—. En España, la cultura es lo último
incluso en las estafas.

Omitió intencionadamente los bolsillos que se
llenaron con las celebraciones del Quinto Centenario, cuando la cultura fue lo primero para es-
tafar con pretextos de servicio público. Pero era
cierto que todo ocurrió antes de la llegada de Amparo Risotto. A ella no le habían dejado ni las so-
bras.

Estaba a punto de contar a la princesa lo difícil de administrar un presupuesto con lo poco

que habían dejado los jefes anteriores —y, sobre todo, los amigos de éstos—, pero prefirió obviarlo en nombre de una lealtad que la honraba. Además, ¿a quién puede importarle la política de anteayer cuando puede hablarse del libre fluir del dinero que permite la política de hoy?

Ninguna de las dos cosas interesaba a Emilia de Ruiz-Ruiz quien, en su afán por ver de cerca a las importantes, acababa de descubrir a Rosa Marconi, vestida como siempre de exploradora, pero esta vez con falda tobillera. La ilusionada Ruiz-Ruiz pensó que, con el simple añadido de un salacot, se hubiera parecido a Deborah Kerr en *Las minas del rey Salomón*. Imbuida en aquel espíritu aventurero, salvó las distancias de un salto y se plantó junto a la Marconi pidiéndole un autógrafo para sus hijos. Y aunque la reina de la televisión sintióse ligeramente humillada al ver que su admiradora utilizaba una vulgar servilleta de papel, la acogió con su mejor sonrisa, que no significaba en absoluto la más sincera.

—Con mucho gusto. Entiendo que sigue usted mi programa...

Si algo caracteriza a los admiradores de la televisión es una sinceridad que no tiene el menor inconveniente en mostrarse brutal. Y Emilia de Ruiz-Ruiz no era una excepción:

—Siempre lo he seguido, pero en la presente temporada se me pasa muchas veces, porque lo dan a la misma hora que el *show* de Ana Bodegón y, claro, ella saca a los humoristas Pimentón y Chocolate, al ballet italiano de Mariela Tarantela y el concurso «Que te doy, que te doy, que te doy...».

Sin saberlo, la fiel admiradora acababa de poner el dedo en la llaga. ¡El programa rival de una

Marconi afectada por la crueldad de los índices de audiencia!

—No hablamos el mismo idioma —murmuró con fiereza la Marconi—. Además, es evidente que Ana Bodegón y yo tampoco seguimos el mismo camino.

—Usted siga el camino que quiera, pero eso no quita que me sienta moralmente obligada a aconsejarla. ¿Puedo?

—¡Qué remedio! El público tiene sus derechos.

—Yo le aconsejaría que buscase más variación en su programa. Y sobre todo más amenidad. Piense que mientras Anita Bodegón rifa un coche, usted nos tiene crucificaditas con lo de los presupuestos del Estado.

—¿Sabe qué le digo? ¡Váyase a la mierda!

—¿Y eso? ¿No dijo que el público tiene sus derechos?

—Sí, guapa, pero también los tengo yo cuando mando al público a la mierda.

Y la dejó con la servilleta en la mano, y otro cúmulo de decepciones en el alma. Pero como los admiradores de la televisión, acostumbrados a la lógica de los concursos, siempre tienen respuesta para todo, Emilia de Ruiz-Ruiz encontró al punto la más apropiada, y se la comunicó a su amiga Margot, que acababa de unírsele para la cena.

—Creo que esa altiva le tiene envidia a Ana Bodegón porque tiene más *share* que ella en el *ranking* diario y en el *tele-top*.

—Creo que Ana Bodegón es una imbécil —comentó Margot.

—Eres demasiado desdeñosa. Un día, Dios te castigará.

—Ya me castigó en mil novecientos setenta y tres, querida.

—Es verdad. Cuando se puso enferma tu pobre madre.

—No, guapa. Cuando tú te viniste a vivir a la urbanización.

Cenaron sin demasiado interés. Emilia por interesarle más los modelos que lucían las viajeras; Margot porque no le interesaba en absoluto aquel motivo de conversación ni cualquier otro inspirado por el pijerío.

A la hora del café se les acercó Miranda Boronat, que también se aburría lindamente escuchando las interminables disertaciones de la marquesa del Pozo del tío Raimundo sobre la posible redención de Perla de Pougy en brazos de su hijo, el archimandrita, y las relaciones del prodigio con el caso de la Magdalena, el de la adúltera y aun el de Lázaro, aquel que anduvo inesperadamente.

Miranda se cuidó mucho de contar que Perla de Pougy estaba en aquellos momentos trabajándose al más apuesto de los grumetillos, un niño llamado Alecos, que, de paso, no hubiera desagradado en absoluto al señor archimandrita.

Obligada a callar, Miranda se dirigió hacia la única persona que sabría apreciarla mejor cuanto más quebrantase aquella regla.

—¡Qué mona está usted esta noche, Marujita!...

—Emilia, doña Miranda —protestó dulcemente la otra.

—Pues eso, Maru-Emi. ¿Su amiga sigue sin querer hablarme? Pues mire, yo ya la he perdonado. Para que vea lo que somos las almas nobles y sin embozo. —Y, dirigiéndose a la otra, preguntó con altivez—: ¿Le apetece unirse a mi grupo, Maru-Margot?

—¿Cuál?

—Yo y Miranda Boronat. ¿Le parece poco grupo?

Emilia aplaudió vivamente con sus manecitas regordetas.

—Pues entre las dos Mirandas, mi amiga y yo hacemos cuatro.

—Como las cuatro jinetísimas del Apocalipsis... —dijo Miranda.

—Y las chicas de la Cruz Roja —añadió Emilia—. Una era rubia, otra morena, otra pelirroja y otra Conchita Velasco.

Ahora fue Miranda la que aplaudió, con sus manos cuidadísimas.

—¡Qué memoriona es usted! ¿A ver si recuerda quién dijo: «A Dios pongo por testigo que no volveré a pasar hambre?»

Margot Sepúlveda contestó rápidamente:

—Yo.

—¿Qué dice ésa?

—Es lo que dije cuando mi madre tuvo la excelente idea de morirse. Pero en lugar de echarme a la calle y darme un hartazgo, cometí el error de apuntarme a este crucero para escuchar gilipolleces. O sea que, con su permiso, bajo al puerto a tomarme un trago.

No les dio tiempo a contestar. La vieron partir, desafiante, moviendo su cabellera negra, a la manera de una odalisca que descubriese, de pronto, las placenteras obligaciones de su oficio. Y Miranda pensó que, de haber perseverado en su vocación de lesbiana, habría dado entera satisfacción a aquella potra. De todos modos, prefirió no asustar a Emilia con sus pensamientos de ayer, optando por el despecho de hoy, que le convenía demostrar para parecer medianamente digna:

—Su amiga sigue tan esquiva. Y eso que me he humillado tope, pidiéndole perdón; que no debí hacerlo, pues, aunque las dos seamos de clase media, tirando a baja, yo vivo en La Moraleja y ella no.

—A mí lo que me preocupa es que, después de tantos años reprimida, le dé por tirarse al monte.

—En casos así una mujer no se tira al monte. Se tira a un camarero o a un contramaestre de la flota pesquera de estas islas.

—Pues peor. Igual comete este exceso y luego tiene que abortar por el qué dirán de la urbanización.

—A mí me encanta cuando alguna de mis ochenta mejores amigas aborta, porque hay tema para unos días. De manera que si su amiga decide hacerlo, avíseme y lo comentamos largo y tendido tomando el té en el Ambigú del Palace, que me priva. Hablando de abortos, por ahí viene Fificucha Osváldez.

—Pues no es tan fea.

—Claro que no. Sólo las caderas son horrendas. Lo del aborto es por el futuro que le espera al niño que lleva dentro.

—¿Está encintilla? Pues no se diría. Le falta aquel halo de luz que caracteriza a las preñadas.

Llegaba, en efecto, la niña Osváldez con lo que ella consideraba un traje de noche: vaqueros blancos y un jersey con las letras de Mikonos y un delfín de las islas.

—¿Has hecho la prueba de la rana? —preguntó Miranda. Y volviéndose a Emilia—: ¡Hay que ver cómo cambian los tiempos! Yo siempre creí que la prueba esa era que le dabas un beso a una rana y según la buena fe de ella se convertía en un príncipe.

—Hay ranas muy reconcomidas —dijo Emilia—. Una vecina de la urbanización besó a una y en lugar de un príncipe le salió un herpes en el labio.

—¡Ocúpense de una vez de mí, «porfa»! —se quejó Fificucha. Y con expresión compungida, añadió—: Sepan que he hecho la prueba y no me ha salido nada de nada.

—Pues hija, mejor para ti —dijo Miranda—. Te pierdes el lujo asiático de la clínica, pero te ahorras la incomodidad de estar un rato con las piernas abiertas de par en par. O sea que miel sobre sanguijuelas.

—Pero sigo estando preocupada porque las almorranas me duelen más que ayer y menos que mañana. O sea que debo de estar tope preñada.

A Emilia le salió la madre de familia acostumbrada a aconsejar a mil futuras madres de lo mismo.

—Usted perdone, hijita, pero asociar las almorranas con la preñez es comparar los cojones con el rosario, como dijo el clásico.

Miranda Boronat recibió una iluminación inesperada:

—¡Ahora que caigo! Lo que dice Maru-Emi es verdad. ¿Qué tienen que ver las almorranas con estar encinta?

—Lo más —contestó Fificucha, con aire de suficiencia.

—Perdone, yo he tenido tres hijos sin almorranas.

—Felices ellos —celebró Miranda.

—Quiero decir sin tenerlas yo.

—¿Ni siquiera la primera vez? —preguntó Fificucha, ansiosa—. ¿Ni siquiera cuando le costaba abrirse? Porque yo vi las estrellas.

—Pero, niña, ¿por dónde se abrió usted?

—Por donde Borja Luis me dijo. Miren ustedes qué ironías tiene la vida; él me dijo: «Fificucha, tronqui, vamos a hacerlo de manera que no quedes comprometida.» Y lo hicimos como él dijo. Verbigracia: por hacerle caso he quedado comprometidísima. Además, deduzco que mi Borja Luis no debe de ser demasiado experto.

A Miranda le salió la cotilla:

—Pues hija, con lo poco que lo es tu madre, cada noche que pasan juntos debe de ser un funeral.

Intervino de nuevo Emilia de Ruiz-Ruiz:

—De todas maneras, a mí me intriga saber qué le sugirió su novio.

—Bueno, yo siempre había visto en las películas que estas cosas se hacían por delante, pero Borja Luis me hizo arrodillar sobre la cama, y él se puso detrás. Y así actuó: al revés que en las pelis.

—¿Y qué más? ¿Y qué más? —inquiría Miranda, con la avidez de las mironas profesionales.

—¡Es que tú quieres todos los detalles!

—Mujer, es que en esta posición pueden hacerse muchas cosas. ¿Dónde te dolió?

—En el culín —dijo Fificucha, con un asomo de rubor—. Y, además, fue hiper daño. Como cinco lavativas a la vez, para entendernos.

—¡Acabásemos! —exclamó Emilia—. Querida, puede usted descansar tranquila: si lo ha hecho por detrás, se justifican las almorranas, pero no hay modo de que quede usted preñada.

—No sé qué tendrá que ver una cosa con la otra.

—Pues, mona, que nadie ha quedado preñada por el pompis.

—Lo que usted dice no tiene base científica. Un coito es un coito, después de todo.

—Hijita mía: ¿a usted no le ha informado nadie sobre los variados y sublimes caminos que es necesario recorrer para llegar a la maternidad?

Esbozó Emilia un *digest* tan preciso y exacto que Fificucha Osváldez pudo comprender, por fin, las delicadas diferencias entre romper aguas y una diarrea. Así pues, sabiendo su honra intacta, corrió a comunicarlo a las chicas de los medios, que ya se habían apresurado a enviar a Madrid la noticia de su maternidad. A lo que ella contestó, alegremente:

—¡Qué bien! Así tendré portada dos semanas seguidas. Una diciendo que estoy preñada, y otra negándolo.

Derivando del aburrimiento al tedio, y de éste al sopor, Miranda decidió recurrir a la originalidad uniéndose a las pías damas de la Solivianto, que por cierto estaban en lo de siempre.

—A mí no me gusta criticar, ya lo sabéis —decía una.

—A ninguna nos gusta criticar —afirmaba otra.

—Pues no critiquemos —sugirió Pilar Prima de la Higuera.

—Tampoco es eso, mujer. Puede no gustarnos criticar y, sin embargo, vernos obligadas a hacerlo llevadas por los tiempos.

—Y es que hay que ver, hay que ver y hay que ver.

—Esa Perla de Pougy, sin ir más lejos.

—Ella siempre va más lejos que nadie. Lo que

382

cuentes no ha de asombrarnos. Así que cuenta, cuenta...

Pilar Prima de la Higuera se inclinó hacia ellas:

—La he sorprendido en cubierta, detrás de un montón de cuerdas de amarraje. Pero ella era la que estaba más amarrada. ¿Sabéis a quién? No a uno de esos admirables ancianos de la tripulación, no. ¡Para senectos está ella!

—Pues no hay otros hombres a bordo.

—Los grumetes, querida.

—¡No puede ser! ¡Si son niños de teta!

—Es precisamente lo que Perla estaba dando a uno de ellos. ¡Como lo oís! Estaba el mocito sentado en su regazo, y ella con el seno puesto en aquella inocente boquita.

—Eso es el afán maternal de Perla. No dudéis que le está haciendo falta un hijo.

—Perdona, guapa, yo siempre he sido muy maternal, pero todos mis hijos estaban ya destetados a los catorce años. O séase, que lo que busca Perla de Pougy con esos grumetillos es tomate, y del maduro.

—Lo que dije: hay que ver, hay que ver y hay que ver.

—Tanto hay que ver que ahí viene esa loca de la Boronat para que la veamos.

—Cada vez que se acerca temo un desastre.

En efecto, Miranda se acercaba irremisiblemente. Al llegar junto a ellas, las abordó con la más ancha de sus sonrisas. En realidad, era un buzón.

—¿Cómo van sus rezos, señoronas?

—Perfectamente. A ver si se apunta usted a uno de ellos, que le irá muy bien para el alma.

—A mí no me hace falta. Tengo el alma fresca como una lechuga.

—Lo de fresca se nota.

—En cambio lo de lechuga no, porque la lleva usted en el pelo, tía burra.

Dio media vuelta y, cogiendo a Emilia del brazo, dijo:

—Fíjese qué malas pueden ser las ancianas cuando son abyectas. Yo es que no las puedo ver. Venía a proponerles que jugásemos al juego de la verdad, y me pagan con espinas. ¿Y sabe por qué obran así? Porque tienen mucho que esconder. Yo, como siempre soy clara y diáfana y tengo el alma limpia como los chorros del oro, puedo jugar al juego de la verdad sin temor alguno. ¿Que me preguntan la edad? Pues la digo: veintiocho años. ¿Que me preguntan la hora? Pues las diez y media. Así hay que ir siempre por la vida: con la verdad por delante.

—Es usted fantástica, madame Boronat. No entiendo cómo no la hacen reina de la *jet*.

—Es que en la *jet* no hay reinas, querida. En la *jet* todos somos iguales. Somos lo más democrático que tiene España porque sabemos que todos los componentes somos importantes, y ninguno más que otro.

Regresó nuevamente Fificucha, dando saltitos de boba a pesar de su ardiente dolencia anal.

—¡Chicas, chicas! La princesa y otras cuantas van a hacer espiritismo.

—¡Ah, yo no me apunto! La última vez me salió mamá y me puso como un pingo.

—Algunas madres somos demasiado severas. Yo intento serlo sólo lo justo.

—Si bien se mira, la obligación de las madres es ejercer la severidad. Pero también lo es que, una vez muertas, se queden donde están.

—En la muerte todos seremos iguales.

—Usted y yo ni en la muerte. Pero da igual. La aprecio como si estuviese a mi altura.

Acertaron a pasar Rosa Marconi y Amparo Risotto. Ésta sonreía a diestro y siniestro. La otra seguía mostrando el aspecto de una furia desatada.

Al descubrir el pequeño jaleo que se había armado en el rincón de la princesa, preguntó la Risotto:

—¿Y ésas qué hacen con las mesas?

—¡Estamos preparando un *party* de espiritismo! —gritó Fificucha Osváldez—. ¡Apúntense! ¡Apúntense!

—Conmigo que no cuenten —dijo Rosa Marconi—. Estoy tan obsesionada con los problemas de la televisión que igual me sale el espíritu del primer Hombre del Tiempo.

Intervino la ministra con acento frivolón:

—Si se apareciera el espíritu de Melina Mercouri me iría fantástico. A ver si me decía cómo se hace para tratar con sus sucesores en el ministerio ese.

La Marconi le dirigió una mirada de indiferencia. Más ajena no podía estar:

—Me apetece pasear por el puerto. Tú puedes apuntarte a los juegos de esas locas. Te encontrarás con tus empleados. Me han dicho que tienes un ministerio habitado por espíritus errantes.

—He acusado el alcance de tu mala bilis —dijo Amparo Risotto, adoptando una actitud digna—. Te metes conmigo porque no quisimos darle una subvención a tu amante para hacer su película.

—No. Porque se la diste al amante de tu primo para que realizase aquel documental sobre la horchata valenciana.

—Una es que barre para la Albufera. —Y, suspirando profundamente, añadió—: ¡Ay, esa *patrieta meua*! ¡Cómo la añoro!

Las observaba, desde el puerto, Margot Sepúlveda. Había bajado a tomar una copa en la esperanza de encontrar algún tipo de jolgorio que la ayudase en la resurrección pretendida. Fue, desde luego, un error de cálculo. Sonaban las músicas atronadoras de alguna discoteca, pero aquellos sonidos, más que una solución, se le antojaban una amenaza. Eran la evidencia de que el dorado tiempo de la juventud ya no estaba a su alcance. Poco importaba que no lo hubiese vivido. Los años jóvenes pasan inexorablemente sin reparar en quién supo aprovecharlos y quién los desperdició. Claro que, si bien dejan atrás a los rezagados, ofrecen a cambio un consuelo: también acaban arrastrando a quienes los vivieron intensamente.

Sentada ante una copa de lo más vulgar —una cerveza sin alcohol siquiera—, Margot recapacitaba sobre sus posibilidades de recuperación. No es tan fácil soltarse el pelo después de veintidós años de llevar un triste moño. Una puede sentirse seductora, pero ¿cómo se aprenden las artes de seducir? Y, sobre todo, ¿cómo se practican sin parecer una ramera? ¿En qué modelo inspirarse, si todos los de su juventud estaban ya ajados, sobrepasados por el paso atroz de las generaciones? ¿En qué mujer fijarse, si todas las de su generación ya sólo eran la sombra de un recuerdo?

Sin darse cuenta, su mirada regresó al barco. A través de las ventanas del salón veía a las beatas de María Asunción Solivianto, reunidas en círculo cerrado, como en torno a un brasero ancestral. Veía evolucionar a Miranda Boronat, a

Fificucha Osváldez, a Perla de Pougy y al resto de las damas más o menos de moda. ¡Menuda definición! ¿Qué eran esas mujeres, a fin de cuentas? La mayor parte de ellas no tenían otro valor que el de sus fortunas. Algunas eran dinero antiguo, por tanto vanidad de más solera; otras, eran dinero reciente, más chillón, con más estridencia; pero, en cualquier caso, todas habían pasado a sentar plaza de importantes gracias a un poderío que nada tenía que ver con sus valores reales.

Se preguntó si había permanecido demasiado tiempo encerrada para no percibir los cambios que había experimentado su sociedad. A través de las damas reunidas en aquel crucero, comprobaba que los españoles revivían hábitos que creía perdidos y, entre ellos, el antañón de la cursilería. ¡Cáspita! ¿No decían que había sido desterrado con las sucesivas invasiones de la modernidad? Si algunas veces veía sus muestras por la televisión, ya que de casa no salía, Margot comprendía que la modernidad no rechazaba ciertas dosis del mal gusto agazapadas bajo la ambigua transgresión del cutrerío. Los españoles sabían que podían ser esas cosas —horteras y cutres—, pero tenían muy claro que ya nunca volverían a ser cursis. Se acabó tomar el té con el meñique enhiesto, esconder una sonrisa tras el abanico, dejar caer el pañuelo y pasearse a la sombra de una sombrilla de encaje y seda. Los españoles enterraron todas esas cosas —y a los Quintero, y a Benavente, y a las rimas de Bécquer— con el extinguido pálpito de las últimas abuelas; y, como mucho, la televisión lo recobraba en alguna zarzuelilla con ribetes de opereta.

Pero nuevas formas de cursilería empezaron a asomar en los años ochenta, cuando el dinero cambió de manos y fue a parar a los que sabían gastarlo con menos provecho y sin estar remotamente preparados. Ya empezaba a saber Margot de qué iba el asunto: en todos los rincones de las Españas los privilegios del poder habían favorecido la aparición de personajes que, en pocos años, se habían hecho con enormes capitales nacidos de la especulación más descarada y, en casos más piadosos, del ilimitado aprovechamiento de amistades y parentescos. Así nació el «importante» nacional, fenómeno que, dicho sea de paso, era una versión del chulillo de siempre, equipado esta vez con teléfono portátil, ropajes de alta costura —pero mal lucida—, discos *compact* de música clásica, carta de vinos en el bolsillo interior de la chaqueta y la Visa Oro a cuenta de la empresa. Unas gotas de pacharán daban al figurón su remate característico.

Los novísimos ricos se distinguían por la voluntad de olvidar su vulgaridad inicial. De la noche a la mañana se encontraron ocupando puestos de responsabilidad y convirtiendo esta loable virtud en fuente de hacer dinero. Ellos y sus esposas reinventaron la cursilería. Aunque en los años sesenta algunos fueron transgresores de costumbres, en los ochenta no dudaron en recuperar las de las clases altas. Como todos los *parvenues* que en la Historia han sido, el novísimo rico de la transición española quiso parecer aristócrata. Llevado de tal afán, dio prosperidad a flamantes academias que enseñaban buenas maneras y convirtió en *best-sellers* los libros que tratan del protocolo por si sus majestades los recibían en alguna de sus celebraciones. En cuanto a las suyas, no ofrecían grandes secretos: se sabía que algunas empresas hacían su agosto alquilando mobiliario noble y hasta cuadros de antepasados, con tal abuso que un amigo de Margot vio en cuatro fiestas distintas el mismo retrato de una distinguida abuela decimonónica, que pasaba por ilustre antepasada de cada anfitrión.

Si Margot hubiese tenido ocasión de frecuentar el mundo, sabría que la variedad de la novísima cursilería era y es infinita, si bien no tarda en delatarse: aplausos a destiempo en la ópera o los conciertos, errores en las citas culturales (¿de verdad escribió Umberto Eco *El perfume*?), meteduras de pata en las subastas de antigüedades, anclaje permanente del yate en aguas mallorquinas —otra vez por sus majestades—, esposas vestidas de *tweed* cuando lo suyo eran las batitas de *boatiné*, y querindongas cuya máxima aspiración consistía en usurpar el papel de la propia en las páginas de *¡Hola!* o bailar sevillanas teñiditas de rubio de frasco.

La plaga de la ostentación no era nueva, pero sí su espantosa falta de contenido. Aquellos petimetres y sus mujeres ostentaban lo que nunca intuyeron y que, al tenerlo en la mano, sólo conseguían ridiculizarse a sí mismos. Era, en realidad, la riqueza contemplando su propio esperpento en los espejos del Callejón del Gato. Y no era lo menos patético que, sin darse cuenta, esos ricos novísimos se limitaban a invertir un concepto que siempre inspiró mucha grima en la literatura decimonónica: el quiero y no puedo. Y la inversión era justa y precisa porque, en realidad, ellos podían por dinero, pero en rigor no debieran por temor al ridículo.

Y Margot Sepúlveda pensó, con tristeza, que éste era el inconcebible mundo que alimentaba los sueños de miles de mujeres parecidas a su amiga. A Emilia Redes de Ruiz-Ruiz, sí, que tuvo la humorada de oxigenar el pelo a tres hijos de piel más renegrida que el luto.

PERO HABÍA EN AQUEL BARCO OTRAS MUJERES que no respondían al esquema apuntado. ¿Cómo encajaría la princesa Von Petarden, que había pasado del burdel al Gotha? Era una profesional, sin duda. La práctica del oficio más viejo del mundo le había dado, cuando menos, el mérito del esfuerzo continuado. El mismo que tenían las chicas de los medios, la ministra de cultura, la animadora de televisión o Beverly Gladys Gutiérrez. Mujeres que, por lo menos, estaban luchando para ser ellas mismas, al margen de las circunstancias favorables que las habían acuñado.

Y ahora Margot Sepúlveda veía aparecer a dos especímenes tan curiosos por sus semejanzas como por sus diversidades. Dos verdaderas profesionales, que paseaban por el puerto, conversando pausadamente, pero sin demostrar el menor signo de amistad.

Eran la ministra de las paellas y Rosa Marconi, campeona de las fumadoras a juzgar por la rapidez con que encendía un cigarrillo sin haber consumido el anterior.

—¡Es que tenemos unos oficios...! —exclamaba Amparo Risotto, exhalando un profundo suspiro.

—No sé el tuyo, pero del mío empiezo a estar harta. Estoy por plantarlo todo y dedicarme a la pesca submarina.

—No sé si te ganarías la vida. ¿A cuánto está el pulpo?

—Si no es para ganarme la vida. Si es porque es lo que más me gusta. Entre otras cosas, tienes la ventaja de pasar inadvertida. No te ve todo el mundo en una endemoniada pantallita llena de colorines.

—Yo, que tú, no me preocuparía tanto. Umberto Eco ha declarado recientemente que a la televisión sólo le quedan diez años de vida.

—Sí, guapa, pero en este tiempo nos habremos cargado toda la cultura occidental. Por cierto, que de la española ya se encargará tu ministerio.

Amparo Risotto acusó un golpe que le parecía fuera de lugar y, desde luego, de horario.

—Cuando una mujer sale arisca lo es hasta el final. ¿Sabes qué te digo, rica? Me voy a consultar a los espíritus, que son menos impertinentes.

—Si te sale Salvador Dalí, dile que le necesito para mi programa.

Se echó a reír desaforadamente, no sabía si a causa de su ocurrencia o de las dificultades de Amparo Risotto para subir por la pasarela con afilado tacón de aguja.

Siguió riendo hasta llegar a las mesas del bar donde se hallaba Margot. No le prestó atención. Tomó asiento sin dejar de reír y, de pronto, su risa fue derivando hacia un llanto convulso, casi histérico.

Ya se ha visto que Margot no era una mujer entrometida, ni ansiosa de relacionarse, pero el cambio repentino operado en aquella mujer la llevó a pensar que sin duda tendría algún problema mucho más interesante que todos los del crucero juntos.

Sin pensarlo dos veces, se acercó a la mesa de la Marconi:

—Perdone, ¿le ocurre a usted algo?

—Ya ve que sí. Ya ve que no es el momento para pedirme un autógrafo en una servilleta de papel.

—Jamás he pedido un autógrafo y, desde luego, no se me ocurriría pedirlo en una servilleta. El reciclaje, tan de moda, no debería traspasar los límites de la estupidez.

Rosa Marconi sintió un momento de curiosidad hacia aquella mujer, no prevista en el índice de sus relaciones. Ni, por cierto, en los de audiencia al modo típico. Recordó que, momentos antes, había manifestado su rechazo de Ana Bodegón, paradigma para Rosa Marconi de la horterez nacional y, dicho sea de paso, una de sus Némesis particulares. No porque la aventajase en audiencia, sino porque la obligaba a medirse con la tontería. Y éste es un combate en el que una mujer superior siempre tiene las de perder.

—Perdone, creí que usted era tan televisiva como su amiga.

—Nadie es tan televisiva como ella. Creo que nació con dos pantallas en lugar de ojos. Pero no sé si debemos censurarla. Con tal de que los ojos no vean una realidad ingrata es lícito ponerles las antiparras que convenga.

—Me niego a creerlo. Por suerte para algunos, siempre habrá cristales más favorecedores que otros. Y, sobre todo, más dignos.

—Para usted es muy fácil decirlo, ya que se mueve en un mundo mucho más interesante. El nuestro es muy mediocre, se lo aseguro. Tanto como para que un concurso adquiera el valor de una revelación.

—Pero usted no parece ser así.

—No tengo por qué serlo. Mi amiga se evade a partir de la ilusión. Yo he pasado años evadiéndome a partir de la necesidad de ser algo mejor. Supongo que es la diferencia que va entre aceptar un presente y desear un futuro.

Fumaron amigablemente, ampliando la conversación a temas más personales. Margot contó sin el menor tapujo todas las experiencias de su encierro de veintidós años e hizo hincapié en las dificultades de reconvertir una vida, pasados los cuarenta. Y, sobre todo, de reconvertirla encaminándola hacia aquella realidad superior a que había aludido antes.

Aquel panorama no dejaba de reconfortar a Rosa Marconi. Pensó por un instante que los años vividos por Margot en el anonimato —más aun, en el encierro— eran precisamente los que ella había vivido construyendo su carrera. En comparación, pudo sentirse triunfadora, pero este efecto no duró mucho. Pronto volvieron a toparse con la amargura fundamental, y ella quiso llegar hasta el fondo:

—Quien no haya vivido los círculos profesionales del Madrid de los noventa no sabe lo que es la histeria. En ese imperio de trepadores de todo tipo (donde cualquier tuerto puede ser rey), la lucha se establece con características selváticas, que saltan de su propio círculo para afectar a los aspectos más variados de la vida de relación. Todo el mundo anda crispado, todo el mundo vigila a su alrededor, viendo en cada prójimo un enemigo. Los enchufados se ven de pronto privados de enchufe; los consagrados se encuentran con la consagración puesta en duda; los iniciados descubren que su iniciación puede vacilar de un momento a otro... En resumen: yo no sé si le aconsejaría salir de su mediocridad para meterse en la que me rodea...

Se levantaron como impelidas por un resorte que les exigiera un poco de acción para contrarrestar lo ingrato de las ideas. El cuerpo, así impulsado, se liberaba de amarguras... sin que la mente dejase de invocar otras nuevas.

Rosa Marconi arrojó el cigarrillo al mar, espeso en esa zona a causa de los detritos de los yates.

—Usted es una desconocida. Es probable que no volvamos a vernos nunca; luego puedo permitirme el lujo de una confesión en toda regla.

—Confiese si le hace bien. Pero me extraña que necesite hacerlo. En las revistas tiene usted fama de guerrera.

—Incluso una guerrera descubre, un buen día, la posibilidad de otra vida y otros ámbitos. Paseando a solas por la noche de Atenas pensé que había en el mundo muchas cosas que me estaban esperando sin yo saberlo.

—Francamente, esa ciudad nos decepcionó a todas. Claro que no puede descubrirse mucha belleza cuando se va rodeada de un grupo que sólo piensa en comprar *souvenirs*. ¡Y qué *souvenirs*! En mi vida he visto cosas tan feas.

—Pero a su amiga le parecerían bonitos. ¿A que sí?

—Los encontró divinos —dijo Margot, no sin ternura—. La verdad: era muy desagradable ver las cosas que compraba y no poder disuadirla.

—Yo he sido más afortunada. Las viejas calles, las placitas recoletas me han revelado secretos que sólo los desesperados están en condiciones de apreciar. Mientras paseaba he recordado a algunas amigas, magníficas profesionales que, después de pasarse años en el candelero, se han visto desplazadas como yo.

—Protesto. Usted no ha sido desplazada. Simplemente, no ha dado con el programa que esperaban mujeres como mi amiga. ¿No piensa que las que más pierden son ellas?

—No deja de ser un consuelo pero, a la postre, ineficaz, porque la verdad última es que el público manda y en su nombre los ejecutivos aceptan o rechazan en bloque. Ya no somos personas, sino figuras de *marketing*. Me lo cuentan mis amigas escritoras: las editoriales están empezando a funcionar así. También está ocurriendo en la prensa. No le digo las profesionales del cine y el teatro. Incluso las más colocadas viven pendientes del teléfono, esperando esa llamada de la que depende su supervivencia. ¡Ha de ser terrible supeditar tu vida a la llamada de un director o un productor! Ha de ser terrible que ese teléfono no suene y, en cambio, vayan cayendo los años sobre una... Yo no tengo que pasar por ese suplicio, porque he optado por la autogestión. Yo planeo un programa, reúno a mi equipo, lo vendo a una cadena... No le negaré que resulta más satisfactorio elegir que ser elegida, pero el precio de esta elección es siempre arduo. Llevo diez años tirando de un carro que, al final, no lleva a ninguna parte. Siempre parece que has llegado a lo alto, pero no es verdad. Un lapsus en el índice de audiencia significa un fracaso, pese a tus éxitos de siempre. ¡Y a seguir tirando!

—En cualquier caso, es una suerte poder tirar de algo. ¡Ya quisiera yo tener un carro, cualquiera que fuese!

—¿El mío, por ejemplo? Se lo cedo voluntariamente. ¿Sabe usted cómo vivo? Toda la semana preparando un programa; y, una vez grabado, me encierro para preparar el siguiente. Ni siquiera una pequeña pausa para recapacitar, ni siquiera el descanso para hacer un pequeño balance. Vivo las veinticuatro horas del día con mi equipo, pensando en personajes interesantes, haciendo llamadas para conseguirlos, redactando preguntas, peleándome con los técnicos, reuniéndome con los ejecutivos de la cadena, que son como muros de piedra, insensibles a cualquier novedad. Me estoy matando día tras días, hora tras hora; por las noches sueño con el programa, me despierto temiendo que algún invitado no va a llegar. No hay días ni noches. Y al final, ¿para qué? Para que ese público que tanto nos quiere descubra un día que prefiere a Ana Bodegón, con sus frases de mongólica y sus tetas de silicona. Antes que luchar con tales armas, me largo y punto. Vamos, que me cambio por alguien que no existe. Bueno, como mucho ese alguien se parece a Victoria Barget. Es la que ha sabido montárselo mejor. Ponerle viento al viento, echarse el mundo por montera y empezar de nuevo.

—Con sus millones yo también lo mandaría todo a la porra.

—¿Y dejaría a su marido en la cárcel?

—Para empezar, no tendría un marido. Sería capaz de llenarme de hijos y entonces no podría hacer lo que hace usted. No podría pasarme horas con mi equipo ni soñando con mi programa porque tendría que pasar la noche en vela, cuidando a un rorro. Entonces, si me diesen a elegir, estoy segura de que renunciaría a un marido para vivir con un equipo como el suyo, planeando cosas tan apasionantes como las que hace usted.

Las dos se echaron a reír, siempre en tono amical, casi entrañable.

—He cogido el mensaje —dijo la Marconi—. Será, pues, que Dios da pan a quien no tiene dientes, como decía mi abuela. En cualquier caso, renuncio a la entrevista que pensaba hacerle a Victoria Barget. Si la veo, sólo le pediré que me aconseje una isla para pasar un año sabático. El mejor refugio para olvidarme de la televisión. Lo tengo bien decidido. No voy a hacer ese último programa. Llamaré a mi equipo y que lo monten con los mejores fragmentos de los treinta anteriores. No será una novedad: muchos lo hacen para satisfacer su vanidad; para mostrar lo conseguido a guisa de trofeo. No es éste en mi caso, porque hace tiempo que se agotó mi cupo de vanidad. Es cierto que, hace sólo un año, esta decisión me hubiese frustrado, pero hoy no me duele en absoluto. De un fracaso profesional siempre puede sacarse un triunfo personal. Y esto es un alivio. No tendré que batallar día tras día con jefes incompetentes, que se sienten reyezuelos. No viviré pendiente del veredicto de un público compuesto por imbéciles adormilados... que, por cierto, tienen una paciencia a prueba de bomba, a juzgar por su amiga.

Señaló hacia la pasarela, por donde bajaba una excitada Emilia de Ruiz-Ruiz, con actitudes completamente miméticas. Y es que empezaba a moverse como Miranda Boronat e imitaba sus grititos incontrolados:

—¡Ven, Margot! ¡Ven a la mesa de espiritismo! ¡No adivinas quién se nos ha aparecido!

—Espero que no sea mi querida madre —dijo Margot, secamente.

—Mucho mejor que eso. ¡Se nos ha aparecido

el espíritu del rubio de *Bonanza*! ¿Te acuerdas que murió de mala manera, el pobrecito?

—Seguro —dijo Rosa Marconi—. Murió de un empacho de rayos catódicos.

—Haga el favor de no ser morbosa. Usted, que es de la tele, debería ponerse muy contenta de que se aparezca un colega.

—Me he puesto como unas castañuelas, guapa. ¡Como unas castañuelas!

Subieron al barco en el preciso instante en que la voz de la princesa Von Petarden sonaba por los altavoces para anunciar al selecto pasaje que la Virgen había decidido aparecerse en la isla de Creta. En consecuencia, el *King Poseidón* efectuaría un veloz viraje para perderse en aguas más cálidas y costas más misteriosas.

Capítulo decimotercero

RECOVECOS

Ajenas a la llegada del mujerío, Victoria Barget y Elena Arquer continuaban buscando en Creta sus propios caminos, si así puede llamarse a sendas que se extraviaron en algún momento de sus vidas.

Minifac Steiman estaba empeñada en proporcionarles una estancia ideal, donde el olvido no sólo estuviese disculpado, sino requerido. Cada momento de aquellos días abiertos sobre el mar inmortal parecía responder a un proyecto donde sólo importase el bucolismo. Y éste se realizaba plenamente en los letargos de la playita privada, por las mañanas, hasta las ya calurosas tardes a la sombra de la veranda o los crepúsculos entrevistos en la terraza superior, desde cuyas hamacas se dominaba el mar y la montaña. Y todos los distintos momentos del día derramaban sobre el paisaje un apogeo de luces que contribuía a desnudar a la realidad de sus aristas más violentas.

Mientras Victoria seguía esbozando su teoría del sacrificio —precipitar el fin antes de que otro lo precipite—, Elena Arquer se dedicaba a combatir el espectro de la niña que había dejado en aquella isla, tantos años atrás. La que tuvo el valor de transgredir, sin conocer el alcance exacto de su transgresión.

Instaladas en sendas tumbonas, consumiendo refrescos de yerbas tan olorosas como nunca habían olido, dejaban que el crepúsculo las envolviera sin el compromiso de un quehacer, sin la obligatoriedad de una decisión.

—Debo felicitarla... —murmuró Victoria, desde la galbana absoluta—. Hace ya dos días que no me da usted la lata con el asunto de mi marido.

—A lo mejor debe atribuirlo a mi incapacidad. Se lo confieso: fue dejar de leer periódicos españoles y quedarme fuera de combate.

—¿Y qué le dice su conciencia?

—No la traje conmigo. Comprenda que me urge recuperar la que dejé en esta isla. Dos conciencias, y además acusadoras, son demasiadas para una pobre mujer indefensa.

—En cuanto salga de esta bahía idílica comprenderá que ya no le será posible recuperar el espíritu que dejó en Creta.

—Quiero intentarlo, en cualquier caso. No voy a resignarme a pensar que todo muere por los antojos del tiempo.

Por no resignarse Elena Arquer conoció la magnitud del fracaso, pues, como había pronosticado Victoria, el turismo de masas había convertido su isla soñada en una gigantesca multinacional. El mundo que conoció había sido sustituido por un alucinante walpurgis de alemanes groseros, franceses insolentes, italianos destrozones, todos los ejemplares de las razas cuya prepotencia económica les permitía sentirse como nuevos dominadores de los países menos desarrollados. En Heraklion, alrededor de la fuente veneciana que tanto encanto tuvo, se había ido desarrollado una ingente cadena de hamburgueserías. Pasear de noche por el viejo puerto de Haghios Nicolaos, antes recoleto y solitario, equivalía a rememorar los excesos de un Benidorm. En la carretera de la costa habían aparecido monstruosas edificaciones tipo bungalow barato e interminables cadenas de supermercados...

Puesta ante evidencia tan brutal, Elena Arquer luchó con todas sus fuerzas para encontrarse a sí misma en una realidad ancestral, algo no calculado por las fuerzas del progreso. Fue entonces cuando los enigmas de Edipa Katastrós reaparecieron con toda su intensidad, sin que ella pudiera precisar por qué. Sus miradas agresivas, su musculatura excesivamente desarrollada, la avasallaban con poderío masculino, mientras la delicadeza en el trato, las constantes caídas en el misticismo la envolvían en el halo seductor de una encantadora damisela victoriana.

En aquel juego de opuestos, Elena Arquer sentíase prisionera de un remordimiento que era sin duda el fruto de su propio deseo. Eran, en cualquier caso, sentimientos de los que la razón le aconsejaba abominar. Y una noche en que la razón se manifestaba más vulnerable que de costumbre, ella huyó hacia el campo sin mirar atrás. Una heroína de Minifac Steiman no habría efectuado una salida tan espectacular.

Echó a pasear por el sendero que llevaba al pueblo de la bahía. Todo propiciaba la ensoñación, empezando por la soledad absoluta de las calles. Todas las tiendas estaban cerradas; así pues, la emoción de la noche no se veía interrumpida por esos *souvenirs* enojosos, esas manifestaciones del mal gusto que habían arruinado su reencuentro de Creta. Sin embargo no consiguió eludirlo completamente, porque centelleaban las luces de algunos locales nocturnos cuya apariencia no podía ser más trivial.

Había un club que llevaba el nombre demasiado pomposo de «Minos by Night». Su frivolidad era fruto de una emergencia que sólo en los meses del verano se cumplía. Había cuatro míseras luces que pretendían alcanzar un psicodelismo barato, incorporado, además, con algunos años de retraso. Para rematar el despropósito, un cartelón exhibía la estatua del bello Antínoo con vaqueros cortos y una camiseta con el nombre de un rockero.

El cartel prometía bailes cretenses, pero Elena no veía a su alrededor ninguno de los disfraces con que se visten los aldeanos cuando pretenden ofrecer al extranjero un color más o menos autóctono. En el interior, sólo había un grupo de jovencitos que bebían y reían junto a la pista de baile. Un televisor emitía vistas de Suiza, perfectamente estúpidas si se considera que, con sólo salir a la calle, uno se encontraba con los hechizos de Creta. ¿O sería, a fin de cuentas, otra noche de sustitutivos?

¿Qué ocurrió, sin embargo, que la noche de Elena Arquer sufrió una transformacion total y el mito se integró a su percepción de la belleza? ¿Qué propina de algún turista despistado empujó a los mozos del pueblo a saltar a la pista e iniciar, con los brazos abiertos y reposando sobre los hombros de los otros, unos movimientos que captaron la atención de la única mujer del local y, poco a poco, la cautivaron con su fogosa vitalidad?

402

Fue como si se apareciera el dios-diosa a que en cierta ocasión se había referido Edipa Katastrós.

¿A qué sexo pertenecían aquellos bailarines tan furiosos y a la vez tan disciplinados? Llevaban vaqueros ceñidos como una segunda piel y camisas negras abiertas hasta el ombligo. Resumían en su porte una elegancia que Elena sólo había visto en los museos. Se exhibían para ella con un control riguroso de cada músculo; gestos desinhibidos, majestuosas afirmaciones de las piernas, rotaciones de la cintura en una extraña mezcla de gestos guerreros y giros de odalisca. Las ancestrales leyes de la danza favorecían aquella ambigüedad. La música respondía a la influencia oriental que domina el folklore cretense; pero no bien los jóvenes se cogían de las manos, formando un círculo parecido al de la sardana, componían una figura mucho más antigua: una figura que ya estaba en la cerámica minoica del gran museo.

El trío terminó sus evoluciones, pero la pista no quedó vacía: se efectuaba la representación de uno solo, seguramente el máximo experto, un bailarín estrella en potencia. Su danza fue como la encarnación de un aullido, una invocación de la soledad del hombre, un supremo gesto de ira por el que el ejecutante se arrojaba a todo tipo de actividades gimnásticas, sin que en ninguna de ellas se excediese; todas eran interrumpidas en el momento preciso, exacto, que el ritmo pedía. Pero tan importante como el de la música era el ritmo del cuerpo; un ritmo cuya apariencia, entre férrea y delicada, daba a cada movimiento la apariencia de la coquetería.

De pronto, desobedeciendo las exigencias de

la danza, otro joven más corpulento saltó a la pista profiriendo un grito salvaje. Se arrodilló frente al otro, como en señal de adoración, para dar al instante un brinco tremendo, hasta quedar a su misma altura. Entonces, con el brazo extendido le ayudaba a realizar sus acrobacias y los dos seguían el ritmo, más frenético, de un sirtaki de la costa.

La armonía absoluta con que los dos bailarines, enamorados de su propio cuerpo dirigían su fuerza vital, recordaba la fuerza y el equilibrio de cierto Heracles de espaldas y muslos prodigiosamente redondeados que releva a su compañero Atlas, en el soberbio esfuerzo de sostener la órbita celeste.

Elena pensó si también Edipa Katastrós podría sostenerla y esta idea le provocó un ligero estremecimiento. ¿Era lógico? Lo era, sí; y mucho. En realidad, el aspecto de la vidente evocaba un cortejo de cuerpos extraordinarios, seguros de su propia seguridad, orgullosos del deseo que pide el deseo ajeno. Algo que escapaba a las leyes de la lógica, porque Elena ni siquiera sabía en qué sexo estaba pensando.

Pero los mozos del bar le habían producido una esquiva sensación de envidia. Habría querido formar parte de aquella pequeña comunidad masculina, fundirse en ella, sentirse hombre para recobrarse a la mañana siguiente como mujer. Habría deseado reunir los dos sexos en uno e inventar todavía otros muchos para permanente complacencia de los sentidos.

¿Y no eran ésos los mensajes que, sin duda, siguieron sus dos hijos malditos? Pensó en ellos y en su ambigüedad y en cómo los había concebido cuando estaba imbuida en la libertad de aquella tierra; una libertad tan profundamente arraigada que el deseo carnal podía convertirse en baile de la misma manera que siglos antes se convirtió en escultura o poesía.

¿Y si los dos gemelos fuesen un grupo escultórico de perfección sin igual? Esto justificaría que hubiesen optado por ser inseparables y que sólo pudieran encontrar satisfacción en la propia belleza. En cierto modo, más que un incesto sería una masturbación.

Los había admirado de museo en museo. Desde los atletas de masculinidad agresiva a los tiernos efebos de piel suave, el mundo plástico de aquella gente glorificaba excesos y rechazaba reparos. En la absoluta consagración había algo que excedía el sentido cristiano que niega la vida en nombre del dolor. ¡Maldito legado éste! Sin duda todavía dominaba sus percepciones, por mucho que ella lo creyese superado.

¿Lo había conseguido con el padre de sus hijos? Él también era hermoso como las esculturas de aquella tierra, y por un tiempo sus sentidos vibraron al unísono. Fue un instante tan breve que ella pasó toda la vida añorándolo. Y ahora, al hacerlo de nuevo en el sitio donde fue feliz, descubría que no se le ocurrían himnos de gloria.

Echó a andar hacia el puerto, destino último de los paseos en esas islas. Reinaba una atmósfera agobiante, un calor que acaso llevaba dentro y proyectaba a una tierra que nunca fue parca en calores. Tampoco era el cielo avaro en estrellas. Éstas representaban un permanente reclamo del infinito. Sólo la luna faltaba. Había ido decreciendo hasta convertirse en un triste reclamo de sí misma. A falta de su luz, Elena buscó la constelación de los gemelos.

Cástor y Pólux. ¿O acaso Lucio y Javier? Gemelos entrelazados en la eternidad del mito. Gemelos entrelazados en el escándalo del siglo. ¿Qué hace una madre cuando el incesto va más allá del incesto mismo y se introduce en el terreno de la mariconada? Temores que había aprendido a superar en Creta veintidós años atrás. A superarlos, sí, mientras concerniese a los demás. Diablos vencidos a condición de que no entrasen en la familia.

Y de nuevo el recuerdo del marido. Nunca se fundieron completamente, como el dios/diosa da a entender que ocurre con los amantes. Hubo en esa isla, en una playa como la que estaba contemplando, un lugar en el que se sintió plenamente realizada. Fue, como contó a Victoria, un impacto que le sirvió para romper con sus ataduras familiares, sus costumbres retrógradas, sus creencias pacatas. Ahora debía repetirlo, ahora debía romper de nuevo, pero seguía sin saber cuál era el alcance de ambas rupturas.

Creta no le daba lo que estaba esperando. Cástor y Pólux haciendo el amor en las alturas. Y en la tierra, ¿qué refugio, qué solución, qué consuelo?

Regresó a la casa lentamente, sin dejar de mirar de vez en cuando hacia lo alto, hacia la constelación de los gemelos. Pudiera ser que a fuerza de buscar su complicidad acabasen por caerle simpáticos.

La casa estaba completamente a oscuras, a excepción de la luz del porche, que alguien habría tenido el detalle de dejar encendida hasta su regreso. Disponía de llave, pero no la necesitó: la puerta estaba ligeramente entornada. Era extraño. Quedaría alguien despierto. Los criados, tal vez.

Oyó una música que procedía de la bodega. Creyó reconocer un canto perteneciente a la liturgia bizantina. El volumen no estaba muy alto, en atención a los que dormían, pero sí lo suficiente para atraer su curiosidad.

Tendida sobre una colchoneta, aparecía Edipa entregada a sus ejercicios gimnásticos. Ataviada con un *maillot* de competición, quedaba tan poderosa como los jóvenes danzarines que habían deslumbrado a Elena Arquer una hora antes. Pero aún había más: aquellos brazos musculosos, que sostenían en alto una pesada mancuerna, recordaban a las esculturas con más clarividencia que el baile de los mozos.

Al verla entrar, Edipa dejó la mancuerna en el suelo y, levantándose de un salto, se le acercó sin molestarse en afectar gentileza.

—La estaba esperando.

—¿Por alguna razón especial? —tartamudeó Elena.

—Por ninguna, salvo su seguridad. Hace rato que Minifac y Victoria se acostaron. Su amiga me pidió que la esperase.

Hubo una pausa. Inconscientemente, Elena acarició una de las pesas que Edipa utilizaba para sus ejercicios.

—Usted podría defenderme, en caso de amenaza... —murmuró.

—No lo dude. Y apuesto a que lo haría bien.

—No lo sé. Nunca he tenido ocasión de ser defendida. Siempre me ha tocado defender a mí. Y estoy cansada, muy cansada, de ir batallando por la vida.

—Esto se arregla con un buen masaje en la espalda.

—Sé cómo puede terminar ese tipo de masaje.

—¿Tanto le molestaría?

—Empiezo a pensar que no tanto. Ya le dije que en esta isla conocí un momento en que el sexo me liberó.

—¿Sólo eso? ¡Qué falta de vocación para la eternidad! Usted sólo recuerda de Creta un triste añadido de su siglo caótico. Unos cuantos niños revoltosos que tocan la guitarra y encienden hogueras en la playa. Y apuesto a que mucha yerba. Con sólo recuperar esta imagen cree recuperarse a sí misma...

—A mi juventud. O, para ser exactos, el derecho al extravío que ella implicaba.

—Nuestra juventud siempre fue más antigua. ¿Nadie se lo ha contado? Claro que no. En aquella época sólo leíamos autores americanos, convencidos de que ellos habían inventado el extravío y la libertad; pero en esta tierra existían desde hace milenios. En realidad fueron dones que nos hicieron los propios dioses.

Elena Arquer se entregó a las manos de Edipa, que empezaron a deslizarse suavemente por su espalda, como caricias acompañadas por una voz queda, susurrante, llena de adormideras verbales...

—Cierre los ojos y piense en otra Creta. —Elena la obedeció—. Jóvenes atletas de anchas espaldas y cinturita de avispa. ¿Son príncipes o princesas? Sus largas cabelleras se confunden con las de esas damas que avanzan con los pechos saltando del escote. ¿Son diosas o mortales? Y esa tauromaquia de los frescos palaciegos... ¿puede verla usted? Los jóvenes de ambos sexos, ataviados con un escueto taparrabo, saltan entre los cuernos del toro. Yo no sé qué sexo atribuiría a esos atletas y a esas doncellas. ¿Qué sexo tiene el peligro, cuál el coraje, cuál la muerte?

De pronto se interrumpió y, echándose sobre la espalda de Elena, le susurró al oído:

—¿Sigo con el masaje?

—Se lo ruego.

—Usted debería rogar otras cosas. Muchas le serían concedidas.

—Estoy a punto de suplicar. Así que no me tiente.

La suavidad había ido derivando hacia la violencia. Elena sentía en sus hombros unos dedos férreos que se hundían en la ropa y parecían taladrarla. Y estaba también el sudor compartido; un aroma intenso, seguramente de gusto áspero si hubiera podido saborearlo.

Entonces hundió sus dedos en los muslos de la atleta e intentó que sus uñas fuesen garfios tan poderosos como los de ella.

—Usted ha ganado, Edipa. Me rindo sin condiciones.

La masajista se echó a reír, mientras la abrazaba furiosamente.

—Aunque yo gane, la que sale ganando es usted.

Fue entonces cuando las manos de Elena se encontraron con el respetable pene de Edipa Katastrós.

Lo había dicho Minifac en varias ocasiones: donde ha ocurrido un prodigio tiene que ocurrir de nuevo. Y era cierto que no eran prodigios lo que faltó en aquella isla. El prodigio, cualquiera que fuese, engendraba retoños para maravillar a las generaciones que, por cierto, ya no recuerdan los arcanos de los orígenes y así les luce el pelo, inventando pretendidos misterios que no valen un chavo.

Cierto: donde ocurrió un prodigio antiguo tiene que ocurrir otro. Hermafrodito sería uno de ellos, si no el mayor que vieron los siglos. Un joven de rara belleza en absoluto casual, ya que nació de los afortunados amores de Hermes y Afrodita. Asombro del mundo, pasmo de las esferas, envidia del empíreo.

Cierto día, Hermafrodito paseaba su apostura por los caminos de Frigia y tuvo ganas de bañarse, mas no le estaba permitido hacerlo en lugar público, pues despertaba la admiración y acaso la locura de todo aquel que acertaba a contemplarlo. Y así, en la búsqueda del anonimato, descubrió entre los bosques la fuente de la ninfa Salmacis, fuente de aguas tan límpidas que nadie podía resistir el antojo de bañarse en ellas.

La ninfa titular era, al parecer, extremadamente sensible a los prodigios de la belleza, pues al ver desnudo al hijo de Afrodita y Hermes no pudo resistir la necesidad de unirse a él para toda la vida, y elevó una súplica a Zeus en este sentido, aunque no el único. Pues su amor fue creciendo de tal modo que quiso llevar su unión hasta el extremo: formar con Hermafrodito una unidad inseparable; ella en él y él en ella, ambos estrechados totalmente hasta fusionarse en uno. Es decir: en ese ser que carece de sexo porque los posee ambos, con todos sus atributos.

Pero aun en el terreno de los prodigios nunca anduvo sólo Hermafrodito. También dijo el filósofo que en los lejanos tiempos de la creación

410

eran así todos los mortales: seres que poseían la naturaleza femenina y la masculina a la vez, rozando la rara perfección de lo completo, aunque no de lo indivisible. Pues los dioses, temerosos del poder que esta unidad concedía a la raza humana, la cortó en dos mitades, creando así el sexo femenino y el masculino.

Exactamente lo que Elena acababa de descubrir en Edipa Katastrós, cuyo pene era tan poderoso como sus pechos, y éstos tan seductores como sus músculos.

EN EL DELIRIO DE LA POSESIÓN Elena Arquer supo que el dios/diosa tenía muchas cosas que ofrecer, aunque pocas preguntas que contestar. Decidió pues no interrogar, aprovechar la sorpresa del instante, el prodigioso desarrollo del imprevisto. O de lo que nadie desde hacía siglos había querido prever. Los siglos que Edipa había invocado desde su extraña condición.

Y ahora yacían en la cama, tras una fornicación que, según Elena, sólo podía equipararse en monstruosidad con la que siempre había atribuido a sus hijos.

—Adivino tu sorpresa... —dijo Edipa, encendiendo un cigarrillo.

—¿De qué voy a sorprenderme? —dijo Elena con recién inaugurada tranquilidad—. ¿Acaso no concebí en esta isla un incesto como no suele darlos nuestro siglo? Todo lo que venga a partir de esto no es nada en comparación. Sólo se me presenta una duda: no sé si me atrae tu parte femenina o tu lado masculino.

—En primer lugar, llámame Stefano para variar un poco. En segundo lugar, pregunta a la naturaleza. En esto, como en todo, ella tiene la última palabra.

—No juegues conmigo. Todo el mundo ha oído hablar de muchos hombres que han querido enmendarle la plana a la naturaleza.

—No es mi caso. Yo nací así.

—No me hagas reír, que no es momento. Estoy preparada para oír los mayores despropósitos, así que cuéntame la verdad. ¿Qué te hiciste? Sé de algunos que se inyectaron hormonas femeninas.

—No fue menester. Te repito que nací así. ¿De qué te extrañas? ¿No vive tu amiga en una isla que es la hermana de Alejandro?

—Comparado con la historia que tratas de inculcarme, ese parentesco empieza a parecerme de una lógica aplastante.

—Desde tu lógica no puede comprenderse. Déjalo, pues.

—Escucha: si la naturaleza tiene que decir la última palabra, vamos a acatarla de una vez. Se le supone cierta autoridad, a fin de cuentas. Yo sé que en mi interior la naturaleza ha hecho estragos. Desde el primer día me sentí irremisiblemente atraída hacia ti. Creyéndote mujer, luché con todas mis fuerzas para rehuirte. Y seguía creyéndote mujer cuando me iba sintiendo más empujada hacia tu cuerpo de macho.

—Comprende de una vez que no soy hombre ni mujer. Deberás aceptarme como una rareza. Algo que esta tierra ha dado sin razonar por qué.

—¿Eres, entonces, el hermafrodita?

Stefano-Edipa la besó tiernamente y ella acarició sus senos voluminosos a la par que sus músculos hinchados por la fuerza del abrazo.

412

—El hermafrodita. El gran caos de los orígenes. ¡Qué desconcierto para nuestra época! Y, sobre todo, ¡qué desconcierto para uno mismo! No puede pedirse mayor injusticia. Sobre los cielos de Patmos, el Evangelista desencadenó tremebundas visiones tan raras como yo. ¿Acaso es mi cuerpo más monstruoso que el de la Gran Bestia? ¿Serán mis besos más terribles que los de Gog y Magog? Tú debes decirlo.

—Y si lo fuesen, ¿qué más da? Nada entiendo del Apocalipsis como nada comprendo de ti, pero acaso mi vida estaba necesitando ese impacto terrible, que ni la razón ni la cultura podrán explicar. Sólo sé que tus senos femeninos me excitan tanto como tu miembro viril y que todo mi cuerpo está deseando tenerte dentro, cualquiera que sea tu ley.

Capítulo decimocuarto

ATLÁNTIDAS

EL *KING POSEIDÓN* LLEGÓ A SANTORINI cuando el atardecer prodigaba sobre los acantilado extrañas formas de lúgubres tonalidades. Pese a su extraordinaria popularidad entre el turismo universal, no parecía una isla optimista, aunque pocas pasajeras supieron precisar la razón. Sólo las que se dignaron escuchar las explicaciones de Margot Sepúlveda, que se había tomado la molestia de leer la guía. Mejor hubiera sido para el ánimo de Emilia de Ruiz-Ruiz seguir ignorando que aquella isla era portadora de un siniestro pasado que la emparentaba con el origen mítico de la Atlántida. En el segundo milenio, cuando la isla se llamaba Thera, fue arrasada por una tremenda explosión volcánica cuyas consecuencias se dejaron sentir en puntos tan lejanos como Creta y Palestina. Fue el trágico final de la civilización minoica, tan encantadora, tan idílica a juzgar por sus restos.

Poco dadas a la historia —y mucho menos a una historia con repercusiones tan funerarias—, las mujeres del crucero optaron por un desembarco sofisticado: exhibieron sus mejores modelitos por las calles del pueblo moderno, sacaron sus tarjetas de crédito en las mejores tiendas y hasta alguna se atrevió a subir los fatigosos peldaños del acantilado a lomos de un borrico acostumbrado a todo. Antes de regresar al barco para la cena, se hicieron fotos con un fondo que consideraron idílico y no era sino un resto del antiguo cataclismo. Asimismo la negrura cavernosa de las aguas indicaba que el volcán podía volver a estallar de un momento a otro.

Llevada por su costumbre de la extrema puntualidad, la marquesa del Pozo del tío Raimundo se hallaba ya instalada en el comedor, en espera de la princesa Von Petarden y Miranda Boronat, que sólo necesitaban tres horas para arreglarse. Disfrutaba la noble Zenaida de esos incomparables instantes de paz anteriores a cualquier cita, y los aprovechaba para leer, con ayuda de sus graciosos impertinentes, un opúsculo sobre la leyenda de la Atlántida. Fue un tema que trajo a su mente el recuerdo de lecturas infantiles y el atractivo legado de los sueños. ¿Era esa memoria la que ponía gracia en sus ojillos o acaso el aguerrido sabor de un licorcillo que le habían dado a probar los camareros griegos?

En cualquier caso, sentíase repleta de un júbilo que dio fin antes de lo esperado. En realidad coincidió con la entrada, tan severa como decidida, de Pilar Prima de la Higuera.

Al igual que todas sus compañeras de peregrinación, parecía un cuervo, con su uniforme morado, el cordón al cinto y la crucecita de diamantes en la solapa.

Amenazaba con abordar a la marquesa y lo hizo sin la menor piedad:

—¿Puedo departir un ápice de instante con usted, dilecta Zenaida?

—Departamos, hija, departamos —dijo la marquesa, poniendo su verbo a la altura del de la otra—. ¿En qué puedo complacer sus muy diversos futris?

—Llévame ante usted un pleito nada grato, se lo anticipo; aunque conste que no llego sin una conversación previa con María Asunción Solivianto. Abusando, abusandillo, queremos solicitar la intervención de usted. Y no se extrañe: tanto por años cuanto por alcurnia la vemos revestida con una autoridad que es, a no dudarlo, la más indicada para deshacer los entuertos de Satán.

—¿Tan grave es el asunto que anda el demonio de por medio?

—El Enemigo, sí. El Maligno. En confianza: entra y sale con tal libertad del camarote de la princesa, que temo acabe contaminándonos a todas las que nunca quisimos trato con él. Máxime si se piensa que es un demonio singularmente apuesto.

—Luego no es un miembro de la tripulación...

—Es un piloto de la flota de Iberia.

—La princesa es españolísima en todo. ¡Con lo barato que le resultaría montárselo con un nativo!

—¡Zenaida! Sus palabras, un tanto ligeras, no dicen mucho en su favor, al tiempo que confirman mis temores: cuando no está su príncipe, la princesa se muestra casquivana.

—Y también cuando está él. ¿Qué quiere que haga, pobrecita? ¡Casada con un octogenario, sin nada sólido que llevarse al cuerpo...!

—¡Marquesa! ¡Usted está insinuando...!

—... que sean ustedes un poco más indulgentes. «El que esté limpio de culpa que tire la primera piedra», dijo Jesús en buena hora. Porque

todos los humanos tenemos algo que reprochar-
nos. Incluso mujeres como usted y María Asunción habrán pensado en el sexo en algún momento de su vida.

La expresión de Pilar Prima de la Higuera fue
lo más parecido a un infarto.

—Inspírame gran aborrecimiento. Con sólo
imaginarlo viénenme ganas de vomitar.

—Mujer, tampoco hay que tomarlo así. El
sexo, si sano, es bello. ¿Que insano? Pues una ri-
cura como cualquier otra. Pero ¿qué voy a contarle? Usted estuvo casada. Algo cataría, digo yo.

—Casada estuve, sí, con un eminente lin-
güista. Para lengua el que más, no lo niego. ¡Qué
lengua la suya!

—Bien lo recuerdo: Blasín Ferreral. Conocí a
su madre, gran señora de Logroño y un monumento de mujer. En cuanto a su padre, aquel
magnífico vasco... ¡Qué torreón!

—No se dijera del primogénito. Era menudo,
delicado, sutil, casi un suspiro de hombre. Ense-
ñóme propiedad en el decir y discreción en el ad-
jetivar, mas prefiero no hablar de lo otro. ¿Qué
obtuve de su cuerpo? ¿De qué sirvióme compartir
el tálamo con él?

Al notar la desazón en que se estaba sumiendo
la Prima de la Higuera, la marquesa no pudo reprimir su compasión:

—¡Amiga mía! ¡Está llorando!

—Sí. Y no es la primera vez que me acontece,
antes al contrario: cuando me vienen remem-
branzas de aquel infausto evento, no puedo sino
lagrimar. Yo no soy una tarasca. Lejos de mí el
ludibrio de un mal pensamiento. Faltóme siempre el coraje para ser corrida. Yo llegué al sexo a
través del amor, que de otro modo nunca hubiera

418

llegado. Por eso mi historia es triste, Zenaida, y en cuanto a mortificación no tiene desperdicio. ¿Usted sabe lo que fue mi noche de bodas? Treinta años hace y su recuerdo me taladra el alma cual tenacilla de la Inquisición. ¡Qué golpe para una acérrima lectorcilla de los romances de Rafael Pérez y Pérez y Luisa María Linares! Pobre de mí, pobre «vestidita de tul», pobre «palomita torcaz»... Yo, sí, delicada doncella; yo, purísima integral. Acabadita de salir de las «madres», alimentaba sueños ideales respecto a lo que debía ser el amor. Pensaba: «Seré amapola de la pradera y él, mi galán, será un gentil zagalón que, olisqueándome la corola, depositará el polen destinado a engendrar nuevas florecillas.» De esas imágenes núbiles nació el seudónimo de «Flor que fecunda», que me servía para contar en el consultorio radiofónico de la señora Francis todos los pormenores de mi noviazgo. «Flor que fecunda», sí, porque esto esperaba ser, convenientemente aleccionada por mamá, las monjas y el padre Fernando, mi dilecto confesor... Voces ejemplares, todas ellas, que me decían que me correspondía ser, para mi esposo, campo feraz del que él sería labrador. Y si encima obtenía yo algún placer, pues ganga. ¡Ah, pero no era tan fácil atender a tan ejemplares preceptos! Hete aquí que a partir de un determinado momento la posibilidad del placer apoderóse de mí con una fuerza que no me atrevía a comunicar a mi dulce prometido, siempre tierno y delicado como los caballeros de antaño. Así era él y así le amaba: un Romeo puro, inmaculado, siempre encerrado entre sus libros, sus conferencias, sus artículos y reseñas de pinturera variedad. Sólo salía del limbo para susurrarme al oído:

«Capullito de alhelí, tocinillo del cielo, yemita de santa Clara...» Pero insisto, el solo hecho de saber que existía una remota posibilidad de placer hízome caer a menudo en pecado de pensamiento. Y arrepentida de corresponder a las delicadezas de mi Blasín con un punto de vicio, confeséme a quienes debía.

—Y... ¿riñéronla?

—Recordáronme que en las calderas de Pedro Botero siempre hay un lugar para esas féminas que confunden el matrimonio con el deseo.

—No acabo de entenderlo.

—Porque usted pertenece a otra época: la de la República, la de las cupletistas descocadas, la del funesto liberalismo. ¡Yo, no! Yo nací en la España de la Victoria y fui educada en la moral de la Sección Femenina; así pues, albergaba principios acreditados; y el reconocimiento de mis picardías nocturnas hízome llorar. Si algún sueño núbil quedábame acabó desengañándome una amiga muy pizpireta que iba a la universidad y leía a Camilo José Cela. Con esto queda dicho todo: ¡una bohemia!

»Papá y mamá ya habían dado su consentimiento a mi boda, tía Eutiquia y tía Cleofás bordaban mi nombre en las sábanas, y la muchacha me gastaba las acostumbradas bromas: «Hala, niña, hala, que pronto te estrenarán.» Y en aquellas fechas idílicas, absorta yo en los preparativos, vino esa alocada amiga, Cristinita Mensua, y me informó de cuatro quisicosas que me horrorizaron. ¡Estremecíme hasta un punto culmen! ¿Placer? ¡Y ca! Aquello podía ser una carnicería, un torrente de sangre. ¡Qué guarra era Cristina, de saber esas cosas! Ya ve usted lo que le enseñaban en la universidad. Indignéme. No podía ser cierto. Desconfiada en grado máximo, echéselo en cara. Burlóse ella y díjome si yo era Antoñita la Fantástica o qué. Yo, orgullosa, contéstele: «Sí, roja, más que roja: quiero ser Antoñita y, si tengo la desgracia de crecer, que sea Isabel la Católica.» ¡Ay, gallarda ilusión! Ser siempre nínfula, candorosilla, con tirabuzones dorados y jauja metida en lo más hondo de la tenaz ideología. No obstante, cuando quedé a solas lloré pensando que mi Príncipe Gentil era una bestia destinada a causarme un gran dolor. Como lo oye, marquesa: nuestro idilio no era como el de Tyrone Power y Loretta Young en *Suez*. En la noche de bodas, yo no descendería por escalinatas de mármol luciendo un miriñaque color de rosa; él no vestiría levita y, al verme, no exclamaría: «¡Qué bien os sienta la diadema, majestad!» No. ¡Nada de eso! En la habitación de un hotel de las Mallorcas yo no sería Eugenia de Montijo ni él Fernando de Lesseps. Seríamos como el león y la leona, el conejo y la coneja, el elefante y la elefanta, el toro y la tora...

—Vaca.

—Vaca, su madre, marquesa...

—La vaca es la pareja del toro, burra.

—¡Ay, qué más da! ¿No entiende que es una metáfora para significar que mis sueños ideales íbanse al cuerno? ¿No ve que equivale a decir que él venía a despachurrarme? ¡Uag! ¡Uag! Paséme dos días seguidos vomitando. Para colmo, a los Martínez, del segundo primera, no se les ocurrió nada mejor que regalarnos una copia de Rembrandt para el comedor. «Un Rembrandt siempre es un Rembrandt, aunque sea copia», dijeron en tono obsequioso. ¿Sabe de qué cuadro se trataba? ¡De la ternera desollada, abierta en canal, chorreando sangre! ¡Ay, casi desmayéme cuando trajéronmela, la víspera de la boda! Aquella noche no pude conciliar el sueño. Sólo veía el Rembrandt por toda la alcoba. Sobre el vestido de novia chorreaban gotas de sangre. Sobre el lecho, gotas de sangre... ¡Ah, yo una ternera abierta en canal! Y él, un cafre, un huno, un carretero, un antropófago... Horror, horror, sí: angustia del sexo hecho martirio. Mas no he de negarle que, al mismo tiempo, fuerzas nuevas y estramboti-quillas inspirábanme una suerte de estremeci-miento que empezaba a complacerme. ¡Oh, oh, oh! Pensé mucho y, como siempre fui cristiana vieja, acepté que mi deber era servir a mi marido aunque me abriese en canal. Así dirigíme al tálamo, dispuesta y aun deseosa de agonizar en manos de la bestia furibunda. Estrené una «reconciliación» monísima: un sueño. Mientras po-níamela, díjeme: «Ese King-Kong te la arrancará de un zarpazo, de un zarpazo, de un zarpazo...» ¡Cuántos nervios, marquesa! Esperéle en el lecho, fingiendo que leía un capitulillo de *El filo de la navaja*, tan de moda aquel año. Él no llegaba. ¡Atroz espera! Estaba... en el cuarto de baño. Ha-cía gárgaras... ¡Sí, sí, mi amada bestia hacía gár-garas, pero su ruido era como las cataratas del Niágara! ¡Qué fuerte sería, qué avasallador, cuán varonil! Tendíme larga cual era, abrí los brazos de par en par. No sé qué me ocurría. Fuego in-terior acaso. Oí que salía del baño. ¡No quise mi-rar, no! ¡Qué pasos tan rotundos! Aquél no era mi marido: era un primate de los de *Hace un millón de años*. Cerré los ojos. ¡Iba de cabeza a la pre-historia! Ya se acercaba. Díjeme para mis aden-tros: «¡Olisquéame la corola, Blas! ¡Insúflame con tu polen!» Y dispuesta a ser olisqueada como nunca lo fuese flor alguna, noté que ya lo tenía encima. Aplastada por su cuerpo, sentí un piélago de sensaciones encontradas. Miedo al placer y ansia del mismo. Su cuerpo no tardaría en profanar el mío. Presa del pánico, grité: «¡Salvaje, bestia, carretero, Atila, Stalin...!»

De pronto, la gentil oradora se interrumpió. En su rostro se había operado una extraña transmutación: acababa de cambiar el dolor por el odio abierto.

—¿Y entonces? —preguntó la marquesa—. ¿Qué ocurrió en el supremo instante de la desfloración?

—Nada.

—¿Cómo que nada?

—Nada de nada. Como lo oye, marquesa. Él levantóse de golpe, víctima de su propia desesperación. Yo, al sentir su ausencia, abrí los ojos, y le descubrí arrodilladito a los pies del lecho. Al verle desnudo, cayóme el alma a los pies. Era tan minúsculo, tan poca cosa, tan sumamente ridículo, que sólo quedábale el recurso de llorar. Y apenas se atrevía a besarme la mano mientras iba repitiendo: «Capullito de alhelí, tocinillo del cielo, yemita de Santa Clara.» Quedéme de piedra. Pasóme la excitación para los restos. Desinfléme.

—¿Y después?

—Nunca hubo un después.

—¿Ni con otros?

—¡Marquesa! Propia era yo y propia soy. Mientras vivió mi Blasín no tuve ojos para otros hombres. Cuando murió, ya no veía a ninguno por culpa de la vista cansada.

—¿Y no consultó con sus amigas más fiables?

—Claro que sí. Pero a todas les pasó igual.

—¿Qué me está diciendo?

—Todas sin el consuelo de una noche feliz.

Menos las que tuvieron hijos, claro. Pero los tuvieron sin ver jamás a su marido en paños menores. ¿Usted vio alguna vez al suyo de esa guisa?

La marquesa enarcó las cejas y exhaló un suspiro tan profundo, tan satisfecho, que era toda una declaración de fe.

—Mi Wifredo era muy torero. Antes de fugarse con aquella domadora de focas, se empelotaba ante mí y se ponía a bailar la danza del sable de Rimsky Korsakov...

—Será de Kachaturian, marquesa.

—¡Anda que me importa mucho el autorcito! Lo de Wifredo, hija, no necesitaba firmas ilustres. ¡No sabe usted lo que tenía el perillán! Mientras bailaba, eran dos sables los que sacudía: el de su regimiento y el que Dios le dio para bien servir a las hembras de este mundo.

—¡Y lo dice en plural! ¿Es que sirvió a muchas?

—No había en el Madrid de aquel entonces taller de modistillas ni teatro lírico donde él no mostrase el sable a las adeptas a la esgrima.

—Sería usted muy desgraciada.

—Sólo al principio, porque era joven y creía en las exclusivas del amor. Pero como sea que, al regresar a casa, mi Wifredo desenvainaba el sable y me endosaba cuatro o cinco estocadas maestras, se me iban todos los males y más que hubiera habido. ¡Mi pobre Wifredo! Gracias a él aprendí que vale más un buen sable en casa, que cien navajas en la calle.

—Compadézcame a mí y a mis amigas que, por no tener, no hemos tenido ni un triste cortaplumas. ¿Y qué puede una hacer ahora? ¿Qué podemos hacer todas las que sufrimos tantas carencias por guardarle un respeto a la honra?

—Pues lo que hacen, hijas: rezarle todo el día a la Virgen y organizar tómbolas.

—En esto estamos —dijo la otra, con un suspiro de resignación—. Y en insistir en el tema que me obsesiona. En que esa Von Petarden no puede asistir a la aparición de la Virgen si, por las noches, abre sus cancelas al primero que se presenta.

La marquesa la consoló, garantizando su rápida intervención en el asunto. Fue, sin embargo, una promesa edificada sobre la indiferencia más absoluta y el convencimiento de que cada uno podía hacer lo que quisiera en su camarote.

Vio alejarse a la Prima de la Higuera, derrochando insipidez y tedio a su paso. Por cierto que su uniforme morado, de penitente, hizo un contraste de estrépito con los colores psicodélicos que ostentaba Miranda Boronat.

Las dos mujeres se cruzaron sin dirigirse una sola palabra, pero Miranda hizo una mueca de asco que divirtió mucho a los camareros.

Recompensado que la hubieron con un vodka sobrecargado con otra marca de vodka, Miranda fue a tomar asiento junto a la marquesa, que seguía pensando en Pilar Prima de la Higuera.

—Esa mujer me asusta, Miranda. Es demasiado severa para ser buena. Además, he visto la envidia en sus ojos.

—Y con razón. ¡Mire que contarle lo del sable de Wifredo! Yo misma la hubiera estrangulado la primera vez que me lo contó. Porque, no sé si se acuerda, hizo usted en la cuenta del restaurante un dibujo de su sable a escala reducida, y aun así se salió del papel.

—Es que en aquel tiempo los hombres eran otra cosa y las medidas otras medidas. En fin, menos mal que no le he contado a esa pobre mujer lo del griego...

—¿El padre del archimandrita?

—Ese mismo. ¡Ay, Yannos, qué noches me diste en la Riviera! Sólo tengo que decirte una cosa, Mirandilla: si el sable de Wifredo era un prodigio de agilidad, lo que esgrimía Yannos era la maza de Hércules.

—Querrá usted decir las columnas.

—También tenía algo de columnas, hija. También tenía algo de columnas.

—Pues sabe qué le digo, abuela: aunque no consiga que su hijo diga misa en los Jerónimos, puede usted morirse bien tranquila. Que lo que ha tragado ese cuerpo suyo no lo tendrá el archimandrita con esos niños del orfanato.

Acertó a pasar Perla de Pougy, vestida de verde intenso como su ánimo. Al oír las últimas palabras de Miranda se le abrieron los ojos de par en par.

—¿Alguien hablaba de niños? —preguntó, nerviosa.

—Sí, guapa; pero tú no entras, que te conozco.

—Claro que yo no entro, mona. Entran ellos. ¡Y con cuánta gracia entran, los angelitos!

Miranda fingió escandalizarse con un gesto que abarcó toda la mesa.

—Pero ¿ha oído lo que dice, abuela? ¡Y encima asegura usted que va de redimida!

—Es que la redención no es cosa de un día. ¿Cuántas veces insultó Saulo a Cristo antes de recibir la luz?

—Cuando este pendón reciba la luz habrá desvirgado a toda una generación de escolares.

—A toda no, mona. Una parte ya está desvirgada.

426

—¿Quién es la infame?

—Tu madre, guapa. Y, además, cobraba. Abur, marquesa, que el tiempo vuela y todavía tengo que convencer a un grumetillo que me ha salido indeciso.

—¡Perra! —exclamó Miranda—. Si yo no fuera una señora la insultaría, pero como soy una dama me limito a desearle un cáncer de cejas.

Llegó Fificucha Osváldez, saltando como era su costumbre; pero, en esta ocasión, acompañaba su trotecillo con movimientos circulares de las manos que recordaban a las coristas de los años veinte.

—Mirandilla, ven, que me están haciendo una entrevista sobre el dinero de papá y sus múltiples bifurcaciones... y de dónde sale y adónde va.

La marquesa supo disimular, pero Miranda se puso lívida:

—¡No te habrás atrevido! ¡No nos habrás dejado en porretas delante de la opinión pública!

—¡Pero si lo sabe todo *El Mundo*! Además, la revista *Cuchicheos* me da otra portada. Así que tendré tres: la que digo que estoy encinta, la que niego estar encinta y ésta que me revela como la lista del día.

—Muy lista —murmuró la marquesa, a punto de estallar—. Pero que mucho.

—Puedes tener una cuarta portada —dijo Miranda—. Ya estoy viendo el texto: «Adolescente mema asesinada en un crucero. No se sospecha de ninguna pasajera en concreto, pues todas tenían motivos para estrangularla.» Porque a ver si te enteras de una vez: casi todas esas señoras que ves aquí han dejado su dinero en manos de tu padre.

—Ya lo sé. Ya lo he dicho.

—¿Y has dado nombres?

—Sí, claro. Si no das nombres no te dan portada.

—Estas cosas las solucionan muy bien algunas bestias —murmuró la marquesa. Y añadió—: Se comen a sus crías.

Ante la dificultad de cortarle la lengua a Fificucha, Miranda decidió no trabarse la suya. Habló en tono ácido, violento, desacostumbrado en ella:

—¿Sabes qué le dijo Demóstenes a Lope de Vega? Le dijo: «Idiota.» Y se fueron cada uno por su lado. Así que lárgate mientras la marquesa y yo decidimos cómo puede arreglarse ese lío.

Abandonada por su cómplice más fiel, Fificucha empezó a deambular en busca de nuevos aliados, hasta que descubrió a la ministra y la princesa. Cuchicheaban de manera tan íntima y reservada, que la niña Osváldez vio tema donde meter sus lindos hocicos.

—¿Hablan ustedes de dinero? —preguntó entre risitas.

La princesa la miró con notorio desprecio:

—Sí, mona, pero tú no lo entenderías.

—¿Cómo que no? Yo sé el dinero que mi papá tiene de todas ustedes. Y lo que le deben cada una. Y que sus maridos lo han ganado de manera guarrísima.

—¡Qué mona es la niña! —refunfuñó la princesa.

—Sí que lo soy. Y usted también. Papaíto siempre lo dice. Papaíto dice: «La princesa es una monada. Estás con ella en la cama y te empieza a contar todas las estafas de su marido...»

La princesa frunció las cejas como la madrastra de Blancanieves. Sus intenciones no serían muy distintas.

—¿Cuántos años tienes, niña?

—Dieciocho.

—Pues eres un prodigio. Porque aparentas cuarenta y tres y tienes cerebro de siete. Y ahora lárgate, que cuando te pones a escupir me dejas el café perdido de arsénico.

Fificucha Osváldez se fue dando saltitos mientras la princesa y la ministra reanudaban su conversación:

—A lo que íbamos, Amparo... Dice usted que no está contenta con su ministerio. Si es así mi marido podría hablar con quien usted sabe para que le favorecieran las cosas.

—¿Contenta? ¿Descontenta? Ése no es el problema, princesa. Es lo que me he encontrado al empezar mi mandato. Me da auténtico horror que alguien pueda ver las cuentas. En la Expo de Sevilla se invirtieron ochocientos millones en un montaje teatral que sólo tuvo tres representaciones. Se hizo venir a un asesor del extranjero que cobraba diez millones al mes. Le estoy hablando sólo del teatro. En lo demás, no quiero ni imaginarlo. Hay millones y millones que no aparecen por ningún lugar y, si aparecen, es peor, porque entonces se ve lo desorbitado de la situación. En estas condiciones, a mí no me ha quedado dinero ni para montar un descampado de chabolas. ¿Sabe una cosa? Tengo la sensación de que algo se va a pique y yo estoy metida hasta el cuello sin comerlo ni beberlo.

—¿Y por que aceptó el cargo?

—Eso es otra cosa. Es que me gusta volver a mi calle de Valencia y que salgan las vecindonas a gritar: «*Mireu, és la xiqueta de la Vicenta, que l'han feta ministra.*»

—Pues una cosa va por la otra, rica. Y si no,

haberse quedado en la Albufera recogiendo cañas y barro... Por cierto, ¿no le parece que este crucero está muy aburrido?

—Es un funeral. Podría usted haber invitado a alguna folklórica que le echase duende.

—Lo pensé, pero me dije: «Igual sacan en la prensa que me he liado con ella.» No sé qué pasa últimamente, pero a todas las folklóricas las ven tortillerísimas. Y me consta que no es así, porque entre ellas hay mucha rivalidad y mucho decir: «Con mis castañuelas dejo más alto el pabellón español que tú, tía guarra.»

—No me hable de folklóricas. El otro día me vino Chipirón Sesostris, el director del Ballet Indígena, y me dijo: «Auméntame la subvención, mi *arma*, que yo soy la Argentinita reencarnada.» Entre nosotras: nunca creí que hubiera tanta mariquita suelta en el mundo de la cultura.

—Haberlas haylas, querida. Sé de uno a quien han dado el premio Príncipe de España que más debieran haberle dado el Princesa de los Ursinos. En fin, veamos qué distracción nos ofrece hoy el pasaje. Mire la animada conversación de las catalanas. Igual se encuentran interesadas en algo que, por casualidad, no sea Cataluña.

Llevada por su propia voluntad de cosmopolitismo, Miranda Boronat acababa de acercarse al grupo formado por las esposas de los *consellers*, una alcaldesa de pueblo llamada Montserrat Galldindi i Pous y dos simpáticas hermanas que ostentaban nombres entrañables: Vilanova se llamaba la mayor y Geltrú la más pequeña (grados por demás relativos: cada una avanzaba hacia los cincuenta años, mejor o peor contados).

Estaban las catalanas hablando de su Liceo y lamentando las hermosas historias que habían quedado entre sus cenizas. Porque toda burguesita barcelonesa ha encontrado marido en un palco del Liceo y por eso han odiado la ópera para el resto de su vida. La Galldindi i Pous alardeaba de los chicos que la cortejaron en la temporada de 1948. Debían ser los únicos que se le acercaron en toda su vida, pues se acordaba como si cada uno de los quince fuese su marido. El cual, dicho sea de paso, no estaba en el grupo ni ya en este mundo. Murió de una embolia, en su palco, en la gala inaugural de otra temporada más cercana.

—¿Qué cantaban ese día? —preguntó Mariona Finestrell.

—*El crepúsculo* —dijo Montserrat, con un suspiro tétrico.

—¿*El crepúsculo* no es una tienda de tejidos? —preguntó Miranda Boronat.

—No, mujer, es una ópera muy sonada —dijo la Vilanova.

—Y tanto. No paran de bramar —comentó la Geltrú.

—Pero es vistosa. Siempre que sale el rubio llamado Sigfrido hay un dragón, una hoguera y tres o cuatro arbolitos...

—Es que cuando un montaje del Liceo es espectacular, vale un Potosí... —dijo Mariona Finestrell—. Será por su influencia que a mí siempre me han gustado las películas de mucha presentación y miles de extras. Aquella tan preciosa de los diez mandamientos, ¿cómo se llamaba?

—*Los diez mandamientos* —dijo la Geltrú, que era cinéfila.

—¿Está segura?

—Va a misa.

—Últimamente no tanto como debiera. Bueno, pues aquella película de los diez mandamientos en la que salía aquel artista que en el *Planeta de los simios* era el único que no hacía de mono...

—Era el Ben-Hur, mujer.

—Pues ése, el Ben-y-Ben, en la película de los mandamientos tiene que enfrentarse a aquel artista de la calva, que hace de monarca de las pirámides y no quiere permitir que los judíos le monten el éxodo...

—¿Qué dice que hacen? —preguntó Miranda.

—Sí, mujer: el éxodo. Representa que los judíos se largan de Egipto.

—Dicen que estuvieron allí no sé cuánto tiempo.

—La tira. Los egipcios estaban hasta las narices.

—Pues haberlos soltado antes.

—No pudo ser porque el faraón calvo y el profeta Ben-y-Ben se detestaban por culpa de la faraona tentadora...

—¡Ahora me acuerdo! Ella era una zorra.

—Para mí que los quería llevar a la perdición a los dos y al pueblo de Israel...

—En cambio, a la pastora que se casa con el profeta, la encontré yo más de fiar, siempre pensando en el bien de los suyos y en que no se apagase el zarzal ardiendo...

—¿Y eso qué tiene que ver con el éxodo, perdone?

—Era para significar que aquella escena en que salía tanto gentío (porque se larga todo el pueblo de Israel al unísono), pues también era espectacular como la función de que hablaba usted...

—¡Qué quiere que le diga! ¡Donde esté el Liceo de Barcelona que se retire la Metro Goldwyn Mayer esa!

—No fastidie, señora. La escena del éxodo era tan espectacular que si hubiesen faltado diez judíos ni se hubiera notado.

—Es que diez no se nota. En Alemania, hasta que no llegaron a faltar cinco millones nadie se dio cuenta...

—¡Calle, calle! Yo de los alemanes no me fío ni para ir de aquí al Walpurgis.

—Dicen que ahora se han vuelto a juntar los de una Alemania y los de la otra Alemania. ¡Mientras no les dé por empezar a fabricar hornos!

—Yo, cuando veo a un alemán en una barbacoa me pongo a temblar.

—Una desdichada amiga se casó con un diplomático oriundo de Munich y un buen día la encontraron muerta. ¡Había sido un escape de gas!

—La mató el alemán, claro.

—No, porque estaba en Moscú ese día, pero todo el mundo lo encontró muy casual. Y sobre todo muy alemán.

—Pues a mí los alemanes me encantan —dijo Miranda—. Sobre todo cuando tocan valses y te traen recuerdos de la Viena imperial.

—Pero Viena no está en Alemania, tontita.

—¿Pues dónde está?

—En Viena.

—Claro —dijo Miranda, tras una profunda meditación—. ¿Dónde iba a estar?

Como sea que continuaban hablando de alemanes, hornos crematorios, gases y demás desgracias poco idóneas para una perfecta sobremesa, Miranda se alejó hacia otro lado del salón; pero como todas sus amigas se habían acostado ya, decidió leer un libro de los que adornaban la biblioteca. Cogió al azar una novela policiaca y buscó ávidamente la última página.

Al llegar al tercer párrafo ya se hallaba profundamente dormida.

EL MAR DE LOS MITOS HACE QUE LOS DÍAS, normalmente apresurados, se conviertan en una eternidad puesta al alcance de las peregrinas. Pasado Santorini, el mar ya no ofrece reposo. Hasta llegar a Creta ya no hay islas que descubrir. No existe la limosna de una escala. El mar prosigue vasto y silente, revestido con la prudencia de los clásicos. El viaje en barco depara entonces la posibilidad que sólo conocieron los antiguos: la continua ida y el eterno regreso.

No es un itinerario demasiado largo, pero algunos barcos prefieren prolongarlo para dar placer a sus dueños. Una especie de calma chicha se apodera de las almas. El letargo se desploma sobre los cuerpos, que aparecen en cubierta tendidos de bruces, panza arriba, medio sentados, pero siempre como objetos inertes, abandonados a la nada.

Esa calma que se ha apoderado del barco siempre es enemiga de las almas inquietas; siempre se muestra hostil con los amantes del propósito. Éstos se rebelan, mostrándose más activos de lo normal. En el salón, protegidas por el aire acondicionado, algunas personas se dedican a planear excursiones para la próxima isla. En la zona de popa, cubierta por el amplio toldo, otros se entregan a la acción. Puede ser un deporte liviano, una partida de naipes o la inagotable práctica de sevillanas a cargo de las frenéticas barcelonesas. Siguen sin darse tregua ni pedirla; saltan, brincan, para atrás, para adelante, como si no fuese con ellas otra cosa que dejar bien alto el pendón de la bravura catalana. Pendón que, por cierto, es puesto en tela de juicio por las esposas de los *consellers* áulicos, cada vez más convencidas de que sólo ellas tienen exclusiva sobre la catalanidad, mientras las otras, por muy finas que parezcan, no dejan de ser unas pobres colonizadas.

El tiempo, al detenerse, favorece que otras den rienda suelta a su disposición de hormiguita y, además, de hormiguita beata. Allí, apartadas en un último rincón de la zona de sombra, las damas de María Asunción Solivianto cosen estandartes y banderas para enarbolar en el cortejo que piensan dedicar a la Virgen, cuando caminen hacia la gruta del milagro. Y es tal el buen gusto, tanta la exquisitez de esas señoras, que en uno de las estandartes han cosido, con primorosas puntadas, una lámina que reproduce la *Concepción* de Murillo.

¡No dirá María Santísima que le falta espejo donde mirarse!

También en el saloncito reinaba gran actividad. El comité organizador de los festejos para la mujer trabajadora discutía con fervor algunos detalles que quedaban por ultimar. Como no faltaban opciones, abundaban los litigios. Y, como siempre, había las que, llevadas por su afán de perfeccionismo, llegaban a incordiar. En este caso era la ministra de cultura.

—Yo debo manifestar mi perplejidad ante un hecho singular —dijo en el tono docto acorde a su alto ministerio—. ¿Se ha hecho publicidad en la isla de Creta? Lo digo para que sus habitantes puedan subir a bordo y, así, comprar que si un objeto decimonónico, que si un pastelillo de carne, que si un tapete cosido con las primorosas manos de nuestras marquesonas preferidas...

—¡No queremos publicidad de ningún tipo! —exclamó, airada, la marquesa de Vallecas-burgo—. No está calculado, ni por asomo, que los recuerdos de nuestras egregias familias salgan de nuestro círculo.

—Pues ¿cómo piensan reunir el dinero?

—Muy sencillo. Yo veo el anillo de bodas de la bisabuela de Piluca, lo compro y ella da el dinero para la campaña. Piluca ve las enaguas de mi cuñada la Montepisón, me las compra y yo doy el dinero para la campaña. Entre esto, el concurso de sevillanas, el campeonato de canasta y la *gymkhana* de cocina se puede conseguir fácilmente medio millón de pesetas.

—¿Y eso para cuántas obreras da?

—Depende. Hay obreras muy gastonas. Sin ir más lejos, mi asistenta se compró unos pendientes de oro el otro día.

Aburrida de aquella conversación, la princesa hizo sonar el timbre llamando al orden. Cedió entonces la palabra a la vizcondesa de Saguntillo:

—Estoy muy ilusionada porque creo haber solucionado un pequeño problema de las ludópatas, que han venido quejándose por falta de juegos. Siempre ansiosas de contribuir a la causa, Olivia Sotomayor y yo hemos improvisado uno que es una pocholada.

—¡Es de cuco...! —exclamó la Sotomayor—. Veréis, está inspirado en los entrañables pim-pam-pums de nuestra infancia.

Un rastro de nostalgia apareció en la faz de la princesa:

—Recuerdo que, de niña, me divertía mucho; pero le veo un inconveniente: ¿quién va a poner la cabeza para recibir los pelotazos?

Aquí se negaron todas sin dudarlo un segundo.

—No es necesario que ninguna de nosotras se quede con la cara hecha un mapamundi, porque todas sabemos por experiencia lo que cuesta entrar en un quirófano. Para eso están nuestros marineros. Con lo feos que son, no tendrán reparo.

—No confíes mucho. Piensa que a cualquier hombre le violentaría hacer ese papel.

—¡Anda que no deben de ser machistas los griegos!

—Pues entonces, uno de los grumetillos...

—¡De eso ni hablar! —exclamó, indignada, Perla de Pougy—. Humanamente, no tenemos derecho a desfigurar a esos pobres niños.

Y pensó para sus adentros: «Luego no los podré alquilar ni a obispos ni a ministros ni a militares.»

Estaban a punto de desestimar la brillante idea de la Saguntillo, cuando Miranda Boronat dio un paso al frente y, con actitud de suficiencia, proclamó:

—Yo tengo a la persona adecuada. Alguien que se pirra por hacernos un servicio. Alguien que, con sólo recibir el encargo, se sentirá henchida de orgullo.

Dejándolas a todas con la palabra en la boca, echó a correr hacia cubierta, donde Emilia de Ruiz-Ruiz tomaba plácidamente el sol mientras leía una preciosa novela de Barbara Catland.

Después de elogiarle el bikini con escudos de

las distintas provincias de España, Miranda le explicó que las señoras más distinguidas del crucero —la flor de la flor y la nata de la nata— habían decidido por votación pedirle un favor muy especial.

—¡Dios mío! —exclamó Emilia, a punto de desmayarse—. ¿Un favor a mí? ¿Está usted segura, doña Miranda? ¿Cree que me lo merezco?

—Naturalmente. Nadie más merecedora que usted. Al fin y al cabo, ganó ese concurso inmortal...

La llevó a rastras ante el comité y, sin que ella se diese cuenta, hizo una indicación a las demás, que al punto elogiaron su bikini y sobre todo los escudos, de carácter tan patriótico.

Temblaba de emoción la dulce Emilia, pero se le fueron los temblores no bien escuchó la explicación del juego a que pretendían someterla. Pasó de la emoción a la perplejidad sin dar un solo paso.

—¿Me está usted pidiendo que haga de blanco en un pim-pam-pum? —preguntó, con vocecilla de desamparo.

—Es su única oportunidad para convertirse en la estrella del crucero. Piense que será la gran fiesta que justifica tantas idas y venidas. Imagínese a todas esas damas sólo pendientes de usted. Y allí, en el centro, su carita maquillada de payasito.

—¿Es que, además, quiere pintarme de payaso?

—Pues claro. Las cosas hay que hacerlas con propiedad. Si la dejamos así, tal cual va, no dará más risa que la que inspira en los días de diario.

—Es que me da mucho apuro.

—Le aseguro que quedará divina. Como Fofito, pero con más gracia, porque usted la tiene por arrobas. Es graciosilla por naturaleza... ¡Niñas! ¡Pedidle al capitán un poco de pintura, a ver cómo queda Maru-Emi de payasita!

—¡Por Dios, doña Miranda!... ¡No me haga hacer eso!

Se adelantó la princesa, arrastrando tules para dotar a su avance de empaque y majestad.

—No me irá a negar su colaboración, ¿verdad, monina? Ande, mujer, que le daré una foto mía para sus hijos. Y si aguanta usted diez pelotazos, incluiré una de mi marido cuando todavía estaba sereno.

—Pues irá vestido de húsar —comentó la maligna Perla de Pougy.

—¡Qué insolente eres a veces, puerca! —gritó la princesa. Pero al punto recuperó su tono más dulce para decirle a Emilia—: Piense en mi ofrecimiento. Piense en cuántas lectorcillas de *Sueños de oro* se matarían por un regalo así.

Llegó Beverly Gladys con dos botes, uno de pintura azul y otro rojo.

—¡Fantástico! —exclamó Miranda, cogiendo un pincel—. El rojo irá muy bien para pintar una bocaza enorme, enorme, enorme...

Dicho y hecho: con un par de pincelazos diseñó en el rostro de Emilia una bocaza que iba de oreja a oreja.

—¡Parece usted un payaso de verdad! —exclamó Fificucha Osváldez, batiendo palmas.

—A mí me recuerda a Botones, el payaso de «El mayor espectáculo del mundo»... —dijo Nenita Lafuente.

Mientras Miranda y Beverly Gladys consumaban su obra maestra, la baronesa de Vallecasburgo y Olivia Sotomayor transportaban una especie de tablero pintado de verde, con florecitas que pretendían parecer campánulas. Las habían pintado con sus propias manos, en Madrid, mientras el hijo pequeño de la baronesa, que disponía de serrucho propio, había abierto un círculo por donde cabía perfectamente una cabeza humana.

—Espero que no sea usted muy cabezona, querida —dijo Miranda.

—¿Por qué lo dice?

—Porque tiene que sacar la cabecita por aquí.

—No me haga hacer eso, por favor...

Y nadie la apartaba de aquella súplica.

—Pues claro que sí. Tiene que salir sólo la cara para que podamos tirarle las pelotitas. ¿Tan difícil es de entender?

La agarró por el pescuezo y empujó la cabeza hacia el agujero, hasta que Emilia quedó en la posición tan aplaudida en ferias, agua-parks y fiestas mayores del ancho mundo.

En vano seguía Emilia gimoteando. De nada servían las lágrimas que empezaban a brotar con violencia. Estaban ya todas las damas equipadas con pelotitas de ping-pong, y dispuestas a ensayar el acto destinado a convertirse en la gran atracción del Día de la Mujer Obrera.

—Usted primero, princesa —dijo Miranda, en actitud complaciente.

—Yo no. Podría estropearme el esmalte de las uñas. Como de costumbre, delego en usted, mi fiel Beverly.

La secretaria arrojó con furia una pelota que no dio en el blanco deseado.

Miranda sentíase llena de afecto y, además, henchida de orgullo por servir a los intereses de la comunidad.

440

—Es la maruja más dispuesta que he visto en mi vida. Se presta a todo.

Y arrojó gentilmente una pelotita que fue a dar contra la frente de Emilia de Ruiz-Ruiz.

—¡Mirad la maruja! —gritaba Fificucha Osváldez—. ¡Mirad qué mona está!

Empezaron a llegar más señoras, y una arrojaba una pelotita a Emilia, y otra se acercaba con el pincel para pintarle una estrellita en la frente. A todo lo cual la improvisada payasita sollozaba sin cesar y, además, sin poder sacar la cabeza del agujero, pues la mantenía aferrada por el cogote Olivia Sotomayor.

Inesperadamente, Amparo Risotto se colocó delante del pim-pam-pum, con los brazos abiertos de par en par como una Juana de Arco imaginada por la mente de un francés de clase media.

—Esto no se puede tolerar. Esta mujer es una de las protegidas del Ministerio de Cultura.

—¿Y en qué se nota? —preguntó la princesa, desafiante.

—Para ella y millones de mujeres como ella fomentamos el teatro, el cine, los libros, las exposiciones y los museos. Ahora, lo que no está previsto en los gastos oficiales es el pim-pam-pum. O sea que se ha acabado la broma.

Atraída por el jolgorio, Margot Sepúlveda se levantó del rincón de proa donde había estado tomando el sol y fue hacia el improvisado teatrito. Cuál no sería su asombro al ver a su amiga representando el patético papel de un bufón medieval, trasladado en el tiempo y el espacio.

—¡Sácame de aquí! —gritaba Emilia—. ¡Sácame, que esto no lo había previsto Raffaella!

Margot no tuvo vacilación. Fue directamente

hacia Olivia Sotomayor y la zarandeó con brutalidad hasta que el cuello de Emilia quedó libre de sus manazas. Acto seguido, la empujó con tan mala fortuna que arrastró en su caída a la marquesa del Pozo del tío Raimundo.

—¡Grosera, más que grosera! —gritó la princesa, enfrentándose a Margot—. ¿Quién le ha dado a usted vela en este entierro?

—El entierro lo montaba yo con todas ustedes, cretinas de mierda. ¿Quiénes se han creído que son? Pues yo se lo diré: piojos resucitados las unas... y usted, princesa, un putarrón. Y esto es lo que hay, y más habrá si me provocan.

—¡Cuidado, guapa, que está hablando con señoras de toda la vida!

—Otro empujón así y yo seré señora de toda la muerte... —gemía la marquesa, en brazos de Miranda y otras socorristas.

Pero nadie pudo socorrer a la princesa Von Petarden de la furia de Margot que, entre otras cosas sirvió para sacar a la dama sus aspectos más barriobajeros.

Lo que salió de aquellos labios no es para ser contado. Si lo fuese, ¡qué no hubieran sacado en exclusivas las chicas de los medios de comunicación! Cuando menos, un curso de expresiones malsonantes en tres idiomas.

Pero ninguna reportera lo recogía porque a todas continuaba interesándoles más una Von Petarden refinada que una pelandusca. En cuanto a los gritos de Margot: ¿a quién podrían importarle? Sus imprecaciones no eran noticia, porque ella misma nunca lo sería. Y como no tenía la menor necesidad de serlo, se enfrentó a las señoronas, con gesto firme y decidido:

—Vamos a zanjar la cuestión de una zorra

vez: son ustedes una panda de bordes. La mejor de todas, colgada... —Y observando a Emilia, con fingida serenidad, añadió—: ¡Y ahora no me digas que no sé comportarme, porque te doy una zurra!

Evidentemente, no era el caso, pues Emilia de Ruiz-Ruiz seguía llorando sin cesar.

—¡Qué vergüenza! Quiero irme con mis niños. Quiero volver a la urbanización.

—Lo creo, mujer, lo creo. Y ¿sabes qué te digo? Sigue soñando con tus revistas. Pero si ves que una de sus fotos se pone en movimiento, echa a correr.

Fue entonces cuando el capitán hizo sonar la campana, anunciando a lo lejos las costas violáceas de Creta.

En el centro, dominándolo todo, las cumbres nevadas del monte Ida, cuna de los milagros.

Capítulo decimoquinto

EL MILAGRO

La noticia de la llegada de un barco lleno de beatas españolas que buscaban a Edipa Katastrós corrió como un reguero de pólvora por los pueblos de la isla, de manera que hasta la televisión quiso ocuparse del acontecimiento, no tanto por su importancia cuanto por su rareza. A fin y al cabo, una peregrinación como aquélla no se había visto desde el medievo.

Elena Arquer sintió cierta inquietud. Ya hemos visto que las conexiones entre su sorpresivo amante y María Asunción Solivianto le eran desconocidas por la sencilla razón de que nunca salieron en ninguna charla. Algo tan simple como esto. Algo tan embarazoso también, pues la irrupción de las más acreditadas cotillas de Madrid afectaba directamente a la intimidad de Victoria Barget. Era fácil imaginar en qué estado se encontraría, y una visita a su habitación lo confirmó plenamente: por doquier reinaba el desorden, había algun jarrón roto y el equipaje estaba a punto para que se lo llevasen los criados.

Elena Arquer hizo gala de su flema habitual encendiendo un cigarrillo para cada una.

—Por lo que veo, está usted enterada.

—Mire si lo estoy que nos vamos inmediatamente a Heraklion y, desde allí, a casa.

—¿A cuál de ellas? El problema de ustedes los ricos es que tienen demasiados refugios. Por verse obligados a elegir entre tantos, acaban quedándose a la intemperie.

—Pues me iré a un hotel. El mejor de Singapur, como muy cerca.

—Usted no irá a Singapur ni a ninguna parte.

—La veo muy dictadora.

—Llámelo como quiera. Bombardearé su yate para evitar que siga usted haciendo la idiota. Sí, me ha entendido bien: acabo de llamarla idiota. ¿Qué pretende? ¿Pasarse la vida de isla en isla, huyendo de todo aquel que pretenda enfrentarla a la verdad?

—Yo sé perfectamente cuál es mi verdad.

—Si no es capaz de quedarse para defenderla ante los demás es que no sabe nada de nada. Usted huye de sus amigas como ha venido huyendo de mí durante tres semanas. ¿Conseguiremos algún día hablar del tema que me ha traído a Grecia? Lo dudo, porque usted es de las que arroja la piedra y después se larga. Y ¿sabe lo que ocurrirá cuando llegue a su isla? Que huirá también de su niño maravilloso porque la asusta su tremendo amor. ¿O le mandará a hacer surfing a la isla de los tritones, que para el caso es lo mismo?

—Usted es capaz de mezclarlo todo, ¿verdad? ¡Todo en el mismo saco! Mientras encaje con su idea de la razón, todo va bien.

—Lo meto todo en un mismo saco, y ese saco es su linda cabecita, que no se aclara. Por cierto, que es un fardo difícil de llevar para sus amigos.

—No presuma tanto. Usted no es amiga mía.

—Lo soy, y no porque tuviese planeado serlo, sino más bien por insistencia. Hace tres semanas que me tiene usted de brazos cruzados, escuchando sus divagaciones y moviéndonos de un lado para otro. Puestas en esta situación, una mujer sólo tiene una alternativa: o se convierte en una buena amiga o acaba estrangulando a la otra. Le aseguro que no descarto esta posibilidad si no se decide a actuar con sensatez. Así que póngase divina y reciba a las chicas de Madrid. Será un buen comienzo para ingresar en la normalidad.

Aquellas razones eran tan evidentes que Victoria no tuvo más remedio que asentir. Se hizo un silencio mientras meditaba su resolución. Al final, dijo:

—Tal vez tenga usted razón. Pudiera ser que me ahorrase muchos problemas recibiendo de una vez a ese hatajo de burras. Después de todo, sólo será violento el tiempo justo de mandarlas a hacer puñetas. Además, también puede ser bueno no seguir huyendo.... Ni siquiera de Borja, por supuesto. Mejor dicho, de él menos que de nadie.

Elena la miró con aire de aprobación:

—Así pues, ha tomado una decisión. Ya era hora, hija.

—En realidad, creo que la tenía tomada desde el principio. Usted lo dijo bien claro: sacrifiquemos a la juventud, antes de que nos sacrifiquen ellos por ley de vida.

—Ley de vida, sí. Decreto de estupidez, no. Tenga cuidado. Recuerde que también le dije que, al final, la que se va a quedar sola es usted. Y una vez el mal esté hecho, no espere que él rectifique. Nada tiene tantas defensas como la juventud.

Victoria Barget se permitió el lujo de mostrarse irónica:

—¡La juventud! ¡Menuda baratija! Si ellos supiesen que se obtiene a precio de saldo.

—Pues lo tenía usted muy fácil. Haberse liado con un octogenario, como la Petarden. Pero la belleza puede mucho; y, no nos engañemos, el niño del *master* es una monada.

—Sí que lo es —murmuró Victoria, para sí—. Demasiado lindo para ser verdad... —Y con acento fatigado añadió—: Es tan lindo que necesito quedarme a solas para pensar en él. O sea que váyase a pescar, a recoger fresas silvestres o algo por el estilo.

Despidió a Elena sin demasiadas contemplaciones. Tenía una excusa ideal: la inminente llegada de las españolas le había impedido dormir su siesta reglamentaria y, por si fuese poco, durante la comida el vino cretense había puesto cloroformo en su cerebro.

Tomó asiento en un diván situado junto a una persiana que impedía la entrada de la luz solar. En la dulce penumbra cayó sumida en una ensoñación que mezclaba imágenes dispersas de su vida de ayer, mezcladas con flashes violentos de su amor presente. Al recuerdo de sí misma cuando se casó con el hombre que ahora estaba en la cárcel, se añadía el rostro bronceado del niño Borja Luis, gafitas incluidas. Era una alternancia donde ella sentíase dominadora, mientras expresaba el deseo de sentirse dominada.

La penumbra trajo visiones más ingratas. El hombre que estaba en la cárcel no se molestaba en pedir ayuda: dictaba órdenes, como siempre. El niño de las gafas se limitaba a suplicar. Pero era una súplica tan muda que Victoria no la entendió.

De pronto, la escena cambió completamente.

Era ahora una plaza medieval, como las que había visto en Jania: una plaza presidida por un fortín amenazador, donde aguardaban los condenados a muerte. Era fácil deducir la pena: decapitación, descuartizamiento, la hoguera tal vez. Ésta era, en todo caso, la suerte reservada al más joven de los condenados. ¿Tan joven? Mucho. Demasiado para semejante muerte. Casi era un infanticidio. Y aquí la sorpresa de la soñadora fue en aumento. El condenado no era su marido, sino el niño del *master*.

Imágenes siniestras. El joven reo arrastrado por los guardias de alguna temible inquisición. Su forcejeo para evitar que le atasen a la estaca. El clero preparando sus cantos de muerte disfrazados de cantos de vida. La leña crepitando alrededor del cuerpo.

Victoria vio cómo las llamas crecían y crecían. Apenas se veía el rostro del condenado. Sólo acertaba a entrever su rostro, contraído por el terror.

Entonces, ella gritó:

—¡Ayúdame, pequeño! ¡Sálvame!

Pero el joven levantó la cabeza por encima de las llamas y le escupió:

—¿Me están quemando y todavía me pides que te salve? ¡No puede pedirse egoísmo mayor, tía cabrona!

Se despertó bañada en sudor y con muchas ganas de llorar. No había tiempo. Ya era noche cerrada y Minifac había decidido llevarlas a cenar al puerto de Retimnon, la ciudad donde los venecianos dejaron más palacios por metro cuadrado.

VICTORIA NO VOLVIÓ A TENER PESADILLAS en las horas que siguieron. En cuanto a Elena, tuvo horas muy agradables porque reposaba en brazos de alguien·que había sabido despertar su intensidad. Fuera de aquellas pausas y algunas conversaciones impertinentes con Minifac Steiman, el tiempo se consumió esperando la llegada de las españolas, en el convencimiento de que los malos tragos cuando antes se pasen mejor.

Elena nunca pensó que llegarían tan pronto. No bien se lo comunicó Minifac, corrió a informar a Victoria, que se hallaba en el salón.

—No quiero asustarla, pero esas pájaras ya están en Creta.

—Lo sé. Acabo de verlas por televisión. Son todo un espectáculo. Han bajado del barco cargadas de banderas y estandartes. La princesa Von Petarden y la ministra de cultura van con peineta y mantilla. A alguna he visto vestida de faralaes. ¡Y no puede imaginarse lo que era María Asunción Solivianto, regalando escapularios a un grupo de turistas!

—Aunque no la conozco, puedo imaginarlo perfectamente. Como es natural, Stefanos..., quiero decir Edipa... ha salido a recibirlas para traerlas hasta aquí.

—¡No me asuste, por Dios! Una cosa es no huir de ellas, y otra tenerlas encima.

—Sin duda he exagerado. Quise decir que la gruta está en esta misma región, a media hora de nosotras. De todos modos, está usted a salvo. Edipa me ha aconsejado que no intervengamos.

—¿Por qué se lo aconseja a usted y no a mí?

—Porque no siempre va a ser usted la primera

en todo. Las demás también tenemos derecho a figurar en el cartel.

Victoria la miró con desconfianza, pero no tuvo más remedio que acceder a su propuesta. En el fondo no era tan discreta como para abstenerse de saber en qué paraba aquella absurda romería y, sobre todo, la intervención de una vidente tan rústica que practicaba la halterofilia y leía a Valéry.

—Viviendo en el despropósito, ¿qué importa uno más?

Y Elena Arquer pensó: «El más gordo de todos los despropósitos no lo conoces tú, monada. Espera a que te cuente y veremos lo que eres capaz de aguantar...»

De momento se limitó a proponer:

—Minifac nos llevará hasta la gruta. Podemos agazaparnos tras una roca y observar sin ser vistas.

—Pero ¿cree usted realmente que esta Edipa habla con la Virgen?

—¿Quiere que le sea sincera? —La otra asintió—. De una mujer como ella ya no me extraña nada. Incluso estoy dispuesta a creer que juega al mus con el Espíritu Santo.

Victoria notó que su amiga acababa de pronunciar aquellas palabras con énfasis de orgullo. Y aunque no supo interpretar la razón, sí le pareció raro que pudiese hablar con tanto convencimiento de una mujer de quien ni siquiera había oído hablar una semana antes.

Pero no se detuvieron aquí sus pensamientos. Mientras el coche de Minifac las llevaba a la gruta, ella recapacitaba sobre su propia relación con Elena Arquer; una relación que, salida de la nada, se había ido afirmando hasta convertirla en una confesora indispensable. No dudaba que lo mismo le ocurría a Elena. Partiendo de un propósito inicial sin importancia —un compromiso de trabajo nada más—, había llegado a distinguirla con singulares muestras de afecto. ¿Sería una mujer de amistades rápidas y admiraciones fáciles? Cualquiera de las dos sospechas podía funcionar.

En este punto, Victoria sintió una leve mortificación parecida a los celos. No era nada sexual, nada que pudiera parecerse al amor. Eran esos celos de la mujer cuando se siente desplazada en un terreno que creía dominar. Y como todas las mujeres mortificadas, no supo callar y arrojó un retintín:

—Me extraña mucho esta súbita amistad con Edipa.

—Más le extrañará, querida. Más le extrañará.

Victoria Barget no tuvo de tiempo de manifestar su desconcierto ante aquellas palabras, porque la visión que de pronto apareció ante sus ojos colmaba todas las expectativas de la perplejidad.

Subían por un pequeño altozano desde cuya cima se dominaba la entrada a la gruta. Acababan de llegar dos autocares cargados con las peregrinas españolas, además de los distintos objetos que traían consigo para montar el escenario como si de la Feria de Abril se tratara.

Sin embargo, la expedición llegaba con algunas bajas. Tanto es así que María Asunción Solivianto podía exclamar:

—¡Qué pena! Nos faltan las dos marujas para darle a la Virgen una visión completa de la piedad española de hoy.

Y es que Emilia de Ruiz-Ruiz y Margot Sepúlveda habían bajado con el equipaje en la mano y algunos improperios en los labios. Lo primero que hicieron fue pedir que las trasladasen al aeropuerto. Tenían muy claro que en Madrid faltaba gente, mientras que en Creta sobraba mucha.

—El tiempo justo para comprar unas cositas para los niños —decía Emilia a su amiga—. Después, que les den morcilla a todas.

No entraba en la cuenta Rosa Marconi, que se acercó a Margot con gestos de camaradería y ánimos de amistad.

—Comprendo que no le queden ganas de quedarse. De todas maneras, sí espero que le apetezca llamarme cuando estemos en Madrid y necesite ocuparse en algo. Estoy segura de que en algún lugar faltan plazas para mujeres de envergadura. ¿Me llamará?

—Por supuesto. No puedo permitirme el lujo de desatender un ofrecimiento tan interesante.

Miranda se acercó haciendo todo tipo de alharacas y prodigando cariños, como si la escena del pim-pam-pum no hubiese tenido lugar:

—Pero cómo, Maru-Emi. ¿Se van sin echarle un vistazo a la Virgen?

Emilia de Ruiz-Ruiz reveló una vena completamente desconocida. La que le permitía abominar de Miranda Boronat mientras, con ganas de escupirle en la cara, decía:

—Métansela donde les quepa. ¡Menuda Virgen debe de ser si se les aparece a ustedes!

Miranda Boronat la vio partir derrochando humos y autosuficiencia. No le gustó nada. Es más, la encontró tontísima.

Al llegar a la gruta, todavía lo estaba comentando:

—¡Huy! ¡Pues qué groseras han resultado esas

marujas! Tanto mejor. ¿Quiénes son ellas para que se les aparezca la *Notre-Dame*? Oye, tú, Marconi, linda: coge mi estandarte, que yo estoy herniada.

—Yo paso de Vírgenes. Voy a dar una vuelta por el campo.

—¡Sarracena! —gritó Pilar Prima de la Higuera. Y volviéndose a María Asunción Solivianto—: Amorosa: dile a la vidente que empecemos de una vez, que es de muy mal estilo hacer esperar a María Santísima.

La Solivianto tradujo el recado al francés. Edipa Katastrós dibujó una de sus sonrisas más esotéricas; es decir: la más vendible:

—No deben preocuparse —aclaró—. En esta caverna ha habido muchas apariciones a lo largo de los milenios, y ninguna deidad reparó en la hora. Algunas incluso se permitieron el lujo de ser impuntuales.

Pilar Prima de la Higuera, que estaba preparando su misal de honor, comentó:

—¿Dice que aquí hubo apariciones de diosas? ¡Pues es raro que Nuestra Señora haya elegido un sitio tan pagano!

—No le extrañe —dijo Edipa—. Siempre fue costumbre de las Vírgenes aparecerse en lugares donde antes hubo un santuario rival. Es la forma de manifestar su poder.

María Asunción Solivianto batió palmas en señal de admiración:

—¡Cuánta ciencia para una pobre rústica! Por cierto, querida, ¿cómo es usted tan musculosa? ¡Y esas espaldas!

—De cargar fardos, amiga mía. De fregar suelos. De tantos y tan arduos trabajos en el agro.

—¡Qué esclavizadas están las mujeres en estos

países! En fin, la Virgen agradecerá que señoras liberadas como nosotras acudamos, gozosas, a su culto.

Apareció Fificucha Osváldez exhibiendo el modelito que estrenaba para la aparición: pichi de crep, camisa floreadilla y pantys de rombos. Pura delicia.

—Todo lo que ustedes cuentan es lindo, lindo —exclamó la niña—. Quiero decir que la mitología es una pocholada. Pero a ver si de una vez se aparece la Virgen porque tengo ganas de ver a mi mamacita y reunirme con mi noviete.

—¿Estamos todas? —preguntó Pilar Prima de la Higuera.

—*Totus tuus! Totus, tuus!* —gritaron las peregrinas en un solo y conmovido grito.

Se formó una discreta comitiva encabezada por María Asunción Solivianto y Pilar Prima de la Higuera, que animaban al pío redil entonando uno de sus cantables predilectos:

> Del cielo ha bajado
> la madre de Dios,
> cantemos el ave
> a su concepción...

Desde su escondite, Elena Arquer se permitió un sarcasmo:

—¡Qué chiste tan bueno! ¡Qué broma tan descomunal! ¡Si ellas supieran...!

—Nunca sabrán, porque son creyentes y el creyente no quiere saber... —murmuró Victoria, como para sí.

Elena la miró fijamente. Seguía intrigándole su comportamiento, sus opciones y sus rechazos. Pero ahora podía permitirse una pequeña ventaja sobre ella: «¿De qué presumes tú que tampoco sabes nada, tú, que ni siquiera intuyes? ¡Si supieras que acabo de alterar todos los órdenes! ¡Si supieras solamente lo que yo ya sé!»

Seguía avanzando la procesión. Desfilaba, solemne y circunspecta la Solivianto y, detrás, todas sus fieles: marquesas, condesas, baronesas, catalanas, andaluzas, mañas, vascas, todas, todas, las más puestas con el uniforme morado de las penitentes profesionales, las más elegantonas —como Celeste von Petarden y Amparo Risotto— ataviadas de Semana Santa. Una de las barcelonesas entonó una saeta con acento del Club de Golf. Y seguían avanzando. Las unas rosario en mano, las otras con un cirio, alguna con un pendón de los que habían confeccionado en el barco...

—Cantad, niñas, cantad —decía la Solivianto—. Forcemos con nuestras voces la aparición de la Señora.

—Nosotras en nuestro idioma —dijo Mariona Finestrell i Palautordera a sus amigas, esposas de *consellers*—: *Refileu, nenas, refileu!*

El meu ésser s'extasia
contemplant-vos, oh Maria!

La entrada en la caverna fue tan impresionante que algunas no supieron si iban de aparición o entraban a protagonizar una película de terror.

El suelo estaba lleno de rastros de cultos anteriores a cualquier época conocida. Por doquier había vasijas rotas, puntas de lanza, y hasta algunas calaveras que motivaron varios aullidos, especialmente de Miranda Boronat y Fificucha Osváldez.

456

En previsión de posibles sustos avanzaban todas unidas, con los estandartes bajos para no rozar el techo, del que colgaban cristales y estalactitas de las más fantasiosas formas.

Vieron entonces que en una de las paredes frontales había una especie de hornacina, que en otro tiempo sirvió de culto a alguna imagen, a juzgar por las vasijas amontonadas alrededor.

Poseída por una suerte de misticismo que fue muy aplaudido, Edipa Katastrós se arrodilló junto a un pozo del que surgían espesos vapores, que acabaron creando una densa muralla entre las peregrinas y el altar del culto.

—Sobre todo no hagan fotografías —advirtió Edipa a las chicas de la prensa—. Los derechos de la aparición pertenecen a la Iglesia griega.

—Nos ha fastidiado la exclusiva —dijo Bría Tupinamba, cerrando el objetivo de su cámara.

—De ningún modo —dijo Milena Sánchez-Quirk—. Lo que vende no es la Virgen, sino el vestido de la Von Petarden, y eso ya lo tenemos retratado.

Edipa cayó de rodillas y, con los brazos en alto, empezó su invocación, utilizando el idioma francés en deferencia a tanta extranjera.

—Deja que cante, ¡oh Musa!, las alabanzas de los habitantes del cielo. Enséñame a reconocer la voz de las alturas, adiéstrame en la entonación de los salmos que claman a la virginidad sin mácula...

—¿Qué dice esa griega? —preguntó Pilar Prima de la Higuera, un poco mosca—. ¿De dónde ha sacado esta salmodia?

—Dejémosla hacer —aconsejó María Asunción Solivianto—. Cada país, cada cultura, tienen sus invocaciones, rezos y letanías. Y la Virgen, que es de ley, sabe atenderlas a todas.

Seguía Edipa envuelta en vapores, y recitando su copla:

—Revélanos, ¡oh Musa!, la presencia de la que todo lo puede. Tráenos en cuerpo mortal a la reina de las esferas, la hija del cielo, emperatriz de los astros.

Se oyó entonces una voz de trueno, que parecía provenir de las entrañas del mundo:

—Comparece la Gran Madre. La Gran Reina del amor hecha hembra.

No bien se hubo extinguido el eco de la voz en las profundidades de la caverna, los vapores que rodeaban a Edipa fueron adquiriendo muy variados colores, desde el más tenue al más llamativo. Y entre gases variopintos empezó a delimitarse una figura humana que parecía irradiar todas las luces de la creación.

Las nubes sólo permitían ver el rostro, que se anunciaba de belleza soberana. En realidad nunca se había visto una faz tan bella, ni de hombre ni de mujer, en toda la historia del mundo. Y a medida que las nubes se difuminaban, las peregrinas pudieron descubrir una larga cabellera rubia, parecida al oro fino.

El milagro llegó a su cenit cuando se fueron perfilando las perfectas redondeces de unos senos, la lisa muralla de un vientre perfecto, unas soberbias pantorrillas y, por fin, un pubis tan dorado como la cabellera.

De repente, María Asunción Solivianto exhaló un grito de horror:

—¡Está desnuda! —gritó—. ¡Está desnuda!

—¡La Virgen en pelota viva! —exclamó Miranda Boronat—. ¡Este cuadro no lo había visto nunca!

—Pero ¿de qué va esa Virgen? —exclamó Pilar

Prima de la Higuera—. ¿Cómo se entiende este sacrilegio?

La propia Edipa no podía disimular su asombro.

—Yo tampoco lo entiendo —aclaró—. Vamos, que no tenía ni idea de que la Virgen se dedicase al *strip-tease*.

La hermosa visión abrió completamente los brazos para mejor mostrar su desnudez. Y así habló por los mil ecos de la caverna:

—Yo soy Afrodita, hija del padre Zeus. Yo soy la que soy y la que fui y la que siempre seré. No vengo en son de paz sino de guerra. Vengo a levantar al hijo contra el padre, al vecino contra el vecino...

—¡Tía guarra! —gritó Pilar Prima de la Higuera—. ¡Esto lo dijo Jesucristo!

A lo que contestó la diosa, en tono airado y burlón a la vez:

—Pues ahora lo digo yo, pepona, más que pepona. Mucho antes de que llegase vuestro Dios estábamos nosotras, las diosas de la tierra, las grandes amantes del cielo. Yo soy Afrodita, la más hermosa, Venus, la más carnal, Astarté, la más ardiente. Yo soy Ella, la que debe ser obedecida. Por eso os digo, desgraciadas, que nunca escuchasteis mis voces y así os ha ido la vida. Os digo sí, que sois pedorras, mentecatas, gilipollas, cretinas y burras...

—¡Qué diosa tan deslenguada!

—Eso no es una diosa. Es un putón verbenero.

—... majaderas, subnormales, desgraciadas, mamertonas, con vuestras vidas malgastadas, vuestros cuerpos quemados en altares de represión. Me ofendéis con vuestros hábitos monjiles, me humilláis con vuestros rostros ajados, me dais miedo con esa expresión avinagrada... ¿Qué sois? Una amenaza contra las veras fuerzas del mundo. ¿Adónde iréis? ¡Al infierno de las reprimidas!

María Asunción Solivianto se dio cuenta de que Edipa Katastrós escapaba apresuradamente, como si supiese de antemano que podía ocurrir algo más insólito todavía.

Y, en su veloz carrera, iba gritando:

—¡Juro que no sabía nada! Sólo sabía que la isla siempre sabrá más que todos nosotros.

La huida de Edipa coincidió con una tremenda carcajada de Venus Afrodita. Sonaba con la fuerza de un ultramundo más poderoso que todas las fuerzas de Natura. Y entonces, el prodigio alcanzó su culminación con un clamor ensordecedor que dejó sin habla a todas las peregrinas. Era como un gigantesco terremoto que la tierra escupía desde el suelo, los muros y el techo de la caverna. Era un cataclismo que parecía brotar del próspero sexo de la diosa.

La caverna empezó a dar vueltas sobre sí misma, los muros se cuartearon, las rocas se desprendieron de sus hermanas, las pétreas columnas se resquebrajaron, crujieron las estalactitas, y del fondo de la tierra surgió un volcán.

—Esto no va con nosotras —contestó la princesa Von Petarden—. La diosa puede estar contenta del empleo que hemos dado a nuestro cuerpo. Así que pongamos pies en polvorosa.

Fue dicho y hecho: ella y Beverly corrieron como una exhalación hacia la salida, seguidas por Miranda, siempre dispuesta a imitar a las más listas:

—¡Angélica! ¡Que se te cae la peineta y la mantilla!

—¡Te la guardas para el Corpus Christi! —gritó la princesa, sin mirar atrás.

Empujada en su huida por la ministra de Cultura, Miranda Boronat arrastraba de la mano a la marquesa del Pozo del tío Raimundo y ésta a Perla de Pougy, que a su vez intentaba salvar a alguna de las chicas de los medios, no por humanidad sino en interés de su buena fama.

Miranda siempre se arrepintió de volver la cabeza, como la mujer de Lot, porque lo que acertó a ver fue espantoso. Ni siquiera su tendencia a la exageración servía para describir aquella carnicería. Era ya un mar de lava, sobre cuyas olas flotaban mantillas, rosarios, estandartes y pendones. Y alguna de las moribundas todavía se sentía con ánimos para soltar una frase célebre.

—¡España se queda sola! —gritaba Pilar Prima de la Higuera en el momento de ser aplastada por una roca ígnea.

Y oíase a las esposas de los *consellers* de la Generalitat invocando la ayuda del *Presidentíssim* todopoderoso. Fue lo último que dijeron mientras la corriente las arrastraba hacia el fondo de la caverna, donde Afrodita seguía con sus maldiciones.

Llegaban al exterior, jadeantes y escopeteadas, las escasas supervivientes.

En su escondite, Elena Arquer dijo a Victoria Barget:

—¿Esa que grita como una histérica no es su hija?

—Si grita como una histérica podría ser cualquiera de ellas; pero es, en efecto, mi hija.

Victoria estaba a punto de escapar, pero Elena la retuvo cogiéndole fuertemente el brazo.

—Naturalmente, no pensará huir de ella otra vez.

—Según lo que hemos hablado antes no debería, ¿verdad? —Elena negó con la cabeza. Victoria se encogió de hombros—. Pues no retrasemos uno de esos encuentros entre mujeres que tanto conmueven en los folletines.

De la cueva seguían saliendo mujeres, destrozadas, mugrientas, llenas de polvo. Unas tropezaban con las rocas que se habían precipitado desde las cimas. Otras se desmayaban a medio camino, algunas entonaban plegarias, las más se revolcaban en pleno ataque de histerismo...

La princesa Von Petarden, ya sin peineta, adoptaba actitudes regias:

—Nos hemos salvado por purito milagro. Se conoce que la ardiente Venus me recompensa por los años que la serví con tanto ahínco.

Mientras Beverly la abanicaba con su bolso de paja, la princesa reparó en Amparo Risotto, que avanzaba tambaleante, el vestido de raso reducido a harapos. Sobre el moño, demasiado revuelto para parecer tal, todavía se balanceaba la indómita peineta.

—Tendré que empezar a creer en Dios a partir de ahora. Estoy segura de que ha querido salvarme para que pueda reorganizar el Ministerio de Cultura.

Y cayó de rodillas mientras Miranda Boronat, con expresión alucinada, iba cantando:

Del terremoto de San Francisco
yo me he librao... zas, zas, zas.

462

MINIFAC STEIMAN APROVECHÓ EL BUEN TIEMPO para organizar en el jardín de su casa no un *picnic* encantador, como hubiera sido su gusto, sino un hospital eficaz destinado a curar a las peregrinas españolas que todavía quedaban con vida. En cuanto a las desahuciadas, nadie podría decir que murieron sin confesión, porque apenas transcurrida media hora del accidente, llegaba un autobús repleto de popes, dispuestos a distribuir un cúmulo de extremaunciones.

—Total, sólo se están muriendo tres —dijo Miranda a Minifac—. Y no crea usted que son muy conocidas. Segunda o tercera fila de la *jet*, como mucho.

Minifac Steiman estaba en su elemento. Se había puesto un vestido largo, mandil blanco y un pañuelo de lunares que le recogía el pelo. Iba de un lado para otro dando órdenes y consolando a las damnificadas. En un momento determinado se detuvo a lavar unas vendas en un caldero de agua hirviendo, y exclamó con ardiente fe:

—Me siento como la bondadosa Melania Hamilton en el sitio de Atlanta. ¿Lo ven ustedes? Nunca puede decirse de estas ficciones no beberé.

Contagiada por el elevado espíritu de filantropía que flotaba en el ambiente, hasta Miranda Boronat se atrevió a suplicar:

—Quiero sentirme útil, servir para algo, ayudar a mis prójimas...

—¿Qué sabe hacer, querida? —preguntó Minifac.

—Nada, pero si me da unas tijeras puedo cortar un brazo gangrenado, una pierna podrida, algún intestino, cosas así, de alta cirugía...

Minifac la mandó a la porra. Profundamente herida en su amor propio, Miranda optó por desarrollar otra faceta de lo que ella entendía como «servicio público». Así pues, se desplazó hacia una hamaca donde la princesa Von Petarden estaba recibiendo los solícitos cuidados de su secretaria.

—Traigo la lista de bajas —voceó Miranda, a modo de pregonero de pueblo—. A la pobre María Asunción Solivianto le ha atravesado la tripa una estalactita. Olivia Sotomayor ha muerto desnucada huyendo de la lava, que a su vez ha arrastrado a la pobre condesa de Saguntillo, dejándola reducida a cenizas. También han muerto abrasadas Almudena del Pedral, Mauricia Resclós, Sensita de Olot...

En este punto, la interrumpió Beverly Gladys Gutiérrez, en tono desbocado:

—¡Basta ya, pájaro de mal agüero! ¿No ve usted que la pobre princesa está malherida?

En realidad la Von Petarden era víctima de un ligero rasguño en la mejilla. Sus abundantes lágrimas se debían a otros motivos:

—¡Qué infortunio! ¿Cómo vamos a celebrar el Día de la Mujer Trabajadora con el pasaje diezmado? Ya no tendremos baronesas que organicen el rastrillo, ni marquesitas que condimenten deliciosas patatas viudas...

—¡Y esas pobres barcelonesas, que habían ensayado tantas sevillanas! ¡Ay! ¿De qué les servirán en el otro mundo?

—De muy poco —dijo Miranda Boronat—. Sobre todo porque la virgen de Montserrat, que es la de ellas, más bien se espera una sardana.

La princesa decidió que ya había agotado su cupo de lágrimas dedicadas al prójimo:

—Bueno, que cada cual se las entienda con sus Vírgenes. Nosotras debemos cumplir con los seres que tenemos en la tierra. Beverly, amorosa: telegrafíe al príncipe para que sepa que estoy sana y salva. Y añada que, de regreso, pasaré unos días en París para reponerme del susto y comprar quesos y patés.

Viendo que tampoco en aquel rincón era deseada su presencia, Miranda se perdió entre un grupo de enfermeros y policías que, por ser griegos, no le daban la menor oportunidad de palique.

Descubrió deambulando entre el caos a la marquesa del Pozo del tío Raimundo. Parecía una sonámbula: paso vacilante, los brazos abiertos en cruz, los ojos desorbitados. En aquella actitud iba formulando preguntas inconexas a los popes que se movían de un lado para otro, con la extremaunción a cuestas.

Miranda corrió en auxilio de la venerable dama, creyéndola, acaso, trastocada.

—¡Qué le ocurre, abuela? ¿Qué busca entre esos venerables, que parece como si fuese a sobarlos uno a uno?

La anciana entornó los ojos, y Miranda creyó verlos empapados por un exceso de agua del Carmen (o lo que Zenaida entendía como tal).

—¡Ay, Mirandilla! ¡Cuán y cuán vana es la esperanza de una madre! Por un instante imaginé que entre esos santos varones se hallaría mi hijo. Olvidé que su reino es de otra isla.

—Claro, mujer. Estará en su orfanato, cambiándoles los pañales a los niños de dieciocho años. No va a dejar que se les escalde el culín, pobrecitos. Por cierto, ¿usted cree que esos popes me dejarían confesar a alguna agonizante?

—¡Pero, bueno, ¿es que has de ser cotilla hasta en la hora de la muerte?!

Miranda prescindió de toda crítica. Al ver que un religioso provisto de barba hasta el ombligo estaba confesando a la siempre indiscreta Nenita Álvarez, se puso a su lado y se permitió sugerir:

—Señor pope, señor pope: dígale que le cuente si se acostó con Marcial Perrete; así no nos quedamos con la duda.

Pero el pope no entendía el español, de manera que dio la bendición a tontas y a locas mientras la moribunda dedicaba a Miranda una última mirada de saña:

—¡Bruja, más que bruja!

Y expiró con tan dulces palabras en la boca.

—¡Qué carácter! —exclamó Miranda, dolorida—. ¡Ha tenido que morirse insultándome!

Seguía Miranda deambulando entre malheridas, popes y ambulancias, sintiéndose rechazada en todas partes. Y estaba a punto de iniciar una meditación sobre la ingratitud de la humana especie, cuando vio aparecer a Rosa Marconi entre un montón de rústicos que habían acudido a contemplar de cerca el accidente.

Recordó que la Marconi, atea al fin, se había abstenido de entrar en la cueva. Todo esto había ganado su vestuario, que estaba impoluto. No podía tener Miranda mayor motivo de envidia. Así que, en medio del drama general, se le ocurrió decir:

—Eres la única que va monísima. Aquí se demuestra que el modelo safari es el mejor para ir de apariciones. ¿Me dejas que me pruebe los botines?

—Ahora no puedo. Es necesario que tome el primer avión. ¡Oh, Miranda! No te lo vas a creer.

Mientras vosotras estabais en lo de la Virgen, yo he hablado con Madrid. Si llego a tiempo de montar un reportaje lo pondrán en primera cadena y, además, en *prime time*...

—¿*Prime time* es una tienda de ropa?

—No, burra. Es la hora punta. Esa hora mágica para las reinonas de la comunicación; ese momento privilegiado en que los españoles están cenando y tienen la tele puesta...

—¡Pues vaya cena les vas a dar, pobre gente! Si les pones un plano de María Asunción Solivianto atravesada por la estalactita, devolverán el cocido y sus complementos. Claro que la culpa será de ellos, por comer cocido de noche. No debe hacerse jamás de los jamases.

—Tampoco la paella —dijo Amparo Risotto, que acababa de oír las últimas palabras. Y añadió—: ¿De qué va la conversación, queridas? Por lo menos, que sea amena, porque esta situación me saca de quicio.

—Nuestra genio de la pequeñísima pantalla ha obtenido un horario especial para fastidiarles la cena a los españoles...

—Luego vuelves a la televisión. ¡No te puedo creer! ¿Y tus deseos de enmienda? ¿Y tus nobles propósitos de no seguir contribuyendo a la estulticia nacional? Aunque eso es lo de menos porque para solucionarlo ya está mi ministerio. Es que temo por ti y, más exactamente, por tu sistema nervioso. Te veo en un frenopático. Imagínate que pones todo tu amor en ese programa y transmiten un partido de fútbol en otra cadena. ¿A que vuelves a quedarte frustrada y colgada del prozac?

—De todos modos quiero probar de nuevo. Ahora puedo luchar desde un frente más favorable. El *prime time* es el sueño de los dioses; la primera cadena es el desafío de los conquistadores. Nada puede existir más excitante para una mujer. La posibilidad de ser amada por millones de personas. La seguridad de convertirse en un líder de opinión. ¡Con esa carta en mi mano me comeré el mundo! ¡Sabréis de mí, muchachas, sabréis de mí!

La vieron alejarse con la decisión de quien se sabe destinada al triunfo. Llevaba en su mirada semillas de futuro. Albergaba en su pecho el temple de la posteridad. Y al verla en aquel trance, la ministra se limitó a encogerse de hombros pensando, como buena filósofa, que cada loco tiene su tema y cada cárcel sus atractivos incomprensibles para quien nunca fue prisionero.

—Tantas desgracias juntas me han abierto el apetito —exclamó la Risotto—. ¡No sabe usted lo que daría por una buena paella!

—Vamos a la cocina, a ver si está disponible alguna esclava de Minifac. A usted no le negarán nada porque es ministrísima —dijo Miranda.

—Pero no es lo mismo. Para una buena paella se requiere el agua de Valencia. Es el secreto fundamental. ¡Ay, *aigüeta* de mi tierra! ¡Cuánta falta haces en las cocinas de otros mundos!

—Hija, ni que fuese chinchón.

Y mientras esas mujeres conversaban sobre el noble arte de la paella, la fuerza de los sentimientos volvía con otro tipo de voluntad que no ha dejado de prosperar en las almas nobles desde que el mundo es mundo. Esa voluntad que pone en el corazón de las madres un punto de sublimidad y en el de las hijas un no sé qué de redención.

Era Minifac Steiman quien transmitía a Victoria Barget la venturosa nueva:

—Amiga mía, su hija me ha abordado con ansias de información. Usted ya me conoce: adoro solucionar cualquier pleito relacionado con los sentimientos. Como si su caso fuese el de uno de mis personajes, he expuesto a esa hija suya cuatro pormenores de su situación. No ha sido menester discursos ni palinodias. Ella ha comprendido. Sí, ha comprendido tanto que quiere reconciliarse con usted. Recíbala con los brazos abiertos, por favor.

Se producía, pues, el esperado encuentro de la madre y la hija, entre los escombros, entre los cadáveres, entre las heridas y los enfermeros.

—¡Mamá! —dijo Fificucha con emoción contenida.

—Hijita —dijo Victoria, sin el menor asomo de emoción.

Fificucha señaló a Minifac, que continuaba cortando vendas y pasándolas a sus ayudantes.

—He hablado con esa escritora... ¿Cómo se llama? ¡Ah, sí, la Martín Gaite...!

—No, hija. Minifac Steiman. ¿Por qué no pruebas a leer un libro de vez en cuando? Te asombrará lo que puedes aprender.

—No he venido a hablar de literatura.

—Es que no podrías. Ni de literatura ni de nada. Anda, di lo que quieres y vuélvete a Madrid cuanto antes, que tu papá te necesita.

—Sólo quiero decirte, mamá, que doña Minifac me ha contado toda tu historia...

—¿Y bien?

—He comprendido, mamá. He comprendido.

—Pues me alegro, pero de todos modos pensaba seguir adelante aun sin tu comprensión.

—Pero, mamaíta, ¿ni siquiera muestras un poco de arrepentimiento?

—Claro que sí, hijita. Me arrepiento de haberme casado con tu padre, de haberte dado a luz, de mi juventud sacrificada en un mundo de cretinos...

—¡Pero no, mamaíta! Para que yo pueda mostrarme comprensiva tienes que arrepentirte de haberme quitado el novio.

—Es que no es tu novio, hijita. Es mi amante.

—Mamaíta, me lo estás poniendo muy difícil.

—Pues con volverte a Madrid y llevarle tabaco a tu pobre padre lo tienes solucionado. Aquí no se te ha perdido nada.

—Mamá, yo esperaba que, después de yo comprender, tú serías más comprensiva aún y dirías: «Hija mía, renuncio a Borja Luis y me retiro para que triunfe la juventud. Y lo hago aunque me esté muriendo de dolor.» Esto sería muy abnegado y bonito por tu parte.

—Es que yo no pienso sentir el menor dolor, hijita. Ni tengo por qué permitir que triunfe la juventud, si ésta no se lo ha merecido. Los hombres, guapa, son para quienes se los trabajan. Y tú, en toda tu vida, no has dado ni golpe para conseguir algo. Podrías empezar buscándote un novio en Marbella. Porque a Borja Luis, hija mía, no lo catarás.

—He comprendido.

—También es un buen comienzo. La última vez que comprendiste algo empezabas a dar tus primeros pasitos.

Se besaron con ese cariño insustituible que presuponemos al amor materno y al amor filial felizmente conjuntados.

Pero antes de separarse Fificucha Osváldez se volvió por última vez:

—Mamaíta, cuando llegue a Madrid pienso renovar mi vestuario en las tiendas de costumbre. ¿Puedo decir que lo pongan en tu cuenta?

—Sí, hijita amada, pero procura que pongan algo en la de tu padre. Diga lo que diga, todavía le quedan millones en algún lugar del mundo...

Victoria se abrió paso entre la multitud hasta localizar a Minifac, que seguía disfrutando lo indecible en su papel de enfermera mayor.

—¿Se puede saber qué le ha dicho a mi hija para que comprendiese con tanta rapidez?

—He estado espléndida, como acostumbro. Le he contado que ella tiene toda la vida por delante, mientras usted se encuentra en el último tramo. «Piensa en esta pobre menopáusica (le he dicho), piensa en lo doloroso que ha de ser para ella encontrarse en la última playa de la vida. Es su última oportunidad para amar, porque dentro de poco estará toda arrugadita, arteriosclerósica, sin posibilidades de que se fije en ella ni el más tontito entre los chicos de tu edad.» He dejado bien claro que el triunfo de su hija sería para usted un golpe mortal que la arrojaría definitivamente a la vejez del alma.

—¡Mujer! ¡Tiene usted una forma de decir las cosas!

—No olvide que soy una *best-seller* profesional. Por cierto: con la penetración psicológica que caracteriza a los de mi oficio he llegado ya al desenlace de mi novela.

—Conociéndola, imagino que aprovechará la presencia de mi hija.

—De ningún modo. Es demasiado tonta para dar un personaje medianamente interesante. Mi novela acaba bien para el personaje inspirado en usted. Vuelve con el adorable muchachito del *master*.

—¿Pese a lo que usted aconsejó?

—Una escritora puede aconsejar, pero el alma de una mujer tiene alas propias que nadie cortará.

—Después de todo, me consuela. Siempre temí que acabaría liada con mi amiga.

—No era necesario. Su amiga ha satisfecho sus afanes por caminos tan sorprendentes que, a su lado, los placeres de Cleopatra son de una normalidad estremecedora.

—¿Qué me está usted contando? ¿De qué parte de su rocambolesca mente ha podido sacar tal disparate?

Minifac Steiman dejó de lado el romance para introducirse en los vericuetos de la mitología, y aunque sus conocimientos apenas pasaban del fuego de Prometeo, supo exponer algunas nociones sobre el hermafroditismo gracias a la lectura de alguna revista de divulgación erótica.

Después de unos instantes de perplejidad, Victoria exhaló un aullido de histeria. De su boca salieron insultos varios y en absoluto refinados. No esperó más. Abriéndose paso entre popes y enfermeros corrió hacia el porche de la casa. Allí estaba Elena Arquer, dándole cucharadas de caldito de hierbas a la marquesa del Pozo del tío Raimundo.

—Minifac me ha contado el final de su novela... y, claro está, no ha omitido esa sucia historia de Edipa Katastrós.

—¡Cuidado con los adjetivos! —contestó la Arquer, en tono bélico—. Edipa es muy limpia. O muy limpio, como usted prefiera.

—¡Calle! ¡No quiero oírla! Acabo de llevarme la mayor decepción de mi vida. Yo la tenía por sensata, la tomé por confesora, le he brindado mi amistad y mi admiración. ¿Y con qué me sale? ¡Usted es una coleccionista de indecencias! Primero tiene dos hijos incestuosos. Ahora se lía con un hermafrodita. ¡Estoy escandalizada!

La marquesa del Pozo del tío Raimundo no daba crédito a sus oídos. Por un momento temió que, al hablar de un hermafrodita, se refiriesen a su hijo. Desdeñado este temor, albergó otro: Victoria estaba a punto de dejar calva a la otra señora a fuerza de tirarle del pelo.

—¡Escandalizada usted! —gritaba la Arquer—. ¡Ésta sí que es buena! ¿Cómo se atreve a escandalizarse? Viene del mundo del fraude, ¿no es así? Busca ponerse a resguardo de una sociedad donde las apariencias más respetables esconden el canallismo más vil, y se asombra de que aquí, en Grecia, algunas descubramos que, tras las apariencias, puede esconderse una nueva vida. ¿Y sabe cuál? La de la transgresión, señora. La que conocí en mi juventud vuelvo a conocerla ahora. ¿Qué demonios me importan los caminos por los que me llega? Por lo menos no me caso con un estafador, como hizo usted.

—¡Cuidado con lo que dice! Yo seré la esposa de un estafador, pero es un hombre a fin de cuentas. Por lo menos no tiene tetas.

—¡Menudo hombre! No tendrá tetas, desde luego, pero con lo que tiene ha arruinado a más familias que un terremoto. No sabe lo que se ahorraría el pueblo español si su marido fuese un hermafrodita y no un canalla.

—¡Muy bien! Por lo menos es la opción de una mujer normal. Algo que usted nunca entenderá.

—¡No me haga reír! ¡Usted será normal, pero mujer, ni hablar! ¡Usted es un témpano! Todo le ha sido muy fácil, ¿verdad? Incluso abandonar. Pero le ha sido fácil porque nunca ha amado a nadie. Ni a su marido, ni a su hija, ni a usted misma. Lo único que le ha importado es pescar un buen dinero y echar a correr.

—Querrá decir a navegar. Pero, sea lo que sea, a usted no le importa.

—Sí, desde el momento en que se atreve a hacerme reproches. ¡Usted, a quien todas sus amigas pueden reprochar que sea una choriza!

—¡Ellas! Menudas lagartas. ¿No inventaron sus maridos el choriceo? Pues quien roba a un ladrón tiene cien años de perdón.

La marquesa del Pozo del tío Raimundo permanecía inmóvil entre las dos, sin levantar los ojos del suelo, en el temor de que se escapase algún tortazo. De momento seguían escapándose los insultos, y en tropel.

—¿Verdad, abuela, que esa tía es una fresca?

—Yo no sé nada —dijo la marquesa, temblando—. Yo quiero volver a Madrid y no moverme nunca más del barrio de Salamanca.

—¡Pues es una fresca! —siguió gritando Elena—. Y, además, una devoradora de hombres que ahora juega inplacablemente con un jovencito inexperto, después de haberle dejado compuesto y sin novia.

—¡Le prohíbo que toque este tema!

—¿Prohibiciones a mí? Pues toco este tema y todos los que puedan demostrar su crueldad. Porque está a punto de hacer desgraciado para los restos a un angelito que sólo tiene en la vida un *master* de no se sabe exactamente qué.

—No tiene usted razón. Le quiero. ¡Le quiero mucho!

Victoria había pronunciado aquellas frases

con un gemido angustioso, capaz de estremecer. Y por un instante Elena supo que la bronca había terminado. Mientras repetía sus votos de amor estalló en un llanto convulsivo, que participaba también de una tensión acumulada durante varios días.

Era ese momento en que las almas nobles se conceden un escape de piedad.

—Ande, cálmese —dijo Elena—. Así está deplorable. Parece una de las ochenta mejores amigas de Miranda Boronat.

—¡Es que le quiero!

—Entonces ¿por qué se complica tanto la vida? Y, sobre todo, ¿por qué me la complica a mí?

—Porque el miedo puede más que yo. Cuando la comedia termina sólo me queda esa realidad. El miedo de no poder controlar. Y cuando esto ocurre, ya no estoy segura de nada.

—Si le consuela, tampoco lo estoy yo. ¿Cómo iba a estarlo con lo que me ha caído encima? Pero una cosa tengo por cierta: necesito saber que en el mundo todavía existe alguna cosa capaz de sorprenderme, luego susceptible de excitarme. Y sólo le estoy hablando del día de hoy. No quiero pensar en el futuro ni machacar la memoria con los días de ayer, los de anteayer y todos los que vinieron antes...

En aquel punto apareció Edipa Katastrós, que entre susto y susto había ido a cambiarse. Las botas de montar, los pantalones de pana, el chaleco de piel de cabra y el pelo aplastado hacia atrás favorecían cualquier equívoco.

—¡Qué campesino tan guapetón! —exclamó, admirada, Zenaida del Pozo del tío Raimundo.

—Es un caso muy especial —murmuró Victoria—. Pero, en fin, alguno habrá que lo sea todavía más. No desesperemos.

—Si quieres te presentaré a mi hijo —sugirió la marquesa, con extrema prudencia.

—¿Es realmente especial?

—Es archimandrita. Pero, ahora que caigo, igual es monja y yo no me he dado cuenta.

EPÍLOGO

Feliz quien, como Ulises,
ha hecho un largo viaje...

A LA MAÑANA SIGUIENTE, los dos autocares abandonaban la bahía dejando tras de sí algunos cadáveres y una maldición en labios de los lugareños, convencidos de que el mujerío hispánico había traído la desgracia y la destrucción. Sólo un matrimonio de montañeses bendijo el nombre de Perla de Pougy por su espléndida propina. Y no es que la dama se hubiese vuelto generosa de repente, pero consideró justo gratificar a aquellos venturosos padres por permitirle gozar de los favores de su hijo Petros: un zagalillo de trece años cuyas potencias viriles desafiaban todo lo imaginable. Tanto que, al desplomarse ambos debajo de una higuera, Perla emitió un grito de placer como no habían oído los cretenses desde los tiempos de la casquivana reina Pasifae.

Para asombro, el que experimentaron las más ancianas del pueblo cuando vieron bajar de un taxi a dos mujeres de raza blanca ataviadas de raza incomprensible. Hubo un sinfín de rumores, por otro lado lógicos. Ninguna cretense estaba preparada para apreciar, sin entrenamiento pre

vio, lo que Visnú De Meller entendía por sofisticación y Tina Vélez por atuendo funcional.

A pleno día, la chaquetilla de plumas de aves-
truz de la sofisticada parecía un tanto fuera de
lugar, pero ya era más sintomático que la enorme
túnica de lunares de la sencilla pareciese tan ina-
decuada de día como de noche. Incluso para un
camisón hubiera resultado ridícula, no digamos
como atuendo de viaje.

Preguntar a dos viejas hilanderas de un remoto pueblo cretense por las señas de Minifac
Steiman era una empresa tan ardua como inten-
tar convencerlas de que eran dos personas normales. Pero como ésta era también la fama de
que gozaba Minifac, su localización resultó más
fácil de lo previsto. Comprendieron que iban por
buen camino cuando vieron que las hilanderas se
santiguaban, presas de terror, indicando con un
brusco gesto de cabeza el camino hacia el palacio
de la colina.

—¿Tú crees que esa Minifac nos recibirá?
—preguntó Visnú, mientras regresaban al taxi.

—No lo dudes. Me debe un café con leche. La
última vez que estuvo en Madrid, pagué yo.

Mientras el taxi remontaba la colina, Visnú De
Meller aprovechó para empolvarse la nariz. Se
encontró maravillosa, como es natural. Tina Vélez se limitaba a calcular mentalmente lo que iba
subiendo el taxímetro.

Minifac Steiman las recibió con su acostumbrado buen hacer. En cierto modo, desconfiaba
de aquella visita porque durante algunos años
Tina Vélez la había sometido a un acoso impla-
cable para conseguir representarla en exclusiva.
Por esto respiró, con alivio, al saber que el objeto
de aquella visita era otra escritora. Así consolada,

ordenó bebidas al servicio. Además, devolvió a Tina Vélez su café con leche, añadiendo una pastillita de sacarina británica.

—Yo, a estas horas, siempre bebo champán —dijo Visnú, con un mohín de pavo real.

—Lo apruebo —dijo Minifac, en tono afectadísimo—. Una mujer con esa costumbre demuestra saber lo que quiere. El champán siempre fue el néctar del triunfo.

Tina Vélez pensó que estaba asistiendo a un intercambio de gilipolleces, pero supo guardar silencio.

—Champán francés, bien *sure*, y *naturellement* y *of course* —proclamó Visnú.

—¿Es que existe otro tipo de champán? Para mí, lo que no sea Dom Perignon es agua de litines, *cherie*.

Las dos emitieron risitas de bacarrá. Tina Vélez empezaba a perder la paciencia.

—Es usted demasiado gastona, Minifac. A este paso no le quedará ni una libra esterlina para la jubilación. Que, dicho sea de paso, estará al caer.

—Una escritora nunca se jubila. Sobre todo cuando necesita champán francés para remojar la extremaunción.

Volvieron a reír, volvieron a brindar, y así sucesivas veces hasta que Tina Vélez estalló:

—Bueno, déjense ya de tonterías. Estamos buscando a Edipa Katastrós, escritora y vidente. En la isla de Patmos nos dijeron que es su huésped.

—Está aquí, en efecto, pero no sé si podrá bajar ahora. La he dejado haciéndole mimos a su novia.

—Será novio —se aventuró a decir Visnú De

Meller—. Nos consta que lo tiene. En Patmos vimos su gimnasio.

—¿Un gimnasio del novio? Tal vez sí o tal vez no. ¿Es novia él? ¿Es novio ella? Si quiere que le diga la verdad, encantadora Visnú, yo ya no entiendo nada. De todos modos, haré que la avisen.

Ni Visnú ni Tina reconocieron a su esperada rústica en la figura que apareció al cabo de unos momentos. Y es que en lugar de pañoleta negra y mandil de pueblerina, Edipa aparecía vestida como un mozo sacado de una representación de *La del soto del Parral*.

Sonó una voz férrea y al mismo tiempo dulzona:

—Yo soy Edipa Katastrós, para servirla.

Tina Vélez la miró de arriba abajo. Había llegado a Grecia dispuesta a todo, pero no a tanto.

—Perdone, ¿usted no es un hombre?

—Depende de cómo se mire —contestó Edipa, con su sonrisa más misteriosa.

Y Tina Vélez comentó por lo bajo a Visnú De Meller:

—Para la presentación a la prensa tendría que afeitarse el bigote. De lo contrario, no dará el pego.

Elena Arquer y Victoria Barget se unieron al grupo, dando buena cuenta de la botella de champán y de otras tres que siguieron. Ninguno de los presentes regateó su atención a la dinámica Tina Vélez, que expuso sus intenciones respecto a Edipa y su obra. Cuando salió el tema de las visiones, la griega la interrumpió en un tono no exento de pedantería:

—Naturalmente, me interesa mucho que me represente usted, pero no es éste el libro que yo podría ofrecerle.

—¡Cuidado! No me venga con innovaciones, que voy muy quemada con los gastos de este viaje. ¿Usted ve a la Virgen o no la ve?

—Ciertamente, pero una cosa es la esquizofrenia y otra la literatura. Para ser exactos: últimamente escribo bajo la influencia directa de Marguerite Duras...

A Tina Vélez le cayó el café con leche en el bolso.

—No me fastidie, guapa, que de esas cosas ya tenemos en Europa. En cada cafetín literario hay una Duras en potencia. Lo que me interesa son las rústicas provistas de inspiración. Y cuanto más analfabetas mejor. Vamos, palurdas metafísicas.

Intervino Elena Arquer, sin ocultar un deje burlón:

—Seguramente usted ignora lo que acaba de ocurrir en esta isla. Algo que podríamos definir como «la *espantá* de la Virgen».

Expuso en pocas palabras lo sucedido en la gruta del monte Ida. Al saber que una tal Afrodita había sustituido a María Santísima, la Vélez estuvo a punto de desmayarse. Según contaría Minifac, se la vio ligeramente atontada, como si el café con leche se le hubiese subido a la cabeza.

Tardó un buen rato en recuperarse, pero cuando lo hizo no le faltó su decisión habitual.

—Esta aparición de una diosa en pelota viva cambia todos mis planes, pero estoy segura de que usted, Edipa, podrá rectificar en provecho de todos. Piense en lo que vendió el Papa. Primero en librerías; después, en venta a domicilio, acompañando el libro con un rosario.

—Pues imagínese usted lo que podemos vender nosotros con la verdadera historia de mi vida. Imagínese usted una noble familia de Patmos, una dinastía que a lo largo de su historia ha ido acumulando grandes nombres. Marineros, comerciantes, coroneles... Y de pronto, allá en los años cuarenta de este siglo, nace un prodigio. Algo soterrado en el fondo de la mitología vuelve a la vida para asombro del mundo..., algo no calculado por todas las artimañas de la civilización...

—La Virgen, claro.

—No: el hermafrodita.

—No sé qué es, pero me da muy mala espina...

Intervino Visnú para demostrar que trabajaba en una editorial de obras clásicas:

—Sí, mujer: es una criatura que por arriba va de mujer y por abajo de hombre.

—¡Pues vaya novedad! Eso se ha visto en todos los cabarets de Europa. Sale una señorita con las tetas al aire, se quita las braguitas y le cuelga algo. Está muy manido, créanme.

—Pero no surgido de la naturaleza. No creado por la naturaleza con el propósito de engañarse a sí misma.

Elena Arquer se abrazó a Edipa, para asombro de todos los concurrentes:

—Añada al libro una segunda parte y tendrá un *best-seller* asegurado. Cierta mujer, llegada de lejanas tierras, encuentra en el hermafrodita atractivos que nunca imaginó. Primero, la sorpresa continuada de no saber si decidirse a llamarle Edipa o Stefanos. Después, la confirmación de una deliciosa anormalidad. Porque en esta misma isla la extranjera había concebido, años atrás, la semilla de un incesto...

—¡Dios mío! —exclamó Tina Vélez—. ¡Un hermano y una hermana!

—Un hermano y un hermano, para ser más exactos.

—¡Dos hombres!

—Dos gemelos divinos. Tan guapos, que su belleza debía quedar entre ellos para no contaminarse.

—¡Señoras! Ustedes no me proponen un libro: me están proponiendo el catálogo del circo de los horrores.

—Eso es lo que hay, querida amiga —dijo Minifac Steiman—. Y es una mezcla tan suculenta que no entiendo cómo no se apresura a sacar el contrato ahora mismo. Piense que, por mucho que venda el Papa, siempre habrá quienes prefieran otra salida. Por ejemplo, cómo Afrodita derrota a todas las Vírgenes con una sola aparición.

Visnú De Meller se puso a aplaudir de una manera que parecía alocada, incluso en ella:

—A mí, como mujer de mundo, me parece maravilloso porque Afrodita siempre es tan bella, tan rubia, tan liberada en todas sus cosas.

—Tú eres una cretina —exclamó Tina Vélez—. Que no estás bien de la cabeza, vamos. ¿O es que quieres arruinarme el tinglado? Pues menuda soy yo. En cuanto lleguemos a Madrid, llamo a tus jefes para decirles que eres una inepta. O en otras palabras: te consigo la jubilación antes de lo que esperas.

Visnú De Meller estaba apunto de echarse a llorar, cuando intervino Minifac, con voz airada:

—¿Por qué no manda a la porra a esa cretina?

—Porque vivo de esto —gimoteó Visnú—. ¡Ay de mí! Soy una mujer de mundo fatalmente destinada a servir a los zafios. Por un lado, los jefes de mi editorial, que sólo piensan en el marketing; por el otro, esa gansa, que sólo sabe hablar de dinero. Sólo tengo en la vida mi empleíllo, mi loro *Valmont*, y el té y la simpatía de Silvina Manrique.

—Mujer, siempre hay escritoras que necesitan secretarias sofisticadas —dijo Minifac, con una sonrisa que invitaba a seguirla—. Además, una mujer que tiene el detalle de llamarse Visnú no parece nacida para otro destino.

Visnú De Meller se llevó la mano al pecho para detener un pálpito indiscreto. En realidad, estaba a punto de desmayarse.

—¿Yo, secretaria de Minifac Steiman? ¿Yo, pasando a máquina el manuscrito de *El amor es una lágrima en forma de perla* o *Tambores de pasión en los mares del Sur*? ¿Yo leyendo, antes que nadie, el original de *La amante de Saint-Tropez*?

—Y muchas más cosas. Usted, una mujer de mundo, ayudándome a montar fiestas en mi residencia de Mallorca. Usted organizando mi hacienda toda. Usted de amiga y confidente.

—¡Sí, sí! He nacido para esto. Y, dígame, ¿podré mandar a buscar a mi lorito *Valmont*?

—Mandaré al chófer. Le encantan los loros porque su mujer lo fue en la otra vida. Le da usted las llaves de su apartamento y ya está. También podrá cuidar a mi gata *Jackie*... (¡la llamé así por la pobre Jacqueline Kennedy, a quien tanto echo de menos!).

—¡Oh, Minifac! Va mucho más lejos de todo cuanto sus lectoras esperamos de usted. ¡Para que luego digan que los milagros no existen! No se apareció la Virgen, pero sí una santa de altar.

Bañada en llanto, cogió la mano de su benefactora y empezó a besarla desaforadamente.

—Por favor —dijo Minifac, violenta—, no me llene la diestra de mocos, que tampoco es para tanto.

En aquel momento, Tina Vélez se levantó con su habitual brusquedad y gritó a pleno pulmón:

—¡Visnú! Acaba de decir idioteces, que nos vamos. Aquí ya no nos queda nada más que hacer.

Visnú la enfrentó con todas las ganas que le tenía desde que salieron de Barajas:

—Me parece que no has entendido bien. Me quedo en Creta y, después, me voy a Mallorca. Y además te devolveré todo el dinero que te ha costado mi viaje. Miss Steiman, ¿puede adelantarme mi primera mensualidad?

—Claro que sí. Y estoy segura de que me la devolverá porque una mujer de mundo es siempre cumplida. ¿Necesita dólares, dracmas, pesetas, francos o liras?

—¿No tendría yenes?

—Mujer, nunca los uso para viajar por Grecia.

—Era para pagarle a esa tipa con la moneda más alta del mercado. Claro que, si bien se mira, ¿por qué tengo que pagarle? Me ha llevado arrastrada y mortificada...

—¡Basta ya! —gritó la Vélez. Y mirando directamente a Edipa—: Escúcheme bien, vidente de pacotilla: yo vine aquí a ayudarle a vender. ¿Que no quiere? ¡Pues usted se lo pierde! ¡Hasta nunca, gorrinas! Buscaré algún estudiantillo del Opus a quien se le aparezca san Ignacio de Loyola.

Así se perdió en el olvido de todos aquella desagradable mercachifle de la cultura.

—¡Qué mujer tan burra! —exclamó Elena Arquer, entre risas—. Habría podido conseguir el libro de su vida, y se va con las manos vacías.

—No se extrañe —dijo Minifac—. Cuando una agente literaria, un editor o un productor de cine tienen una idea fija nadie los saca de ella. Y así anda el mercado, según los expertos.

Elena sonrió con picardía:

—Así anda, también, el mercado de la carne. Demasiada gente se niega al imprevisto. Luego no es raro que tantos envejezcan antes de tiempo.

Victoria Barget se acercó a Elena y le hizo un guiño, en señal de amistad.

—Es usted mucho más inteligente de lo que pensé cuando llegó a la isla de la Gorgona para defender los viles intereses de mi marido. Y ahora, dígame: ¿qué piensa hacer?

—Desde luego, no volveré a España. Usted se niega a responder a mis preguntas y no no puedo presentarme ante mis jefes con las manos vacías.

—Tendrá que esperar mi decisión. ¡Y no sabe cuánto puedo prorrogarla!

—¡Qué le vamos a hacer! Me instalaré en su casa. Si usted me soporta, claro. No sé si la lejanía será un trauma. ¿Podré resistir la nostalgia de la patria? Espero que sí. Al fin y al cabo, nada me retiene en Madrid. Tengo a mis hijos casados.

—Y nunca mejor dicho, pues están casados entre ellos.

—Sólo está mi marido, ese pobre fracasado...

—Nadie puede exigirle a usted que asuma el fracaso de otros —dijo Victoria, afectando trascendencia.

—A ninguna mujer puede exigírsele tanto —confirmó Minifac.

—Alguien dijo alguna vez: bienaventurados los derrotados —añadió Edipa.

Y Elena Arquer se abrazó a ella, diciendo:

—Pues que alguien aprenda a decir a partir de hoy: bienaventuradas las triunfadoras.

Se concedieron el tiempo de una siesta, y si Visnú De Meller pudo conocer por fin los excesos del lujo, Elena Arquer sintió de nuevo los curiosos efectos de la transgresión. Gozó en brazos de Stefanos-Edipa, buscó en lo más profundo de su vocabulario cómo denominar aquel acto y acabó en la conclusión de que no siempre el mundo necesita palabras para ser definido. Son demasiado exactas, las condenadas.

No sabía si volvería a ver a Edipa o a Stefanos o cualquiera que fuese el nombre de aquella criatura. Tampoco tenía claro si deseaba volver a verla. Algo en la isla de Creta le decía que acababa de obtener una victoria sobre el tiempo, pero ésta era vaga, confusa: tendría que esperar para poder definirla. Eso si su triunfo permitía definición.

A media tarde, ella y Victoria avanzaron por el muelle de Heraklion hacia el yate *Artá*. Esta vez no pidieron al capitán que se entretuviera en alta mar para tomar un baño. Esta vez el yate saltó sobre las olas, acompañado por esos delfines que, desde los tiempos más remotos, han señalado a los marineros la ruta de la prosperidad. Y a medida que se acercaban a la isla de Victoria, notaron que la gorgona no aullaba de furia, antes bien, proyectaba en el crepúsculo una sonrisa de placer. Señal inconfundible de que el gran Alejandro había vencido una batalla en algún lugar del inmenso país de los mitos.

En el embarcadero estaba esperando Borja Luis, el reyecito de los tritones. Tenía en las manos un *master* de algo y, en los labios, la sonrisa de bobo divino propia de ese misterioso disparate que los dioses llamaron juventud. Gracias a ella, y por compartirla, Victoria Barget volvía a ser, como al principio, una mujer de cuarenta y varios años... que sólo aparentaba veinte.

¿FIN DE LA NOVELA?

Índice

IMPRESO EN ROTAPAPEL, S. L.
CALLE D, NÚM. 14. POLÍGONO ARROYOMOLINOS
MÓSTOLES (MADRID)